유홍준의

한국미술사 강의 6

조선
공예
생활·장식미술

Story
of
Korean Art

유홍준의
한국미술사 강의 6

눌와

책을 펴내며

공예의 미술사적 재정립을 위하여

이 책은 《한국미술사 강의》 제6권으로 조선시대 공예와 생활·장식미술 편으로 구성되어 있다. 공예는 인간이 아름답고 풍부한 삶을 영위하기 위하여 만든 모든 실용적, 예술적 공작품을 말한다. 때문에 공예는 미술사에서 건축, 조각, 회화와 함께 4대 분야 중 하나로 되어 있다.

기존의 조선시대 공예사는 도자공예, 금속공예, 목칠공예, 염직공예, 석石공예, 지紙공예 등으로 나누어 연구되고 서술되어 왔다. 공예를 기술의 측면에서 고찰하자면 이러한 분류가 유리하다. 그러나 공예를 미적 관점에서 보자면 재료에 의한 이런 분류 방식은 적절치 않다.

이를테면 촛대의 경우 금속공예품도 있고 목공예품도 있고 도자공예품도 있고, 적지만 석공예품도 있다. 때문에 재료에 의한 분류 체계로는 촛대라는 공예의 세계를 제대로 규명하기 힘들다. 이처럼 유물을 재료에 따라 분류하는 것은 마치 불상조각을 금동불, 석불, 소조불, 목불로 따로 분류하여 기술하는 것과 마찬가지인 셈이다.

본래 공예는 공工과 예藝가 결합한 것으로 그 본질은 용用과 미美, 즉 쓰임새와 아름다움 두 가지 요소로 이루어져 있다. 따라서 공예품에는 미적 목표가 있어 사용 목적과 수요자의 미적 취향에 따라 다르게 나타난다. 같은 목가구라도 왕실에서 사용된 것, 양반의 사랑방에서 사용된 것, 양반의 규방에서 사용된 것, 사찰에서 사용된 것, 그리고 민간에서 사용된 것의 미감이 다 다르다. 수요자의 관점에서 조선시대 공예품을 분류하면 다음과 같다.

왕실공예 국새, 국가의식 예물(어보, 어책, 교명), 종묘제기, 주칠가구

규방공예(양반 여성공예) 안방가구(화각가구, 나전가구, 경상), 장신구(노리개, 비녀), 규방용품(빗접, 반짇고리)

선비공예(양반 남성공예) 사랑방가구(책장, 사방탁자, 문갑), 문방구(서안, 벼루, 필통), 선비 기호품(시전지판)

민속공예(일반 생활공예) 살림가구(반닫이, 궤), 부엌가구(뒤주, 찬장, 찬탁, 소반), 주방용품(떡살, 다식판), 조명기구(등잔, 촛대), 제례용품(감실, 교의), 혼례용품(목안), 기타 생활용품(표주박, 목침, 담배합, 부채, 화로)

불교공예 각종 불구(범종, 향완, 운판, 축원패, 소대)

이와 같이 공예를 생산(창작자의 기술)이 아니라 소비(수요자의 미적 취향)에 의해 분류하면 공예의 아름다움이 잘 드러난다. 이에 나는 조선시대 공예사를 서술함에 있어 이 분류를 따랐다. 본래 학문적 분류란 대상을 총체적으로 이해하기 위하여 편의상 나눈 것임을 생각할 때 이쪽이 미술사의 대상으로서 공예를 이해하는 데 훨씬 적합하다고 생각하기 때문이다.

물론 이런 분류에는 몇 가지 문제점이 있다. 이를테면 장신구의 경우 왕실과 규방에서 똑같이 사용했고, 나전칠기와 화각공예의 경우 왕실 유물인지 규방 유물인지 구별하기 힘들다. 반닫이와 소반은 계층을 넘어 다 같이 공유했다.

이에 궁궐, 그리고 왕실에 준했던 운현궁에 전하는 것은 왕실공예로 분류하였고 왕실과 규방이 겹치는 공예는 규방공예로 다루었으며, 반닫이와 소반처럼 왕실부터 사서士庶가 공유한 생활공예는 민속공예로 분류하였다. 불교공예와 도자공예는 이미 제4권과 제5권에서 서술하였기 때문에 여기서는 생략하였다.

나는 내가 제시한 장르 분류가 절대적으로 옳다고 생각하지 않는다. 다만 이렇게 새롭게 시도함으로써 앞으로 한국미술사가 점점 더 완벽해져 갈 것으로 기대하고 있다. 동학 여러분들의 아낌없는 비판을 바란다.

생활·장식미술 편은 장식화, 민화, 자수 세 장르로 이루어졌다. 이는 근래에 들어와 조선시대 미술사 연구에서 새롭게 조명되고 있는 분야들이다. 기존의 회

화사 연구는 오랫동안 감상화를 위주로 연구되고 서술되어 왔다. 그러다 반세기 전부터 민화가 한국미술사의 중요한 장르로 부각되었다.

그러나 민화의 개념과 정의는 논자마다 달리하고 있고 그 범위를 너무 넓게 잡아 본래 민화의 본질과 거리가 먼 경우도 생겼다. 이는 왕실과 양반사회에서 사용된 장식화, 장식병풍을 민화 속에 포함시키면서 일어난 모순이었다.

본래 회화는 감상 목적 이외에 장식과 기록의 기능을 갖고 있다. 조선시대에는 초상화, 기록화, 장식화, 의궤화儀軌畵, 벽사화辟邪畵 등 다양한 종류의 생활·장식화들이 제작되었다. 이는 삶을 아름답게 꾸미는 미술의 본령 같은 것이다.

서양은 석조 건물이 많아서 벽화가 크게 발달하였지만 동양의 건물은 목조, 조적조(벽돌) 건물 위주이기에 벽화는 많이 그려지지 않았다. 그 대신 중국에는 첩락貼落이라고 불리는 부벽화付壁畵가 있고 일본에는 장병화障屛畵라고도 불리는 후스마에[襖繪]가 발달하였고, 조선에서는 장식병풍이 크게 발전하였다.

왕실과 양반층에서 유행하던 장식병풍이 조선 후기에 들어와 서민사회에도 널리 퍼져나가면서 나타난 것이 민화이다. 장식화의 개념을 확실히 할 때 비로소 민화의 참 가치가 드러난다. 이에 여기서는 장식화와 민화를 분리하여 별도의 장으로 서술하였다.

자수의 장르 개념에는 여러 의견이 있을 수 있다. 기본적으로 침선공예로 규방공예에 속하는 것이지만 생활 자수 이외에 감상을 목적으로 하는 회화적인 작품도 있고, 의례의 격조를 위해 장식한 경우도 많다. 이에 자수의 다양한 성격을 포괄하고자 별도의 장으로 삼았다.

매 권 책을 펴낼 때마다 각 분야의 동학들에게 가르침과 검토를 받아온 것처럼 이번 책에서도 공예는 최공호 교수와 한국고미술협회 양의숙 회장, 왕실공예는 국립고궁박물관 김동영 전 관장, 노명구 과장, 이종숙 연구원, 장식화는 서윤정 교수, 민화는 윤열수 선생, 자수는 서울공예박물관의 김수정 관장과 이승해 학예사의 검토를 받았다. 모든 분들께 깊이 감사드린다.

이리하여 《한국미술사 강의》 조선시대 미술 편을 모두 네 권으로 펴내게 되었다. 그리고 마침내 《한국미술사 강의》는 전6권으로 우리나라 고미술사를 마무리하게 되었다. 앞으로 근현대미술사가 남아 있지만 나는 일단 여기에서 한국 고미술사 강의를 끝내고자 한다.

돌이켜 보건대 《한국미술사 강의》 첫째 권이 나온 것은 2010년이었으니 13년 만에 완간을 보게 된 것이다. 처음 시작할 때 이렇게 오래 걸리리라고는 생각하지 않았고 또 이처럼 전6권, 총 2500쪽이 넘는 방대한 양이 되리라고는 생각지도 않았다.

회화사가 전공인 내가 한국미술사 전체의 통사를 쓴다는 것은 마치 피부과 의사가 의학개론을 쓰고, 민법학자가 법학개론을 쓰는 것만큼이나 어려운 일이었다. 때문에 타 분야사에 대한 많은 공부가 필요했고 상반된 학설들을 일일이 소개하기 위하여 많은 설명이 필요하였던 것이다. 그래서 짧고 쉽고 간단하게 쓴다는 것은 길게 쓰는 것보다 어렵다는 것을 실감하였다.

《한국미술사 강의》를 13년에 걸쳐 전6권으로 펴낼 수 있었던 것은 명지대 한국미술사연구소 역대 연구원들의 보조가 있었기 때문에 가능한 것이었다. 김정원, 김자우, 박효정, 김혜정, 신민규, 권경아, 정지훈, 홍성후 등의 치밀한 자료 검색과 '팩트 체크'가 없었으면 불가능한 작업이었다. 정년퇴임 후에도 석좌교수로 계속 한국미술사연구소 소장을 맡겨주며 연구실을 제공해 주신 명지대 유병진 총장님께도 각별히 감사의 말씀을 올린다.

《한국미술사 강의》 전6권은 눌와에서 펴내면서 아름다운 책으로 나올 수 있었다. 여섯 권을 펴내는 동안 까다롭기로 소문난 저자를 상대하면서 좋은 이미지를 구하여 본문과 도판이 항시 같은 면에 나올 수 있도록 편집하기 위해 정말로 열과 성을 다하였다. 눌와의 김효형 대표, 김선미 주간, 김지수 팀장, 임준호 편집자, 엄희란 디자이너의 노고에 진심으로 감사드린다.

그리고 《한국미술사 강의》가 완간되도록 음양으로 지지를 보내주신 한국미술사 동학 여러분과 오랜 기간 끝까지 기다려주신 독자 여러분께 감사하는 마음 그지없다. 언젠가 한국 근현대 미술사를 펴내게 되면 그때 또 만날 수 있기를 기대하며 나의 긴 여정을 마친다.

2023년 10월

유홍준

6권 차례

1권 차례

2권 차례

고려 미술

3권 차례

일러두기

1 문화재 명칭은 가능한 한 지정 명칭을 따랐으나 유물·유적을 이해하는 데 도움이 된다고 여겨지는 경우 그와 달리한 것도 있다.

2 책 제목·신문·화첩 등은《 》, 논문·글 제목·회화·유물·노래 등은〈 〉로 표시했다. 문장 안에서 강조하거나 구별할 경우는 ' '로 묶었고, 문헌을 직접 인용한 경우는 " "로 묶었으나 문단을 달리할 경우는 따로 표시하지 않았다.

3 중국의 인명과 지명, 작품명 등은 우리의 한자음대로 표기했다. 일본의 인명과 지명 등은 일본어 발음대로 표기하고 [ ] 속에 일본어를 넣되, 절의 경우 우리의 한자음으로 표기하고 ( ) 속에 일본어 발음을 넣었다.

4 중요 인물들의 경우 괄호 안에 생몰연대를 넣었다. 다만 생몰연대가 밝혀지지 않은 경우에는 넣지 않았다.

5 본문 글의 이해를 돕기 위해 도판을 실었으며, 각 장마다 구분하여 앞에서부터 도판이 실린 순서대로 일련번호를 매겼다. 일련번호는 해당 본문 글에 함께 표시하여 관련 내용을 찾기 쉽도록 하였으나 글에서는 순서대로 표기되지 않은 경우도 있다. 다른 권이나 장에 실린 도판일 경우에는 해당 쪽수를 넣어 찾아보기 쉽게 했다.

6 도판 설명은 일련번호, 작품 이름, 작가 이름, 시대, 재질, 크기, 문화재 지정 현황, 소장처(소재지) 등의 순서로 표기했다. 작가가 알려지지 않은 경우 작가는 생략했다. 공예품은 유물의 특성에 따라 높이, 길이, 너비 중 하나를 적고, 서화와 자수 서화는 세로×가로로 표기했다. 병풍은 각 폭의 그림 부분의 크기를 표기하되 연결병풍은 전체 그림의 크기를 표기했다. 다만 기준에 맞는 정보를 찾지 못한 때는 이를 따르지 않았다.

7 국보, 보물, 사적, 명승, 천연기념물, 국가민속문화재는 독자들의 편의를 위해 기존의 지정번호를 표기했다. 문화재청이 지정번호를 부여하지 않기로 한 2021년 11월 19일 이후 지정된 경우 지정 여부만 표기했다.

58장
왕실공예

지존至尊의 존엄을 위한 공예

공예의 정의와 분류

상의원과 선공감

조선왕조의 국새

대한제국의 국새

어보와 어책

교명

어보함과 어책함

정조 효손 은인

종묘제기

왕실 의장물

왕실 주칠가구

용상과 교의

왕실 생활가구

왕실 나전칠기

궁중 소반과 상

주칠 함

궁보

궁보의 종류

공예의 정의와 분류

공예는 공工과 예藝가 결합한 것으로 인간이 보다 아름답고 풍부한 삶을 영위하기 위하여 만든 모든 예술적 공작품을 말한다. 공예의 본질은 용用과 미美, 즉 쓰임새와 아름다움 두 가지 요소로 이루어져 있어 기술[工]과 아름다움[美]이라는 두 가지 속성을 갖고 있다.

공예는 그 범위가 매우 넓어 기존의 공예사는 편의상 재료에 따라 금속공예, 목칠공예, 염직공예, 도자공예, 석石공예, 지紙공예 등으로 분류하며 별개의 장르로 다루고 있다. 이런 분류는 공예를 기술[工]의 측면에서 고찰하는 데는 아주 유리하다.

그러나 이러한 분류는 아름다움의 관점에서 고찰하는 데는 적합하지 않다. 같은 물건이어도 금속으로 만든 것도, 나무로 만든 것도 있으며 돌로 만든 것도 있다. 때문에 이런 분류 체계로는 공예의 세계를 제대로 규명할 수 없다. 또 어보와 어보함은 일괄 유물인데 어보는 금속공예, 어보함은 목칠공예로 다루어 유물의 총체적 성격이 드러나지 않게 된다. 이는 마치 불상을 시대양식이 아니라 재료에 따라 석불상, 금동불상, 철불상, 목불상 등으로 나누어 고찰하는 셈이다.

공예가 미술사에서 건축, 조각, 회화와 함께 4대 분야 중 하나가 된 것은 아름다움의 관점에서이다. 공예품을 제작하는 것은 생산자(공예가)이지만 사용(소비)하는 주체와 사용 목적에 따라 형태와 아름다움이 다르게 나타난다. 예를 들어 같은 목가구라도 왕실에서 사용된 것, 양반의 사랑방에서 사용된 것, 규방에서 사용된 것, 사찰에서 사용된 것, 그리고 민간에서 사용된 것은 미감이 다르다. 이런 기준에서 조선시대 공예품을 분류하면 다음과 같다.

왕실공예 국새, 국가의식 예물(어보, 어책, 교명), 종묘제기, 주칠가구

규방공예(양반 여성공예) 안방가구(화각가구, 나전가구, 경상), 장신구(노리개, 비녀), 규방용품(빗접, 반짇고리)

장조비헌경왕후 옥책함, 1795년, 높이 34.5cm, 국립고궁박물관 소장

선비공예(양반 남성공예) 사랑방가구(책장, 사방탁자, 문갑), 문방구(서안, 벼루, 필통), 선비 기호품(시전지판)

민속공예(일반 생활공예) 살림가구(반닫이, 궤), 부엌가구(뒤주, 찬장, 찬탁, 소반), 주방용품(떡살, 다식판), 조명기구(등잔, 촛대), 제례용품(감실, 교의), 혼례용품(목안), 기타 생활용품(표주박, 목침, 담배합, 부채, 화로)

불교공예 각종 불구(범종, 향완, 운판, 축원패, 소대)

공예를 이와 같이 분류하면 각 공예품의 미적 특질이 잘 나타난다. 물론 이 분류에도 몇 가지 문제점이 있다. 우선 소비자의 취향이 겹치는 경우가 많다는 점이다. 이를테면 나전과 화각 공예품의 경우 왕실 유물인지 규방 유물인지 구분하기가 힘들다. 민속공예의 범위를 어디까지 잡을지도 정하기 쉽지 않다. 그럼에도 불구하고 재료에 의한 분류보다는 수요자의 측면에서 분류하는 것이 아름다움을 밝히는 데 더 적합하다고 생각되어 여기서는 조선시대 공예를 이 분류에 따라 서술하였다.

다만 도자공예의 경우만은 예외로 삼아 제5권에서 별도로 다루었다. 한국미술사 내지 동양미술사에서 도자사는 회화사와 마찬가지로 엄연히 한 장르로서 굳어져 있기 때문이다. 이는 서양미술사와 크게 다른 점이기도 하다. 또 불교공예는 제4권에서 별도의 장으로 이미 서술하였기 때문에 이 책에서는 공예를 왕실공예·규방공예·선비공예·민속공예로 나누고 왕실공예부터 서술하였다.

상의원과 선공감

조선왕조에서는 왕실에서 필요로 하는 각종의 복식과 공예품을 제작하는 기관으로 상의원尙衣院을 두었다. 그리고 이와 별도로 궁궐의 토목, 영선營繕(건축물의 수리와 관리)에 관한 일을 맡아보던 관청으로 공조工曹 산하에 선공감繕工監이 있었다. 왕실공예품은 이 상의원과 선공감에서 주로 제작되었다.

상의원은 정3품 아문衙門으로 임금의 의복 및 은기를 비롯한 금속기, 나전함 등 여러 기물들을 제작하고 궐내의 재화·보물 등 물품을 맡아보았다. 1392년

《경국대전》의 상의원 소속 장인들

직물의 제작 관련

성장筬匠	10명
능라장綾羅匠	105명
방직장紡織匠	20명
합사장合絲匠	10명
연사장鍊絲匠	75명

염색 및 도료 관련

홍염장紅染匠	10명
청염장青染匠	10명
초염장草染匠	4명
하엽록장荷葉綠匠	2명

옷감 손질 및 복식 제작

침선장針線匠	40명
도침장擣砧匠	14명
도련장擣鍊匠	2명
세답장洗踏匠	8명
다회장多繪匠	4명
매듭장每緝匠	4명
도다익장都多益匠	2명

관모류

초립장草笠匠	6명
사모장紗帽匠	4명
망건장網巾匠	4명
유립장襦笠匠	2명
양태장凉太匠	2명
모자장帽子匠	2명

가죽 및 모피류

숙피장熟皮匠	8명
과피장裹皮匠	4명
사피장斜皮匠	4명
생피장生皮匠	2명
웅피장熊皮匠	2명
전피장獱皮匠	2명
전장氈匠	8명
모관장毛冠匠	2명
모의장毛衣匠	8명
칠장漆匠	8명
나전장螺鈿匠	2명
조각장彫刻匠	4명

신발류

삽혜장鈒鞋匠	8명
화장靴匠	10명
화아장花兒匠	4명

무기류

궁현장弓弦匠	4명
궁인弓人	18명
시인矢人	21명
도자장刀子匠	6명
환도장環刀匠	12명

금은보화류

재금장裁金匠	2명
사금장絲金匠	4명
은장銀匠	8명
화장咊匠	8명
옥장玉匠	10명
금박장金箔匠	4명
입사장入絲匠	4명

기타

묵장墨匠	4명
배첩장褙貼匠	4명
두석장豆錫匠	4명
마조장磨造匠	4명
유칠장油漆匠	2명
주장鑄匠	4명
유장鍮匠	4명
동장銅匠	4명
야장冶匠	8명
연장鍊匠	10명
화빈장火鑌匠	2명
침장針匠	2명
경장鏡匠	2명
옹장甕匠	10명

빗류

목소장木梳匠	2명
죽소장竹梳匠	2명

악기류

풍물장風物匠	8명

마구류

도목개장都目介匠	2명
도결아장都結兒匠	2명

이상 총 597명

(태조 1) 7월, 관제를 제정할 때 내부사內府司를 두어 창고의 재물 출납과 의복 등에 관한 일을 맡겼다가 1393년(태조 2)에 상의원을 따로 설치한 것으로 여겨지고 있다. 내자시內資寺, 내섬시內贍寺도 임금에게 올리는 의복 등 물품을 관장했으나 1422년(세종 4)부터 상의원에 능라장을 이속시켜 전담하게 했다.

또 문종文宗(재위 1450~1452) 때에는 조각방雕刻房·화빈방火鑌房·묵방墨房 등도 상의원에 소속시켰으며 지방에 있는 잠실蠶室도 상의원에서 주관하게 하였다. 상의원은 1895년(고종 32)에 상의사尙衣司로, 1905년(광무 9)에는 상방사尙方司로 이름을 고치며 왕조 말기까지 존속하였다.

《경국대전經國大典》에 의하면 상의원의 관원으로는 제조提調 2명, 승지承旨가 겸임하는 부제조 1명, 정3품 정正 1명, 종4품 첨정僉正 1명, 종5품 판관判官 1명, 정·종 5품 별좌別坐 1명, 정6품과 종6품 별제別提 각 1명, 종6품 주부主簿 1명, 종7품 직장直長 2명을 두었다. 상의원에 소속된 공장工匠(장인)은《세종실록世宗實錄》21년(1439) 1월 22일 기사에 따르면 467명이었는데,《경국대전》에는 68종 597명으로 규정되어 있다.

선공감은 1392년(태조 1) 7월, 개국과 동시에 설치되었는데 오늘날 서울 새문안교회 부근에 있었으며 궁궐과 한성부의 토목 및 영선에 관한 일을 맡았다. 워낙에 일이 많아 창덕궁昌德宮 금호문金虎門 밖에 분감分監을 두고 또 용산 강변에 용산강감龍山江監까지 두었다. 선공감은 1894년(고종 31), 갑오개혁甲午改革으로 폐지될 때까지 존속하였다.

선공감의 제조는 공조판서와 호조판서가 겸직하고, 실무자로는 종3품 부정副正 이하 많은 사무직 관원이 배치되었고 총 346명의 공장이 배치되어 있었다. 이 상의원과 선공감의 공장들이 사실상 왕실공예의 담당자들이었다.

조선왕조의 국새

국새國璽는 국권을 상징하는 도장으로 왕실공예의 상징이자 고유 영역이다. 국새와 비슷한 형식의 공예품으로 어보御寶가 있는데 이 둘은 모양은 비슷하지만 내용과 쓰임새가 전혀 다르다. 국새는 문서에 직접 찍는 도장이고, 어보는 왕실의

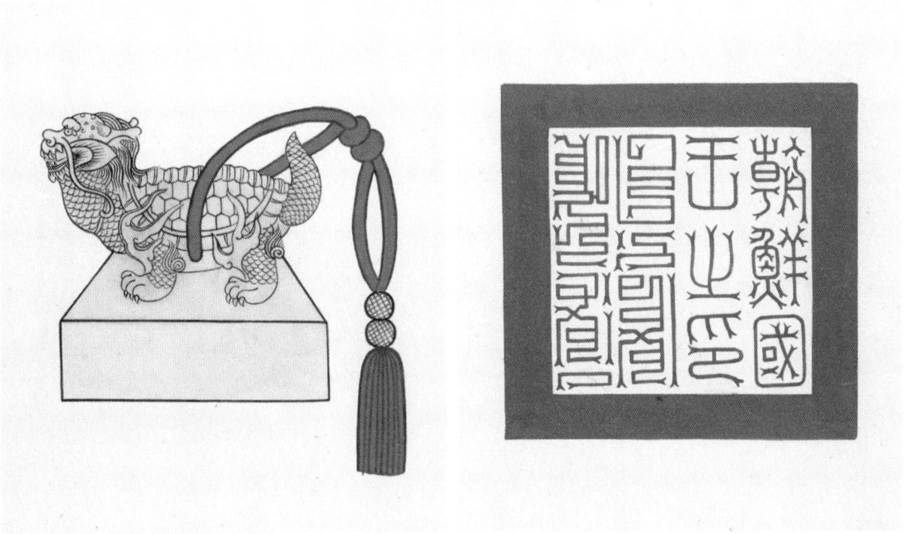

1 《보인소의궤》에 실린 조선국왕지인과 인면

정통성을 증명하는 예물이다. 본래 황제의 도장은 옥으로 만들고 왕의 도장은 금으로 만들어 황제의 옥새玉璽와 왕의 금인金印을 명확히 차별하였다. 그러나 엄격히 지켜지진 않아서 은에 도금하거나 금속, 나무 등으로 만든 경우도 있다.(성인근, 《국새와 어보》, 현암사, 2018)

황제의 옥새 손잡이는 용을 조각한 용뉴龍鈕, 왕의 금인 손잡이는 거북이를 조각한 귀뉴龜鈕로 되어 있다. 이에 따라 조선은 기본적으로 거북이 손잡이의 금인, 대한제국은 용 손잡이의 옥새를 만들었다. 그러나 통상 새와 인, 옥과 금을 혼용하며 통틀어 국새라 일컬었다. 그리고 국새에는 장식을 위한 붉은 매듭 장식인 인수印綬가 달려 있다.

조선왕조의 국새는 대외용과 대내용이 달랐다. 대외용은 대상이 중국이냐 다른 나라(일본, 유구 등)이냐에 따라서도 달랐다. 중국과의 외교문서에는 "조선국왕지인朝鮮國王之印"이라고 새긴 금인을 사용하였는데, 국초엔 명나라에서 보내준 것을 썼고 1636년(인조 14) 병자호란丙子胡亂 이후에는 청나라에서 준 금인으로 교체하였다.도1 그러나 이 국새들은 망실되어 현재 실물이 전하지 않는다.

일본과의 외교문서에는 조선에서 자체 제작한 〈위정이덕보爲政以德寶〉라는

2 대군주보, 1882년, 높이 7.9cm, 보물 1618-5호, 국립고궁박물관 소장

3 유서지보, 1876년, 높이 6.8cm, 보물 1618-3호, 국립고궁박물관 소장

4 준명지보, 1889년, 높이 7cm, 보물 1618-4호, 국립고궁박물관 소장

국새를 찍었다. 그러다 1882년(고종 19) 〈대조선국보大朝鮮國寶〉, 〈대조선국대군주보大朝鮮國大君主寶〉, 〈대군주보大君主寶〉 등을 제작하여 사용하였다. 이 국새들은 중국을 제외한 다른 나라들과의 외교문서에도 사용하였는데, 이중에서는 〈대군주보〉(보물 1618-5호)도2만이 남아 있어 대한제국 이전의 대외용 국새로는 유일하다.

대내용 국새는 결재할 문서의 성격에 따라 종류가 달랐다.

- 시명지보施命之寶: 행정명령인 교서敎書와 교지敎旨에 찍는 국새
- 유서지보諭書之寶: 왕이 내리는 말씀에 찍는 국새
- 과거지보科擧之寶: 과거시험 관계 문서에 찍는 국새
- 규장지보奎章之寶: 왕이 지은 글에 찍는 국새
- 준명지보濬明之寶: 세자시강원 관리를 임명하는 문서에 사용한 국새

이중 현재 전하는 것은 〈유서지보〉도3와 〈준명지보〉도4 둘뿐이다. 〈유서지보〉(보물 1618-3호)는 거북 손잡이의 금인으로 본래 세종世宗(재위 1418~1450) 때부터 사용해 오던 것을 1876년(고종 13)에 새로 제작한 것으로 왕실 인장들을 기록해 놓은 《보인소의궤寶印所儀軌》를 통해 확인할 수 있다. 이 〈유서지보〉는 한국전쟁에 참전한 미국 해병대 장교가 덕수궁에서 불법으로 가져간 뒤 그 후손이 보관해 왔는데 2014년 4월 한미정상회담 때 버락 오바마 미국 대통령이 한국 정부에 반환하였다(이때 조선왕조 어보 8과도 함께 환수되었다). 〈준명지보〉(보물 1618-4호)는 거북 손잡이의 옥인으로 1889년(고종 26)에 제작하여 사용한 것이다.

대한제국의 국새

1897년(광무 1)에 수립된 대한제국이 황제국의 위상을 보여주는 국새 10과를 새로 제작하였음은 《보인부신총수寶印符信總數》를 통해 알 수 있다. 그러나 현재는 〈황제지보皇帝之寶〉도5, 〈제고지보制誥之寶〉도6, 〈칙명지보勅命之寶〉도7, 〈대원수보大元帥寶〉도8 등 4과만 전하고 있다.

5 황제지보, 1897년, 높이 10.2cm, 보물 1618-2호, 국립고궁박물관 소장

6 제고지보, 1897년, 높이 9.4cm, 보물 1618-6호, 국립중앙박물관 소장

7 칙명지보, 1897년, 높이 8.4cm, 보물 1618-7호, 국립중앙박물관 소장

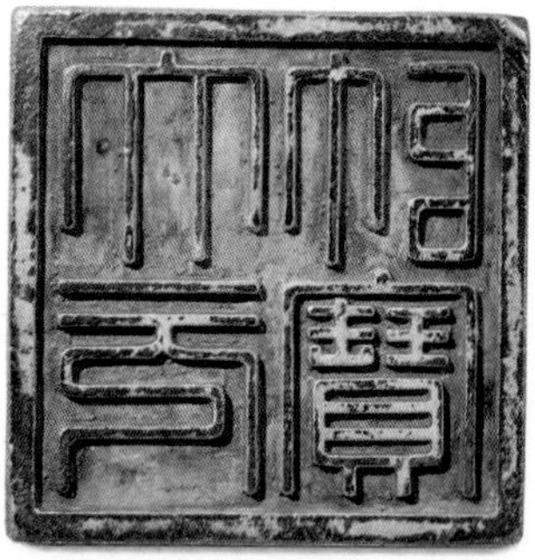

8 대원수보, 1897년, 인면 8.2×8.2cm, 보물 1618-8호, 국립중앙박물관 소장

9 황제어새 일괄, 1903년 이전, 어새 높이 4.9cm, 보물 1618-1호(어새), 국립고궁박물관 소장

이중 〈황제지보〉(보물 1618-2호)만 재질이 남양옥이고 나머지는 금인이며, 손잡이는 모두 용 모양이고 글씨는 시남詩南 민병석閔丙奭(1858~1940)이 소전체小篆體로 쓴 것이다. 이는 대한제국 선포 의식의 절차와 각종 의물儀物을 기록한 《대례의궤大禮儀軌》의 기록과 그대로 일치한다.

고종高宗(재위 1863~1907)은 이와 별도로 비밀 외교를 위해 〈황제어새〉(보물 1618-1호)라는 국새를 따로 만들어 일본의 만행을 세계에 알리는 친서에 사용하였다.도9 〈황제어새〉는 거북 손잡이에 금인으로 되어 있는데 1907년(고종 44) 4월 20일 러시아 황제에게 비밀리에 보낸 친서를 비롯하여 1903년(고종 40)부터 1909년(순종 3)까지 프랑스, 러시아, 독일 군주에게 보낸 문서들에 찍혀 있어 각별한 역사성을 지니고 있다. 이 어새는 비밀리에 사용한 것이어서 다른 국새보다 작은 가로 5.2센티미터에 세로 6.6센티미터 남짓한 크기이고, 보관함에 인주가 함께 들어 있다. 그러나 성격상 《보인부신총수》에는 실려 있지 않다.

어보와 어책

조선시대에는 어보御寶와 어책御冊이라는 독특한 왕가의 의식 예물이 있었다. 어보는 왕, 왕비, 왕대비, 대왕대비, 세자, 세자빈 등 왕실의 주요 구성원에게 수여된 의례용 도장이다. 어보는 국새와 형태가 비슷하여 간혹 혼동을 일으키기도 하는데 국새는 문서에 찍는 도장이고 어보는 왕실의 정통성을 증명하는 예물이다.

어보는 왕의 경우 덕을 기리는 존호尊號, 돌아가신 왕의 공덕을 칭송하는 시호諡號를 새긴 것이다. 왕비·세자·세자빈의 경우는 책봉 때 부여받은 이름을 새겼다. 어보의 손잡이는 귀뉴나 용뉴로 되어 있고, 대개 높이는 9센티미터 전후, 무게는 약 4킬로그램에 달한다. 어보에는 금보와 옥보가 있는데 금보는 밀랍주조 방식으로 제작하여 수은아말감 기법으로 도금하였으며 옥보는 당시 최상의 품질을 자랑하는 남양청옥南陽青玉을 채취하여 정옥사精玉沙라는 고운 모래로 연마하고 백랍으로 표면을 코팅하였다. 영조英祖(재위 1724~1776) 때의 장인 최천약崔天若(1684?~1755)은 어보 제작에 뛰어났다. 그는 악기·자명종·천문기기의 제작과 왕릉의 석물 조각으로도 유명한 장인이었다.

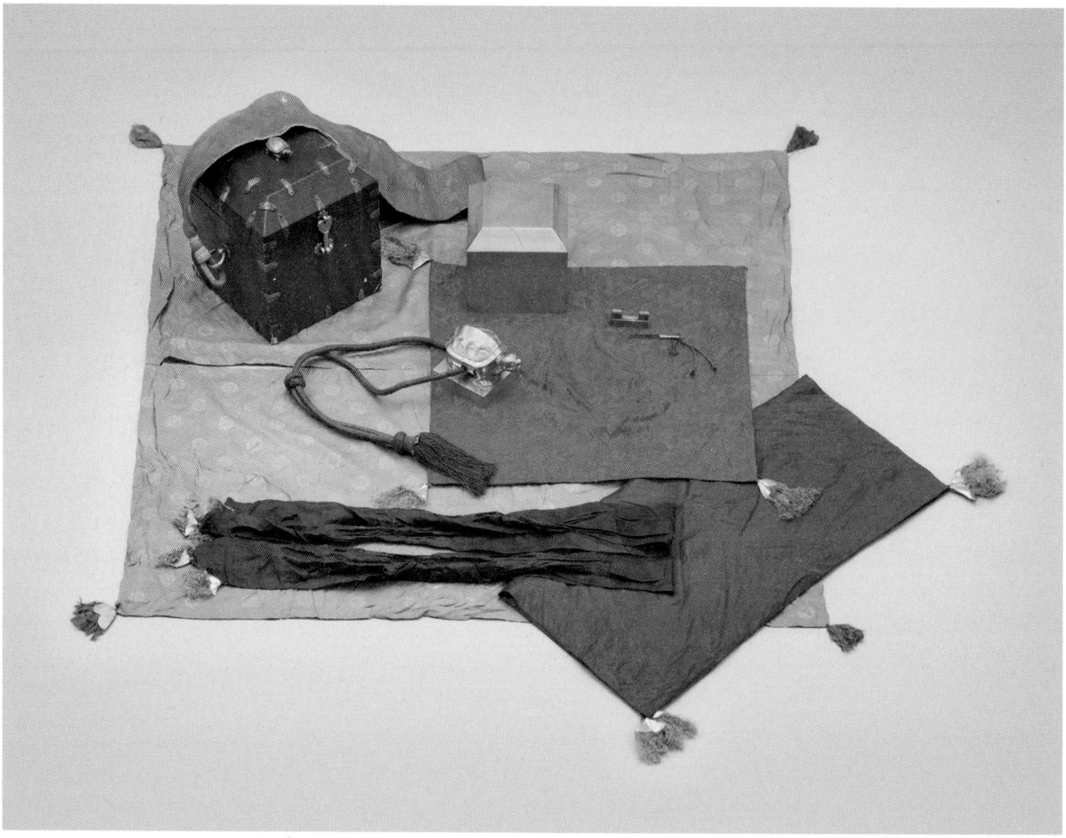

10 숙종 금보 일괄, 1753년, 금보 높이 8.5cm, 보물(금보), 국립고궁박물관 소장

어보는 이를 넣는 내함인 보통寶筒, 보통을 넣는 외함인 보록寶盝, 이를 싸는 보자기 등이 한 세트로 이루어진다.도10 왕의 사후에 신위神位가 종묘宗廟에 모셔지면 그가 받았던 어보들은 신실의 오른쪽(동쪽)에 안치하였다.

어보는 어책御冊과 함께 수여되었다. 어책은 대상을 왕비나 왕세자, 왕세자빈, 왕세제, 왕세손, 왕세손빈, 후궁 등에 책봉하거나 시호 또는 존호를 올릴 때 그 공덕을 칭송하는 글을 새긴 것으로 옥책玉冊도11, 죽책竹冊도12, 금책金冊의 세 가지 형식이 있다.

어책의 장황粧績(꾸밈)은 지극정성으로 이루어졌다. 옥책의 경우 옥간玉簡 대여섯 조각을 모아 위아래로 홍금선단紅錦線緞(붉은 비단 선)을 두르고 그 위로 도금한 철을 대고 구멍을 뚫은 뒤 큰 쇠못을 박아 고정하고 둥근 고리 또는 돌쩌귀를

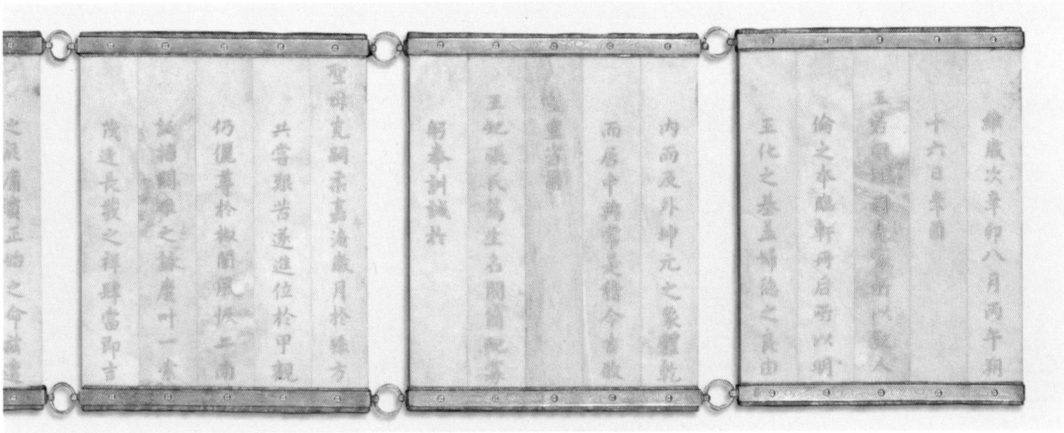

11 효종비인선왕후 봉왕비옥책(부분), 1651년, 24.7×128.6cm, 보물, 국립고궁박물관 소장

12 정조 봉왕세손죽책(부분), 1759년, 25.3×107.3cm, 보물, 국립고궁박물관 소장

이용해 다른 첩과 연결하며 옥첩 사이사이에는 솜보자기를 끼워 마찰을 방지하고 마지막 바깥 면에 홍금선단을 대어 마무리했다. 죽책도 이에 준하여 장황하였다. 어책은 어보와 마찬가지로 갑匣이라고 하는 비단 보자기에 싸서 내함과 외궤에 차례로 넣었는데, 특히 왕과 왕비가 평생에 걸쳐 받은 어책은 종묘의 해당 신실 왼쪽(서쪽)에 보관하였다.

조선왕조의 어보는 태조太祖(재위 1392~1398)의 4대조인 목조穆祖(?~1274)부

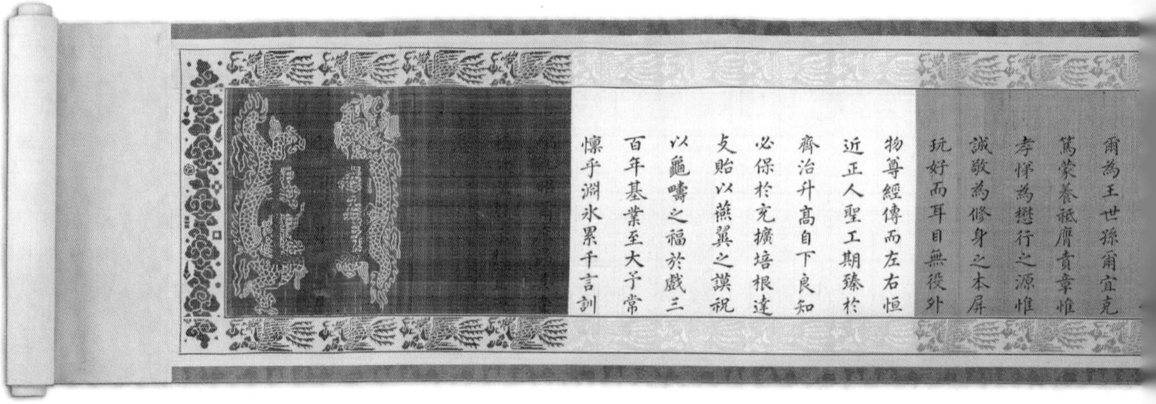

13 정조 봉왕세손교명, 1759년, 비단에 묵서, 35×304cm, 보물, 국립고궁박물관 소장

터 순종純宗(재위 1907~1910)까지 왕과 추존왕 34명, 왕비와 계비 48명, 그리고 수많은 세자와 세자빈을 위해 제작되어 기록상 총 375과가 있었다. 현재 332과가 전하고 있고 43과는 소재 불명이다. 이중 323과가 국립고궁박물관에 소장되어 있다.

어책의 경우 왕과 왕비에게 올린 옥책은 1924년 작성된《종묘영녕전책보록宗廟永寧殿册寶錄》을 기준으로 할 때 총 254책이 있었던 것으로 보이나《종묘영녕전책보록》작성 이후 4책이 더 제작되어 현재는 총 258책이 전하고 있으며 257책이 국립고궁박물관에, 1책이 국립중앙박물관에 소장되어 있다. 어책 가운데 왕세자·왕세제·왕세손·왕세자빈·왕세제빈·후궁 등에게 수여되거나 올려진 죽책은 기록상 총 76책이 있었으나 43책만이 전한다. 이중 40책이 국립고궁박물관에 소장되어 있고, 고려대학교박물관에 2책, 서울공예박물관에 1책이 소장되어 있다. 금책의 경우 대한제국 때부터 만들어졌으며 총 16책이 제작되었다고 하나 7책만 전하고 있다.

이 방대한 양의 어보와 어책은 조선왕조 왕실공예의 꽃으로 함과 보자기까지 하나하나가 각 시대 공예를 대표하는 명품들이다. 2017년에는 국립고궁박물관 소장품들을 중심으로 어보와 어책들이 유네스코 세계기록유산에 등재되었다.(《조선 왕조 어책》, 국립고궁박물관, 2017)

교명

교명敎命은 국왕이 왕비·왕제자·세자빈 책봉 시에 훈계하여 내리는 문서로 어보, 어책과 함께 만들어진 세 가지 의물 중 하나이다. 내용은 "왕은 이렇게 말씀하셨다[王若曰]"로 시작하여 책봉하는 사유를 적고 마지막은 "잘 알았으리라 생각한다[想宜知悉]"로 끝맺는다.

교명은 옥축을 단 두루마리 형태의 횡축으로 대단히 정성스럽게 만들었다. 정밀하게 직조한 홍·황·남·백·흑 오색 비단 위에 교명문을 단정한 해서체楷書體로 쓰고 국새 중 시명지보를 찍었다.도13 조선왕조실록 등의 문헌자료를 종합하면 77축의 교명이 제작, 수여되었는데 현재 전하는 교명은 국립고궁박물관 소장 28축을 포함하여 32축뿐이며 전체 내용은 《문원보불文苑黼黻》에 실려 있다.(《꾸밈과 갖춤의 예술, 장황》, 국립고궁박물관, 2008) 조선왕조의 어보, 어책, 교명 중 어보 318과, 어책 290책, 교명 29축은 2023년 6월 일괄하여 보물로 지정되었다.

어보함과 어책함

어보와 어책이 왕실 금속공예의 높은 수준을 보여주듯이 이를 담은 어보함과 어책함 또한 사가私家에서는 볼 수 없는 뛰어난 목칠공예의 진수를 보여주고 있다.

14 숙종비인현왕후 옥보 보록, 1722년, 높이 31cm, 국립고궁박물관 소장

어보함 중에서도 외함인 보록은 나무에 어피魚皮를 입히고 장석으로 이음새를 감싸 아주 야무진 인상을 준다. 사각형 상자에 뚜껑의 네 면을 모죽이기하고 금속으로 만든 꼭지를 단 형태에 끈이 달려 있는데 어피의 질감과 주칠의 색감 덕분에 더없이 견고해 보인다.

〈숙종비인현왕후 옥보 보록〉도14은 1722년(경종 2)에 숙종肅宗(재위 1674~1720)의 비인 인현왕후仁顯王后(1667~1701)에게 휘호徽號(왕비의 존호)를 올리면서 만든 옥보와 보통을 담았던 함이다.

어책함은 주칠 또는 흑칠 상자로 단아한 형태미를 보여주며 금물로 그림을 그려넣어 품격을 높이고 있다. 〈영조 봉왕세제죽책함〉도15은 흑칠 바탕에 금니로 윗면에는 쌍봉雙鳳, 앞면에는 대나무가 정교하게 그려져 있다. 이 함은 영조가 왕세제로 책봉되었을 때 수여된 죽책을 보관한 함이다. 《책례도감의궤冊禮都監儀軌》에 따르면 내외 함 중 내궤內樻에 해당하는 것으로 제작 시기가 1721년(경종 1)임을 알 수 있다.

15 영조 봉왕세제죽책함, 1721년, 높이 27cm, 국립고궁박물관 소장

〈장조비헌경왕후 옥책함〉22쪽은 주칠 상자에 윗면은 쌍봉, 앞면은 대나무 위로 뻗어 올라온 매화를 금니로 그렸는데 품격 높은 매죽도를 보는 듯한 아름다움이 있다. 헌경왕후獻敬王后(1735~1816)는 추존왕 장조莊祖(1735~1762), 즉 사도세자思悼世子의 비인 혜경궁 홍씨惠慶宮洪氏로, 이 함에는 1795년(정조 19)에 혜경궁 홍씨에게 '휘목徽穆'이라는 존호를 올리면서 제작한 옥책이 보관되어 있다.

정조 효손 은인

어보와는 성격이 다르지만 영조가 정조正祖(재위 1776~1800)에게 내린 효손孝孫 은인銀印은 어보의 전통에서 나온 아주 특별한 유물이다. 이 은인은 정조가 왕세손 시절 할아버지인 영조에게 아버지 사도세자의 죽음과 관련된 《승정원일기承政院日記》의 기사를 삭제해 달라고 요청하는 효심에 감동하여 영조가 직접 효손 글씨를 쓰고 만들어준 것이다.(《영조실록》 52년(1776) 2월 7일) 국립고궁박물관에는 이 은

16-1

16

16 정조 효손 은인과 함, 1776년, 은인 높이 9.5cm, 보물(은인), 국립고궁박물관 소장
16-1 정조 효손 은인 인문

인과 관계된 일괄 유물이 소장되어 있다.도16·17

- "효손 83서書"라고 새겨진 거북 손잡이의 은인
- "어필은인御筆銀印"이라는 동판을 붙인 주칠함
- 영조가 직접 쓴 〈유세손서諭世孫書〉
- 〈유세손서〉를 보관한 가죽통

본래 도장은 전서체篆書體로 새겨지는데 이 은인의 글씨는 영조의 친필 행서체行書體로 되어 있어 형태미보다 내용이 중요함을 은근히 내비치고 있다.

〈유세손서〉의 내용 역시 감동적이다.

아! 해동 300년 우리 조선왕조는 83세의 임금이 25세의 손자에게 의지한다. … 《승정원일기》의 세초洗草는 실로 너의 뜻을 따른 것이다. 또 듣건대 어제 무덤에서의 네 모습을 본 사람들은 눈물로 옷깃을 적셨다고 한다…. 국초부터 보인寶印을 만든 예에 따라 특별히 효孝 자로 그 마음을 세상에 드러내며 이 일을 후대의

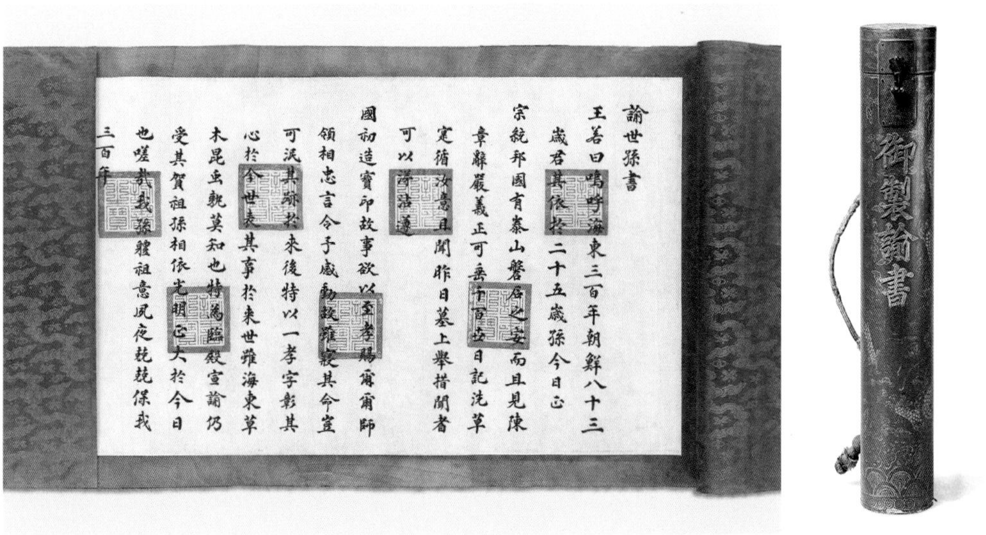

17 유세손서(부분)와 통, 1776년, 유세손서: 종이에 묵서, 69.5×178.0cm, 통: 높이 82.7cm, 국립고궁박물관 소장

본보기로 삼으니 산천초목과 곤충인들 누가 이 뜻을 모르겠는가…. 아, 내 손자야! 할아버지의 뜻을 받들어 … 우리 300년 종묘사직을 보존할 지어다….

영조는 이 은인을 하사하고 한 달이 지난 3월 5일 세상을 떠났다. 정조는 이 은인과 〈유세손서〉를 항시 주변에 지니고 다니게 하였기에 가죽통의 어깨끈이 닳아 반질반질하게 윤이 나고 있다. 이 은인은 왕조의 종통을 지키려는 영조의 간절한 소망과 이를 끝까지 받든 정조의 효성을 말해주는 기념비적인 왕실공예품이다.

종묘제기

역대 왕과 왕비의 신위를 모신 종묘에는 총 35개 신실(정전 19실, 영녕전 16실)이 있다. 종묘대제 때 각 신실에 놓이는 제기는 제상 위에 놓이는 놋그릇, 대나무 그릇, 나무그릇, 제상 아래에 놓이는 관세기盥洗器(손 씻는 그릇), 각종 술독 등 총 98개이다. 35개 신실 전체로는 3400개가 넘는다. 여기에다 공신당功臣堂에서 사용되는

18 작(爵, 술잔), 조선 말기, 높이 20.6cm, 국립고궁박물관 소장

19 형(鉶, 간을 한 고깃국을 담는 그릇), 조선 말기, 높이 21cm, 국립고궁박물관 소장

20 보(簠, 쌀과 수수를 담는 제기), 조선 말기, 높이 20.8cm, 국립고궁박물관 소장

21 궤(簋, 메조와 차조를 담는 제기), 조선 말기, 높이 20.5cm, 국립고궁박물관 소장

590개를 합하면 종묘제기宗廟祭器는 한 번 제례 때 약 4000개가 사용되었다.(장경희, 《조선 왕실의 궁릉 의물》, 민속원, 2013)

종묘제기의 형태는 1474년(성종 5)에 편찬된 《국조오례의 서례國朝五禮儀序例》에 제도화되어 그림과 함께 실려 있다. 종묘제기는 기본적으로 중국의 제기에 근거를 두고 있어 조형적 독창성에서 크게 주목받지 못하는 경향이 있으나 종묘의 건축과 종묘제례악이 그러하듯이 이를 기계적으로 모방한 것이 아니라 조선식으로 세련시킨 것이다.

22 등(甑, 간을 하지 않은 국을 담는 그릇), 조선 말기, 높이 15cm, 국립고궁박물관 소장

23 황이(黃彝, 울창주를 담는 동이), 조선 말기, 높이 20.8cm, 국립고궁박물관 소장

24 상준(象罇, 술 그릇), 조선 말기, 높이 35cm, 국립고궁박물관 소장

25 희준(犧罇, 술 그릇), 조선 말기, 높이 35cm, 국립고궁박물관 소장

중국 청동 제기의 상징적 문양인 도철饕餮무늬의 괴기스러운 문양들은 우리나라 도깨비 형상으로 변형되었고 복잡한 기형은 단순화되었다. 종묘제기와 중국 제기를 비교하면 상대적으로 형태는 단순하고 문양 표현에는 절제가 있어 조선 제기 특유의 경건한 분위기와 단아한 아름다움을 보여주고 있다.

종묘제기는 조선 초와 임진왜란壬辰倭亂, 병자호란 등으로 구리 수급이 원활하지 않을 때는 자기로 만들기도 하였다. 제향에 끊임없이 사용되어 훼손되거나 파손되면 새로 제작하였기 때문에 현재 전하는 종묘제기는 대부분 조선 후기와 대한제국 시기의 유물들이다.

종묘제기는 그릇마다 이름이 있고 기능도 다르다. 제사상 위에는 기본적으로 고기를 담는 생갑牲匣, 땅과 물의 산물을 담는 변籩과 두豆, 고깃국을 담는 등甄과 형鉶, 곡식을 담는 보簠와 궤簋 등이 올려졌다. 신실 밖의 상에는 다양한 종류의 술항아리인 이彝, 준樽, 뢰罍 등이 계절별로 다르게 놓였다.

제기 중 가장 많은 양을 차지하는 술잔인 작爵도18은 세 발과 양 손잡이가 있는 전형적인 중국 청동기의 형태를 취하고 있는데 몸체의 도철무늬는 기하학적인 추상무늬로 간단하게 정리되어 있다.

간을 한 국을 담는 형鉶도19은 손잡이와 세 개의 발이 달린 항아리 모양인데, 간을 하지 않은 국을 담는 등甄도22은 비슷한 형태지만 다리가 없다.

쌀과 수수를 담는 제기인 보簠도20와 메조와 차조를 담는 궤簋도21는 다소 복잡한 형태를 띠고 있으나 중국의 그것에 비해 문양이 가지런히 정돈되어 있어 단정한 아름다움을 보여준다.

술동이인 이彝 중 울창주를 담는 황이黃彝도23는 두 눈만을 돋을새김으로 간략히 새겨넣어 초현실적 긴장미가 감돈다. 울창주는 검은 기장으로 양조하고 울금으로 향을 낸 술이다. 술을 담는 그릇인 상준象罇도24과 희준犧罇도25은 코끼리와 소 형상을 취하고 있는데 그 형상의 표현이 아주 유순한 인상을 준다.

이와 같이 종묘제기는 조선왕조 왕실공예의 높은 격조를 잘 보여주는 공예품으로 그 미적 특질은 한마디로 엄숙한 긴장미라고 할 수 있다.

왕실 의장물

왕실공예에는 여러 의장물이 있다. 이를테면 국왕 행차 시 행렬 주변에 세우는 노부鹵簿, 투구, 화살통, 철추鐵鎚, 사인검四寅劍 등이다.

〈투구〉도26는 가죽을 댄 금속으로 앞면 좌우에는 한 쌍의 용을, 뒷면에는 봉황을 장식하였다. 임금의 투구로 생각되지만 출처는 분명치 않다.

〈화살통〉도27은 팔각형의 판재에 어피를 입히고 금박으로 무늬를 넣은 최고급 화살통이다. 몸통 양쪽에는 신비로운 동물 조각을 붙였고 가운데에 고리가 있

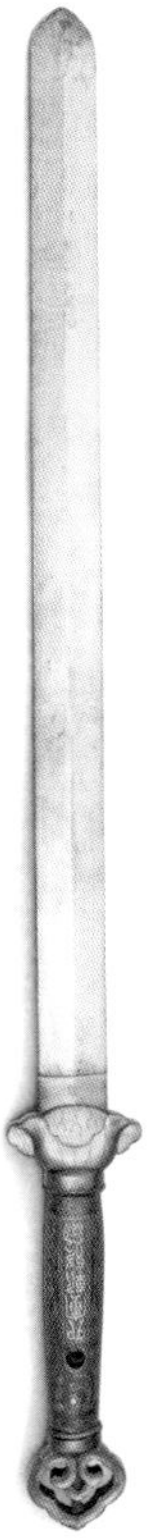

26 투구, 19세기 말, 높이 69.6cm, 국립중앙박물관 소장 (이건희 기증품)

27 화살통, 19세기 말, 길이 101.5cm, 국립중앙박물관 소장(이건희 기증품)
28 금은입사사인검, 19세기, 길이 134cm, 국립고궁박물관 소장
29 은입사귀면무늬철추, 19세기, 길이 73.3cm, 보물 1444호, 국립고궁박물관 소장

어서 끈을 달 수 있게 되어 있다. 〈투구〉도26와 일괄 유물로 전하고 있다.

〈금은입사사인검四寅劍〉도28은 인년寅年, 인월寅月, 인일寅日, 인시寅時에 제작된 칼이다. 특별히 그 시기에 맞춰 칼을 제작한 것은, '인寅'이 양의 기운이 강하여 나쁜 기운을 물리칠 수 있는 힘을 지녔다고 여겼기 때문이다. 검의 손잡이 한쪽에는 전서체로 "사인참사검四寅斬邪劍"이라 은입사로 새기고 칼등에는 북두칠성을 금입사하였다.

〈은입사귀면무늬철추〉(보물 1444호)도29는 근위대의 의장용으로 만들어진 쇠몽둥이로 손잡이는 반짝이는 사방연속무늬로 장식하고 추에는 도깨비를 새겨넣은 것으로 은입사 기술의 극치를 보여준다.

이런 의장물은 상의원에서 제작했을 것으로 생각되고 있다. 상의원에서는 일이 많을 때는 정규직 이외에 가관假官(임시 관직)으로 종9품의 감역관監役官을 두기도 하였다. 각종 행사 때는 일의 성격에 따라 도감에 장인들이 배치되었음이 의궤에 잘 나타나 있다.

왕실 주칠가구

왕실가구는 상의원의 전속 소목장에 의해 제작되었다. 왕실가구는 민가의 그것과는 확연히 다른 화려하고 장중한 아름다움이 있다. 왕실가구는 일반 목가구보다 칠가구가 많았다. 칠가구의 종류에는 주칠朱漆가구, 흑칠黑漆가구 등이 있다. 그중 주칠은 왕실가구의 상징이다.

칠가구는 옻나무의 수액을 목재에 바른 것으로 옻칠은 방습 효과가 뛰어나고 재질을 보호할 뿐만 아니라 맑고 투명한 빛을 발한다. 옻나무의 껍질에 상처를 내어 받아낸 수액을 생칠生漆이라고 하는데 이 생칠에 주사朱砂가루를 섞으면 주칠이 된다.

수은 성분의 천연 주사는 중국에서 수입한 것으로 매우 귀하였을 뿐만 아니라 그 붉은색이 왕을 상징하여 민간에서의 사용이 금지되었다. 따라서 진상품 이외에는 붉은색 사용을 금하였고 이미 만든 주칠기朱漆器에는 화인火印을 찍어 표시해 두게 하고, 지방에서 진상한 여러 물품[方物]에도 역시 붉은색을 쓰지 못하게 하였다.(《세종실록》 1년(1419) 6월 11일) 그리고 똑같은 이유로 건물에 주칠하는 것도 법으로 금지하였다.(《세종실록》 11년(1429) 9월 8일)

그런 가운데 궁중의 주칠가구는 임금이 신하에게 내사품內賜品으로 하사하여 대갓집에서도 사용되기도 했다. 이런 주칠가구를 종류에 따라 내사장內賜欌, 내사상內賜床이라고 한다.

왕실가구는 궁중에서 자체 제작하였을 것으로 생각되지만 민간에서 조달하기도 했다. 이런 사실은 세종 때 궁중의 각종 연회를 관장하던 예빈시禮賓寺의 판사判事 김소金素의 진언에 나온다.

30 용상, 19세기 후반, 높이 100cm, 국립고궁박물관 소장

"예빈시에서 주칠기朱漆器와 유기는 해마다 사들이고, 사기와 목기는 해마다 공납을 받는데, 한 번 연회를 치르고 나면 곧 반수 이상이 없어지므로 … 지금부터는 궁중에서 연회가 있을 적에 따로 담당 내시를 지정하여 수를 세어서 들여갔다가 수를 세어서 내오게 한다면 … 폐단이 없어질 것입니다"라고 하였다.(《세종실록》 2년(1420) 윤1월 29일)

31 주칠교의, 19세기 후반, 높이 90cm,
국립고궁박물관 소장

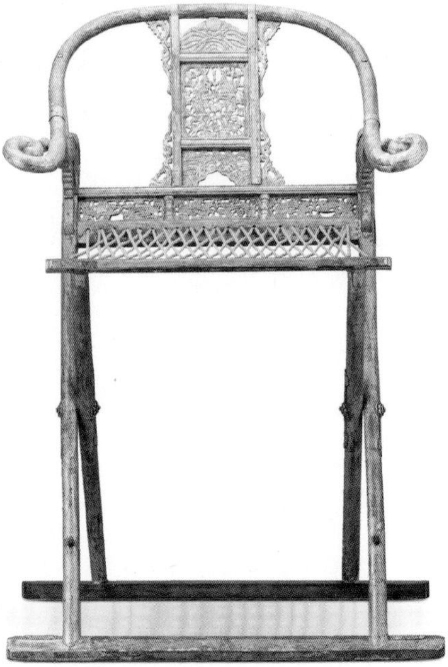

32 황칠교의, 19세기 말, 높이 117.5cm,
국립고궁박물관 소장

도자기의 경우를 보면 국초에는 지방 특산물로 공납받다가 세조世祖(재위 1455~1468) 때 사옹원司饔院의 분원分院을 설치하고 관요官窯에서 자체 제작하였는데 목기의 경우는 사정이 어떠했는지 아직 확인되지 않고 있다.

용상과 교의

궁궐은 외전外殿과 내전內殿으로 나뉘는데 외전의 실내가구로는 용상龍床이 있다. 용상은 어좌御座라고도 불리는데 정확히 말하면 어좌는 임금이 올라앉아 있는 곳을 뜻하는 말이고, 용상은 임금이 앉는 의자를 가리킨다. 궁궐의 정전 어좌 위에는 주칠에 금물로 용무늬를 화려하게 그려넣은 용상이 놓여 있었는데, 그중 국립고궁박물관에 소장되어 있는 〈용상〉도30은 상태가 온전하게 보존되어 있으며 용무늬가 정교하게 그려져 있다.

또 이동식 접이의자인 교의交椅도 임금의 것은 주칠에 용무늬가 그려져 있어 주칠교의라고 부른다.도31 이 주칠교의는 각종 의궤에서 임금의 자리를 상징하고 있다. 1897년(광무 1)에 대한제국이 수립된 이후에는 나라의 모든 의례가 황제국의 위상에 맞춰 바뀌었고, 용상은 주칠에서 황칠黃漆로 바뀌었다. 이런 연유로 현재 창덕궁昌德宮 인정전仁政殿의 용상은 황색으로 되어 있다. 그리고 국립고궁박물관에는 대한제국 황제의 교의인 〈황칠교의〉도32가 전하고 있다.

왕실 생활가구

왕실 생활가구는 각종 의구儀具와 마찬가지로 장중한 아름다움을 보여주고 있다. 이는 왕가의 기품과 권위를 나타내는 미감을 반영하고 있는데, 현실적으로는 궁궐의 실내 공간이 넓고 높았고 또 목재, 옻칠, 금속장식의 질이 좋았기 때문에 가구로서 대단히 우수하였다. 생활가구는 왕실가구와 양반가구의 구분이 명확치 않으나 기본적으로 궁궐이나 흥선대원군興宣大院君 이하응李昰應(1820~1898)과 그 가족들이 기거했던 운현궁雲峴宮에 전래되는 가구는 확실한 왕실가구로 분류할 수 있다.

왕실가구의 특징은 두 가지 점에서 두드러진다. 첫째는 주칠과 흑칠이다. 주칠은 왕실가구의 고유색이다. 이 주칠은 단독으로 칠해지기도 했지만 흑칠과 어울리기도 하여 다양한 아름다움이 구현되었다. 흑칠은 옻나무에 추출한 생칠에 주사 대신 철을 섞어 검은빛을 내는 것이다. 옛 문헌에는 흑칠을 까마귀 오烏 자를 써서 오칠烏漆이라고 했다,

주칠과 흑칠의 만남은 검은색과 붉은색의 어울림으로, 오늘날 패션에 '검빨'이라는 속어가 있듯 대단히 현대적인 미감을 보여준다. 박영규 교수는 주칠이나 흑칠을 단독으로 사용한 가구는 품격이 높아 보이고, 주칠과 흑칠이 어우러지는 가구는 한결 화려해 보인다고 했다.

왕실가구의 두 번째 특징은 문양 구성에 있다. 왕과 왕비를 상징하는 용무늬와 봉황무늬는 기본적으로 왕실 전용 문양이다. 문양의 화려함도 민가의 그것과

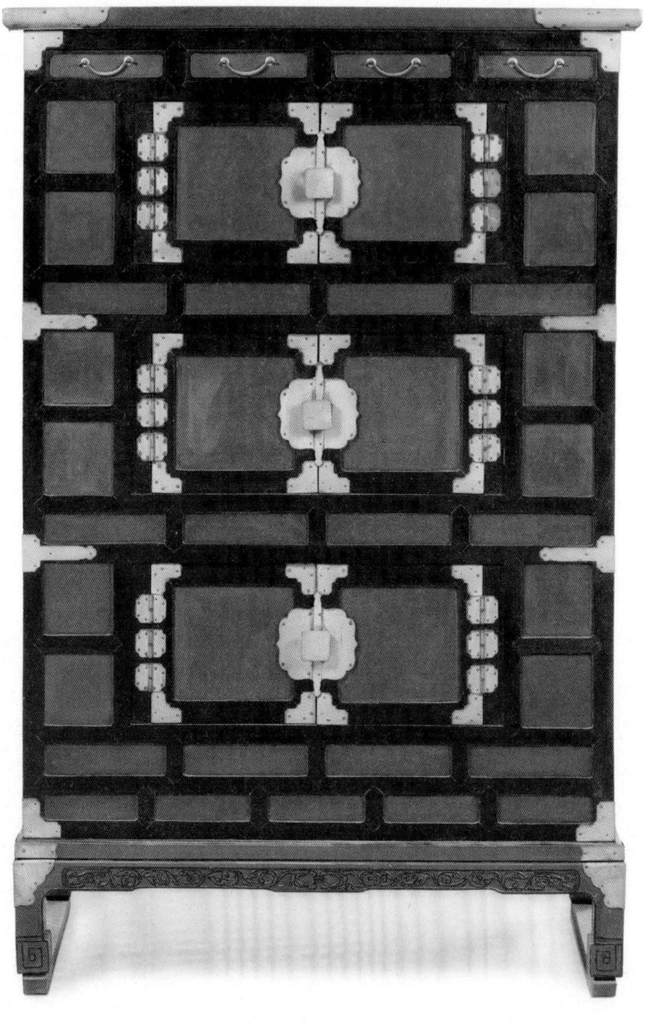

33 주칠흑칠삼층장, 19세기, 높이 159.5cm, 국립고궁박물관 소장

차이가 있다. 왕실가구의 문양은 주로 십장생十長生무늬, 수복壽福무늬, 구갑龜甲무늬, 서수瑞獸무늬, 공작孔雀무늬, 박쥐무늬, 칠보七寶무늬 등이 많이 사용되었고 종속문양으로는 화훼무늬, 격자무늬, 여의두如意頭무늬 등이 두루 사용되었다.

〈주칠흑칠삼층장〉도33은 적과 흑이 어울리는 왕실가구의 화려하면서도 중후

34 주칠흑칠삼층장, 19세기, 높이 175cm, 국립고궁박물관 소장

한 멋을 잘 보여준다. 3층으로 짜인 책장인데 여닫이문의 복판腹板(문짝 등의 가운데 널판)은 모두 주칠을 하고 문변자門邊子(문짝 등의 테두리 부분)를 비롯한 나머지 부재는 모두 흑칠을 했는데 문고리와 경첩, 그리고 귀장석의 누런 빛깔이 엄정한 분위기를 자아내고 있다.

35 흑칠사층책장, 19세기, 높이 210cm, 서울역사박물관 소장(운현궁 기증품)

〈주칠흑칠삼층장〉도34은 동자·문변자 등은 주칠을 하였고 벽선壁線(문짝을 고정시키는 부분)과 이마받이는 흑칠을 하였다. 그리고 복판·쥐벽칸(문짝 옆의 널판)·머름칸(문짝 위아래의 널판)은 흑색 바탕에 국화무늬가 있는 천을 발랐다. 경첩, 귀장석, 감잡이 등이 사각형, 이른바 약과형이어서 엄정한 분위기를 자아내고 있다.

〈흑칠사층책장〉도35은 흥선대원군이 사용하던 책장이라 전하는 것으로 권위와 품위를 짙게 풍기는 사랑방가구이다. 특히 이 책장은 맨 아래 칸을 제외하고는 각층 문짝이 머름칸이나 쥐벽칸 없이 통으로 만들어져 단순한 구조가 갖는 조

36 주칠흑칠삼층장, 19세기, 높이 166.5cm, 서울역사박물관 소장(운현궁 기증품)

형의 힘이 느껴진다. 거기에다 단아한 형태의 주석朱錫(구리와 아연 등의 합금) 장석이 아주 정교하게 달려 있어 더욱 고귀한 인상을 준다.

〈주칠흑칠삼층장〉도36은 운현궁에 있던 유물로 문짝, 쥐벽칸, 머름칸을 가지런히 구성하고 붉은 골재骨材를 사용하면서 앞쪽에는 무늬 있는 검은 베를 바른 대단히 화려한 가구이다. 얇은 살에 베를 발라 무게도 가볍고 통풍에 유리하다. 문짝을 열면 두 개의 속문이 있어 옷이 밀려 나오는 것을 방지한 아주 기능적인 구조이다. 한 쌍을 이루고 있으며 국립고궁박물관에도 똑같은 장이 있어 왕실가

37 의거리장, 19세기, 높이 192.5cm, 서울역사박물관 소장
(운현궁 기증품)

38 주칠의거리장, 19세기, 높이 170cm, 서울역사박물관 소장
(운현궁 기증품)

구의 전형이었던 것으로 생각되고 있다.

〈의거리장〉도37은 운현궁에 전래되던 것으로 민가에서는 볼 수 없는 품위가 느껴진다. 내부는 두 단으로 나뉘어 있고 상단에는 횃대가 걸렸던 장치가 있다. 문짝은 소나무 복판에 배나무로 테두리를 둘렀다.

〈주칠의거리장〉도38 역시 운현궁에 전하던 것으로 중후한 가운데 화려한 느낌을 주는 의젓한 장이며 내부는 3층으로 되어 있다. 복판을 격자살로 짜서 종이를 바르고 그 위에 비단을 발랐다. 좌우 옆널은 무명을 바른 후 종이를 덧바르고

39 주칠흑칠투각용무늬삼층장, 19세기, 높이 135cm, 개인 소장

칠한 정성스러운 기교가 들어 있다.

〈주칠흑칠투각용무늬삼층장〉도39은 투각 기법을 다양하게 구사하여 왕실가구의 화려함을 여실히 보여준다. 복판은 각기 4단으로 나누어 위 세 단은 투각으로 용무늬를 새기고 맨 아래 단은 오메가 모양의 여의두무늬를 투각하였다. 그리고 문짝 위아래로는 네 개의 머름칸을 설정하고 타원형의 연꽃무늬를 투각하였다. 족대를 따로 만들지 않고 네 기둥에 투각 장식을 달아 풍혈風穴로 삼고 기둥 끝은 금속 발을 입혔다.

40 나전흑칠삼층농, 20세기 초, 높이 182cm, 개인 소장

왕실 나전칠기

왕실가구, 특히 왕비의 공간에서 큰 비중을 차지하는 것으로 나전螺鈿과 화각華角이 있다(나전과 화각의 상세한 기법은 59장 규방공예에서 다루었다). 그러나 이 나전과 화각은 민간에서도 성행한 것이어서 현재로서는 어디까지가 왕실가구인지 확인할 수 없다. 다만 문자로 된 기록이 있거나 궁궐에서 유래해 국립고궁박물관에 소장되

41 나전주칠삼층농, 20세기 초, 높이 216.5cm, 국립고궁박물관 소장

어 있는 유물의 경우에 한해서 그 면면을 엿볼 수 있을 따름이다. 이를 통해서 볼 때도 왕실가구로서 나전칠기는 규모가 크고 아름다움에서 민가의 그것보다 훨씬 화려하고 장엄한 분위기를 띠고 있다.

〈나전흑칠삼층농〉도40과 〈나전주칠삼층농〉도41은 창덕궁 대조전大造殿에 있던 것으로 전하며 왕실가구의 화려함을 유감없이 보여주고 있다. 왕실가구에 등

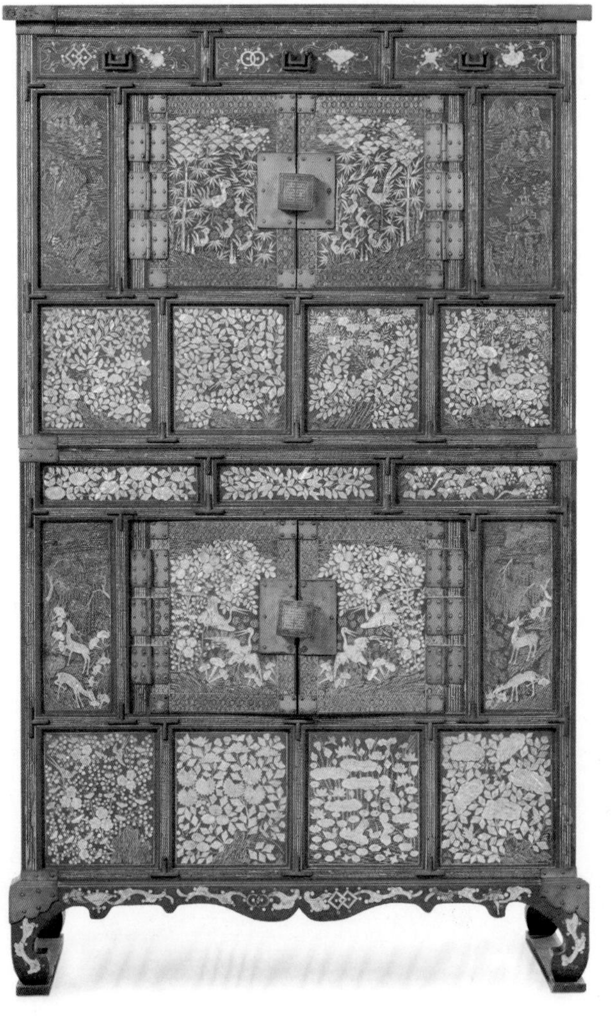

42 나전주칠십장생무늬이층농, 20세기 초, 높이 150.4cm, 국립고궁박물관 소장

장하는 온갖 문양들이 총동원되었고, 자개를 짧게 끊어 잇는 끊음질 기법을 써서 문양의 묘사가 정교하다. 각 면을 분할하는 테두리를 가는 선으로 처리한 것도 일품이고 정방형으로 만들어진 장석과 경첩, 그리고 자물쇠의 모습과 빛깔이 이 장의 조형적 구성이 얼마나 뛰어난가를 말해준다. 〈나전흑칠삼층농〉은 높이 1.8미터인데 3층만 분리할 수 있게 되어 있고, 〈나전주칠삼층농〉은 각 층을 모두

43 나전주칠십장생무늬이층농, 20세기 초, 높이 113cm, 본태박물관 소장

나눌 수 있게 되어 있다.

〈나전주칠십장생무늬이층농〉도42은 주칠이 약간 가벼운 느낌이 드나 자개 문양이 정교하고 장석이 직사각형으로 단정하게 달려 있어 품위를 잃지 않고 있다. 거의 같은 유물이 이화여자대학교박물관에도 소장되어 있다.

〈나전주칠십장생무늬이층농〉도43은 오리가 노니는 물가 풍경, 소나무 위로

44 나전주칠문갑, 19세기 말, 너비 각 87.3cm, 국립고궁박물관 소장

나는 학을 문짝을 비롯한 앞 판재에 새겨넣어 대단히 화려한 인상을 풍기고 있다. 또한 측면과 박쥐형 족통에도 수목과 초화무늬를 장식하여 빈틈없는 문양 구성을 보여주고 있다.

〈나전주칠문갑文匣〉도44은 주칠 바탕에 앞면, 윗면, 측면 모두에 십장생과 화조花鳥무늬를 나전으로 화려하게 장식하였으며 내부의 좌우와 상단에 서랍이 설치되어 있다. 형태는 거의 같지만 무늬에서는 차이가 있는 문갑 두 개가 한 쌍을 이루고 있다.

궁중 소반과 상

주칠 소반은 궁중의 대표적인 가구 중 하나로 특히 궁중의 가례嘉禮(결혼) 때면 잔칫상으로 수백 개가 따로 제작되기도 했다. 크기에 대·중·소가 있고, 천판의 형태

는 원형을 비롯하여 사각·육각·팔각·십이각 등이 있고 상다리의 형태에 따라 분류하면 호족반虎足盤(호랑이다리 소반), 구족반狗足盤(개다리 소반), 죽절반竹節盤(대나무 마디 소반) 등이 있다. 여기에 칠은 주칠만 한 것, 주칠과 흑칠을 모두 한 것, 주칠에 나전으로 문양을 가한 것 등이 있어 대단히 다양하다. 주칠 소반들 중에는 사용된 공간, 제작 시기 등이 명문으로 새겨져 궁중 유물임을 확실히 알 수 있는 것들이 있다.

〈주칠흑칠'운현궁'명호족반〉도45은 궁중 주칠반의 화려한 멋을 잘 보여준다. 주칠 천판에 흑칠로 테두리를 두르고 풍혈은 넝쿨무늬를 투각으로 나타내어 아주 화려하다. 천판 뒷면에 "임진년 삼월일 운현궁"이라고 한글로 쓰여 있어 1892년(고종 29) 운현궁에 납품된 주칠상임을 알 수 있다.

〈주칠흑칠'신사'명소반〉도46은 전체적으로 흑칠을 하고 천판의 중앙에 주칠을 하였는데 천판 뒷면에 "신ᄉᆞ 큰젼고간 ᄃᆡ 듕소 십오듁"이라고 새겨져 있어 신

45 주칠흑칠'운현궁'명호족반, 1892년, 높이 35cm, 이화여자대학교박물관 소장

46 주칠흑칠'신사'명소반, 1881년, 높이 7.5cm, 국립고궁박물관 소장

47 주칠'큰던용'명호족반, 19세기 말, 높이 35.5cm, 개인 소장

48 채색용무늬상, 19세기 말, 높이 30.7cm, 국립고궁박물관 소장

사년인 1881년(고종 18)에 대전大殿 곳간으로 납품된 대·중·소 소반 15죽(150개) 중 하나임을 말해주고 있다.

〈주칠'큰뎐용'명호족반〉도47은 상 전체에 곱게 주칠을 한 전형적인 궁중 원형 반으로 뒷면에는 금물로 "큰뎐용"이라고 쓰여 있어 대전에서 사용되었음을 말해주고 있다.

〈채색용무늬상〉도48은 호랑이다리 모양의 다리가 달린 응접탁자이다. 탁자 윗면에는 화염에 싸인 여의주를 가운데에 둔 용 두 마리를 그려넣었다. 탁상 면과 다리가 접하는 부분에는 넝쿨무늬를 투각하고 표면에 금칠을 하여 화려한 인상을 주고 있다.

〈나전대모'함녕전咸寧殿'명운룡무늬상〉도49은 대한제국 황실공예의 화려함을 여실히 보여주는 명작이다. 나전과 대모玳瑁로 운룡雲龍무늬를 화려하게 장식한 이 상의 밑면에는 "함녕전"이라는 글씨가 새겨져 있다. 함녕전은 덕수궁德壽宮에 있는 침전寢殿이다. 고종은 화재로 3년간 중명전重明殿에 있었던 기간을 제외하면

49 나전대모'함녕전'명운룡무늬상, 19세기 말, 높이 35cm, 일암관 소장

대한제국을 선포한 때부터 일제에 의해 강제 퇴위당하고 서거할 때까지 줄곧 함녕전에 기거했으니 이 상은 고종의 상이라고 보아야 할 것이다.

주칠 함

〈주칠흑칠초충草蟲무늬함〉도50은 전형적인 여닫이 함으로 모든 면에 주칠을 하고 모서리는 흑칠로 마감하였다. 앞면에 초충무늬를, 윗면에는 화조무늬를 종이로 오려 붙여 돋을새김으로 나타내고 흑칠로 마감하여 단정한 가운데 화려한 멋이 은은하게 풍기고 있다. 여닫이 장석은 팔판화八瓣花 모양에 길게 고리를 늘어뜨려 화판花瓣 모양으로 마감하였는데 장석의 디자인이 화려하면서도 중후한 품위를 느끼게 한다.

〈주칠흑칠'수복강녕壽福康寧'명운학雲鶴무늬함〉도51은 궁중에서 사용되던 주

50 주칠흑칠초충무늬함, 19세기 말,
너비 28.9cm, 개인 소장

51 주칠흑칠'수복강녕'명운학무늬함, 19세기 말, 너비 59.2cm, 개인 소장

칠함 중 흑칠로 문양을 넣은 화려한 함이다. 얇은 오동나무 상자에 기름종이를 바르고 여기에 주칠을 한 다음 수복강녕 글씨와 운학무늬를 덧대어 흑칠로 마감한 것이다. 이로 인해 문양의 고급스러움과 적흑의 대비가 극명하게 드러나 왕실 공예로서의 화려함이 돋보인다.

궁보

왕실 침선공예로는 궁수宮繡와 궁보宮褓가 있다. 궁중 자수인 궁수는 64장에서 다루기로 하고 여기서는 궁보만 살펴보기로 한다. 보자기는 천으로 물건을 간수하기 위하여 만든 포장용품으로 옛 문헌에는 한자로 복袱이라 쓰여 있지만 통칭 보褓라고 한다. 같은 보자기라도 왕실 보자기인 궁보는 재료, 문양, 격식이 민간의 민보民褓와 차이가 많았다.

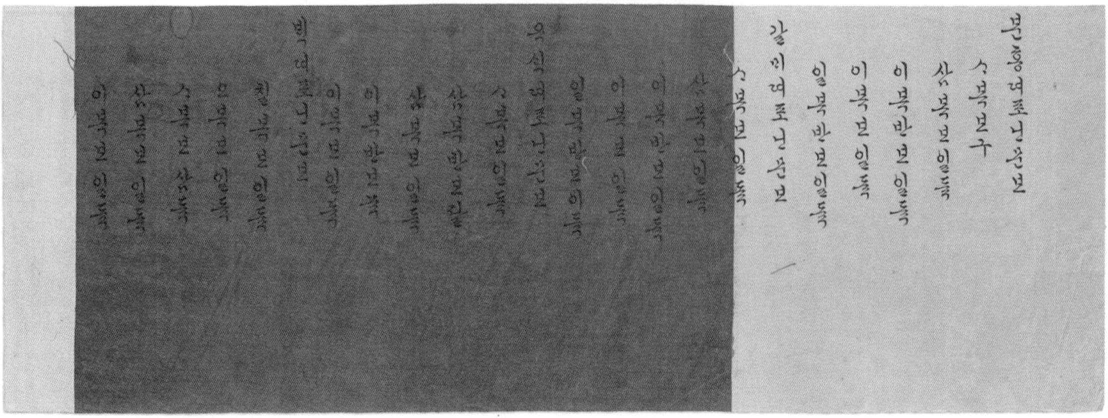

52 인문보발기, 19세기, 종이에 묵서, 26.8×74.7cm, 한국학중앙연구원장서각 소장

궁중에서 사용한 보자기는 종류도 매우 다양하고 그 숫자도 엄청나게 많았다. 1785년(정조 9)에 간행된 《대전통편大全通編》에는 호조가 관장하고 있는 각 관아의 경비 지출 사무를 맡아보는 별례방別例房이 명시되어 있는데, 《만기요람萬機要覽》에서 별례방이 매월 행하는 사항에 대해 보자기는 일일이 숫자로 헤아리지 말고 건수로 적으라며 다음과 같이 말하고 있다.

> 병진년(1796)에 하교하기를 월말 단자單子(보고서) 중 각종 보자기[袱] 종류는 일일이 나열하지 말고 명주[紬], 무명[木]을 합하여 몇 건이라고만 써서 보고[書入]하고…

궁보의 제작은 왕실의 의복과 의식에 필요한 물품 등을 조달하는 상의원에서 맡았는데 1750년(영조 26)에 간행된 《상방정례尙方定例》에는 보자기와 관계되는 사항이 235건에 달한다.

또 국가의 잔치·제사·의식 등 길흉과 관계된 큰 행사 때와 탄신일·명절, 왕자녀의 경사 따위가 있을 때 소요되는 물품의 목록과 수요를 적어 올리던 일종의 견적서로 궁중발기宮中發記, 宮中撥記라는 것이 있는데 대개 궁체宮體의 한글로 첫머리에 날짜·물품·대상 등을 쓰고 품명을 적는다. 한국학중앙연구원 장서각에는

보자기에 관한 발기가 14건 소장되어 있다.도52

그중 〈임오가례시각색인문보발기壬午嘉禮時各色引紋袱發記〉는 임오년인 1882년(고종 19) 2월 왕세자(훗날의 순종)의 혼례 때 사용된 것 중 하나로 뒷면에 "임오 가례시 각색 닌문보발긔"라는 명칭이 쓰여 있어 그 용처를 확실히 알 수 있다. 여기에는 세목, 저포, 분홍저포, 감매저포, 청저포를 감으로 사용한 무늬 있는 보자기인 인문보引紋袱의 크기별 수량과 침공가針工價까지 들어 있다.

이 발기에 따르면 보자기의 천은 서양목, 세목, 저포가 주종을 이루며, 색은 분홍색, 갈매색, 청색, 아청색 등이 있다. 크기는 용도에 따라 두 폭을 이어 붙인 것에서부터 두 폭 반, 세 폭, 세 폭 반, 네 폭, 다섯 폭, 여섯 폭에 이르기까지 다양하다. 인문으로는 연주連珠무늬를 비롯하여 봉황, 옥환, 파초선 등의 무늬와 모란무늬, 귤, 복숭아, 불수감, 석류 등의 과일무늬가 두루 보인다. 보자기에 달린 끈인 매개에 대해서도 기록되어 있는데, 매개를 만드는 데 드는 비용도 크기에 따라 2전에서 1냥 9전에 이르기까지 다양하게 나타나 있다. 매개는 보통 보자기의 세 모서리에 달기도 하며, 한쪽에만 달기도 한다.

이 발기에 기록된 보자기의 수는 모두 65죽, 즉 650개이다. 보자기의 수량을 통해 혼례의 규모를 짐작할 수 있다. 이로써 궁보가 얼마나 많이 제작되었는지 가히 짐작이 가는데, 국립고궁박물관에는 현재 4000점이 넘는 궁보가 전하고 있다. 종묘 신실에 보관되어 있던 어보와 보통 등을 싼 것이 약 900점, 어책을 싼 것이 약 3000점, 《국조보감國朝寶鑑》을 싼 것이 약 200점, 1991년 일본 도쿄국립박물관으로부터 환수된 영친왕英親王(1897~1970) 일가의 보자기 유물에 포함된 장신구 보자기 35점, 그리고 창덕궁에 전래되어 온 보자기 127점 등이다.

국립고궁박물관은 2017년 〈조선왕실의 포장 예술〉 특별전에서 이 보자기들이 얼마나 정성껏 사용되었는지를 보여준 바 있어 우리는 궁보의 실체를 대략 파악할 수 있게 되었다.

궁보의 종류

궁보는 형태에 따라 홑보·겹보·누비보·솜보·맛보 등이 있다. 솜보는 '핫보'라고

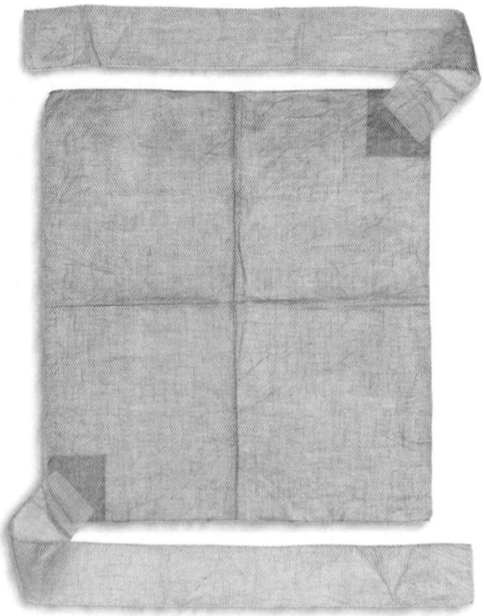

53 홑보, 19세기, 75.3×71.5cm, 국립고궁박물관 소장

54 홑보, 19세기, 74.0×70.5cm, 국립고궁박물관 소장

55 겹보, 20세기 초, 45.7×46.5cm,
국가민속문화재 265호, 국립고궁박물관 소장

56 겹보, 20세기 초, 44.5×45.2cm,
국가민속문화재 265호, 국립고궁박물관 소장

도 하며 한자로 유복襦袱이라 한다. 맛보는 밥상을 덮는 보자기로 '식보'라고도 하며 장방형인 경우가 많고 대개 안감으로 기름종이가 덧대어져 있다. 자수를 넣은 보자기는 수보繡袱, 그림을 넣은 보자기는 인문보라고 하는데 문양에 따라 원수보圓壽袱·화문보花紋袱·수목문보樹木紋袱·용문보龍紋袱·운문보雲紋袱 등이 있다. 그 중 봉황을 가운데 넣은 봉황문보鳳凰紋袱는 궁보의 상징이다.

57 맛보, 19세기, 109.2×89.5cm, 국립고궁박물관 소장

58 누비보, 19세기, 71.5×67.3cm, 국립고궁박물관 소장

궁보의 크기는 1폭보에서 10폭보까지 여러 가지가 있다. 보자기의 1폭幅은 7치이다. 의복이나 천의 길이는 포백척布帛尺을 사용해 재는데 국립고궁박물관에 소장된 포백척의 한 자(10치)는 약 50센티미터이므로 보자기의 1폭(7치)은 약 34센티미터로 볼 수 있다.

《상방정례》에 나오는 235건의 궁보를 보면 1폭보에서 5폭보까지 크기가 다양하였는데 옷가지를 싸두는 4폭보가 가장 많고, 작은 예물을 싸는 데는 2폭보를 사용하였으며 함을 싸는 데는 6폭보, 칠기함은 7폭보, 이불·요·장롱·병풍은 8폭보를 이용하였다.

〈홑보〉도53·54는 각종 천으로 되어 있는 단색 보자기인데 천연염료의 색감이 아주 우아하며 〈겹보〉도55·56는 귀중한 물건을 포장하는 데 사용하여 한 개 내지 네 개의 끈이 달려 있다.

〈맛보〉도57는 차려놓은 상을 덮는 데 사용한 것으로 습기가 스미지 않고 더러운 것을 닦아내기 좋도록 기름종이를 안감으로 대었고 장방형인 경우가 많으며, 〈누비보〉도58는 음식물이 식지 않도록 누비로 만들고 끈을 달아 묶을 수 있게 하였다.

〈봉황문보〉도59는 보자기 표면에 물감으로 여러 가지 무늬를 그려 장식한 인

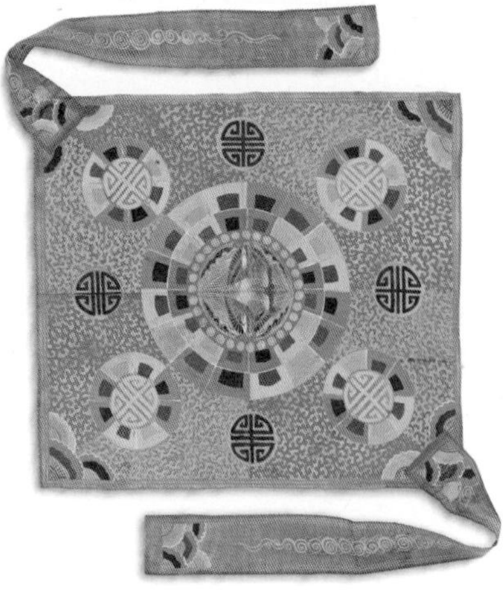

59 봉황문보, 19세기, 52.7×58.5cm,
국립고궁박물관 소장

60 봉황문보, 19세기, 57.8×53.0cm,
국립고궁박물관 소장

문보의 하나이다. 봉황은 상서로움과 고귀함, 태평성대를 상징하는 상상의 새로 수컷을 봉鳳, 암컷을 황凰이라고 한다. 봉황이 나타나면 성군의 덕치가 펼쳐져 천하가 평안해진다고 한다. 이 보자기에는 봉황 외에 꽃, 문자, 여러 가지 길상무늬들이 화려한 색감의 물감으로 그려져 있으며, 보자기에 달린 두 개의 끈도 무늬로 장식되어 있다.

〈봉황문보〉도60는 중앙에 봉황 한 쌍이 마주하고 있고, 수壽 자를 동그라미 안에 도안한 원수문圓壽紋을 사방에 그리고, 네 모서리에는 복숭아, 귤, 모란 등을 마찬가지로 동그라미 안에 도안해 넣었다. 모란은 부귀를, 복숭아는 곤륜산에서 자라는 전설 속의 반도蟠桃로 장수를 상징하며, 귤은 중국어 발음으로 길할 길吉 자와 같아 음차한 것이다. 이 인문보들은 창덕궁에 전래된 것들로 일부 유물에는 과거에 물건을 쌌던 흔적이 남아 있다.

59장

규방공예

화이불치華而不侈의 은은한 화려미

조선시대 규방공예의 성격

장과 농

나전칠기

조선 전기의 나전칠기

조선 후기의 나전칠기

나전칠기 장과 농

나전칠기 규방용품

대모와 화각

고비

빗접과 경대

머리장식

노리개

장도

향갑과 향낭

침선도구

보자기: 민보

조각보

조선시대 규방공예의 성격

조선시대의 사회윤리는 남녀의 구별이 엄격하여 양반사회의 주거 공간은 남성들의 공간인 사랑방과 여성이 거처하는 규방이 명확히 나뉘어 있었다. 때문에 같은 양반 계층의 공예라도 남성의 선비공예와 여성의 규방공예는 현저한 차이를 보이며 추구하는 미적 목표도 전혀 달랐다.

생활공예의 대종을 이루는 가구에서 선비공예의 사랑방가구는 목가구로 일관했지만 규방가구는 목가구뿐만 아니라 칠가구도 많아 나전공예와 화각공예에 뛰어난 작품을 많이 남겼다. 규방공예의 종류는 선비공예보다 훨씬 다양하였다. 선비공예는 문방구가 중심이지만 규방공예에는 빗접, 반짇고리 등 규방용품과 노리개, 비녀 등 여성 특유의 장신구가 발달하였다. 자수를 비롯한 침선, 염직공예도 규방공예의 중요한 품목이다.

양반사회의 규방공예는 위로는 왕실 여성 공예, 아래로는 서민 여성의 민속공예와 상통하는 바가 많아 명확히 구분하기 힘든 경우가 많다. 그러나 왕실 여성 공예의 기본은 규방공예에 근거를 두고 있다고 할 수 있다. 규방공예는 여성스러운 화려함을 추구하였지만 절제의 미덕을 버리지 않아 김부식金富軾(1075~1151)이 백제의 미로 정의한 두 가지 개념 중 화려하지만 사치스럽지 않았다는 '화이불치華而不侈'의 미학을 견지하고 있다. 이는 선비공예가 검소하지만 누추하지 않았다는 '검이불루儉而不陋'의 미학을 지향한 것과 대비되는 것이다.

장과 농

규방공예의 핵심은 안방가구에 있고 안방가구의 기본은 장롱欌籠이다. 장欌은 전체가 하나의 몸체로 되어 있는 것이고 농籠은 각 층의 몸체가 분리되는 것이다. 장롱은 옷장, 의거리장, 이불장, 머릿장, 버선장, 장식장 등 용도에 따라 단층부터 3층까지 다양하게 제작되었다.

삼층장, 19세기, 높이 172cm, 국립중앙박물관 소장(이건희 기증품)

1 단층장, 19세기, 높이 90.2cm, 개인 소장

장롱은 특히 서울·경기 지방에 명품이 많이 전하고 있는데 이는 혼사 때 부유하고 지체 높은 양반집에서 가구를 함께 보내던 풍습에 기인하는 것이다. 현재 전하는 규방가구 명품들은 1960년대까지만 하더라도 대개 '우리 할머니가' 또는 '우리 시어머니가' 시집올 때 해온 것으로 전하고 있었다.

〈단층장〉도1은 주인의 머리맡에 놓고 패물이나 중요한 의복을 넣어두어 머릿장이라고도 부른다. 키가 작고 폭이 좁아 실내 공간에 부담을 주지 않고 시각적으로도 안정감을 주는데 물푸레나무의 아름다운 나뭇결과 주석 장석이 잘 어울려 화사하면서도 품위 있는 안방의 분위기를 자아내고 있다.

〈삼층장〉70쪽은 경기도 지방의 전형적인 안방가구 삼층장으로 키가 크고 폭이 넓은 중후한 비례감으로 품위와 권위가 함께 느껴진다. 문짝 앞면은 무늬가 있는 물푸레나무를 사용하였고 쇠목과 동자는 둥글게 처리하고 주칠을 하여 판

2 원앙삼층장, 19세기, 높이 155.8cm, 다보성 소장

3 원앙삼층장, 19세기, 높이 151.3cm, 개인 소장

재와 좋은 대비를 자아내고 있다. 투각으로 아름답게 디자인한 문짝의 경첩과 자물쇠 앞바탕이 화려한 느낌을 더하는데 듬직한 족통(다리)이 육중한 몸체를 안정감 있게 받치고 있다.

〈원앙삼층장〉도2은 2층, 3층은 옷장 형태로 크게 잡은 데 반해 1층은 소품을 넣을 수 있게 분할하여 여닫이문 한 쌍이 나란히 짝을 이루고 있다. 이런 형태의 장은 좌우 둘로 분할된 층의 모습이 금슬 좋은 원앙을 연상케 한다고 하여 원앙장이라 불린다. 장 전체에 한 옻칠이 품격을 한결 높이고 있으며 화려한 장석으로 고급스러움을 더하고 있다.

〈원앙삼층장〉도3은 1층과 2층은 옷장 형태로 크게 잡고 3층은 소품을 넣도록 두 칸으로 나누어 짝을 이루게 하였다. 장 전체 테두리와 3층 양 칸의 테두리에 흑칠을 하여 한결 품격 있어 보인다.

4 삼층장, 19세기, 높이 169cm, 국립중앙박물관 소장(이건희 기증품)

5 이층의거리농, 19세기, 높이 113.9cm, 서울역사박물관 소장

〈삼층장〉도4은 경기도 지방의 고급 삼층장으로 키에 비해 폭이 좁아 단아한 인상을 준다. 매끈한 배나무 문변자가 아름다운 무늬의 느티나무 복판과 잘 어울린다. 둥글고 네모난 경첩을 섞어 배치하고 자물쇠 앞바탕은 꽃무늬로 장식하여 더욱 우아한 느낌을 준다.

〈이층의거리농〉도5은 복판에 활짝 핀 모란꽃을 정교하게 돋을새김한 대단히 화려한 분위기의 농이다. 옆널은 오동나무, 기둥은 배나무, 뒷널은 소나무이며 장석은 백동白銅(구리와 니켈의 합금)으로 만들었다. 상하가 분리되는 농이지만 같은 구조의 장도 있다. 서울과 경기 지방에서는 이런 조각무늬 장을 '새김장'이라고 불렀다.

나전칠기

조선시대 목木가구 중에는 칠漆가구가 큰 비중을 차지하여 통상 목칠木漆가구로 불리고 있다. 칠가구는 옻나무의 껍질에 상처를 내어 받아낸 수액을 목재에 바른 것이어서 옻칠가구라고도 한다. 옻칠은 방습 효과가 뛰어나고 재질을 보호할 뿐만 아니라 맑고 투명한 빛을 발하여 조선시대 목공예의 꽃이었다. 주칠朱漆이나 흑칠黑漆을 가한 칠가구를 나전 기법으로 장식하면 나전칠기라고 부른다. 화려한 나전칠기는 칠가구의 상징이라고 할 수 있다.

나전 기법은 목재로 제작된 기물 위에 두꺼운 헝겊을 바르고 조개껍데기나 쇠뼛가루와 개흙을 섞어 바른 후 전복과 소라 껍데기를 가공한 자개를 문양대로 오려 붙이고 표면에 옻칠을 여러 번 반복하여 완성한다. 자개를 오려내어 시문하는 방법에는 주름질도6과 끊음질도7이 있다. 주름질은 자개를 무늬대로 오려내는 기법이고, 끊음질은 자개를 길고 가늘게 오려낸 후 선을 따라 촘촘하게 끊어가며 무늬를 형성하는 기법이다.

여기에서 파생되는 기법으로 타찰법打擦法도8과 모조법毛彫法도9이 있다. 타찰법은 주름질로 만든 자개의 휘어진 면을 평면에 붙이기 위하여 인위적으로 갈라지게 하는 것으로 조선시대 나전칠기의 독특한 기법이다. 모조법은 주름질로 오려낸 자개의 표면에 선을 새겨 섬세한 무늬를 표현하는 방법이다. 새의 깃털, 용의 비늘, 풀꽃의 잎맥 등을 나타낼 때 쓰인다.

조선 전기의 나전칠기

조선시대 나전칠기는 고려시대의 뛰어난 나전칠기 기술을 이어받은 것으로 불교공예, 왕실공예, 규방공예는 물론 서민의 민속공예에 이르기까지 두루 퍼져 있었다.

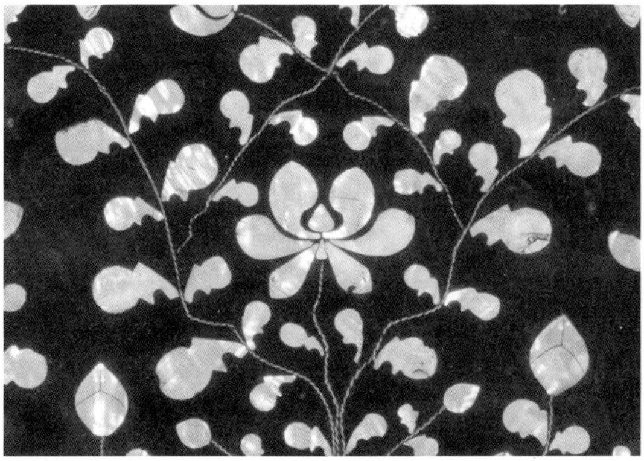
6 주름질 예시(나전흑칠연꽃넝쿨무늬상자, 국립중앙박물관 소장)

7 끊음질 예시(나전흑칠해포무늬연상, 국립중앙박물관 소장)

8 타찰법 예시(나전흑칠국화모란넝쿨무늬상자, 국립중앙박물관 소장)

9 모조법 예시(나전흑칠십장생무늬함, 국립중앙박물관 소장)

고려시대 나전칠기인 일본 당마사當麻寺(다이마데라) 소장 〈나전대모국화넝쿨무늬염주합〉(《한국미술사 강의》 제2권 454쪽 참조)은 대단히 정교한 작품으로 자개로 된 국화 송이와 두 줄의 가는 철사를 한데 꼬아 새끼줄처럼 만든 넝쿨, 그리고 대모복채玳瑁伏彩의 수법이 두루 구사되어 있다. 이런 기술과 전통은 조선시대로 이어져 빗접, 반짇고리, 장롱 등 규방공예의 정수로 자리 잡았다.

〈나전흑칠모란넝쿨무늬꽃모양접시〉도10는 꽃잎 모양 접시로 크기가 작은 자개를 사용하여 모란넝쿨무늬를 섬세하고 화려하게 장식하였다. 특히 잎에는 잎맥을 모조법으로 나타내었다. 이와 비슷한 유물이 미국 메트로폴리탄미술관과 일본 도쿄국립박물관에 소장되어 있다.

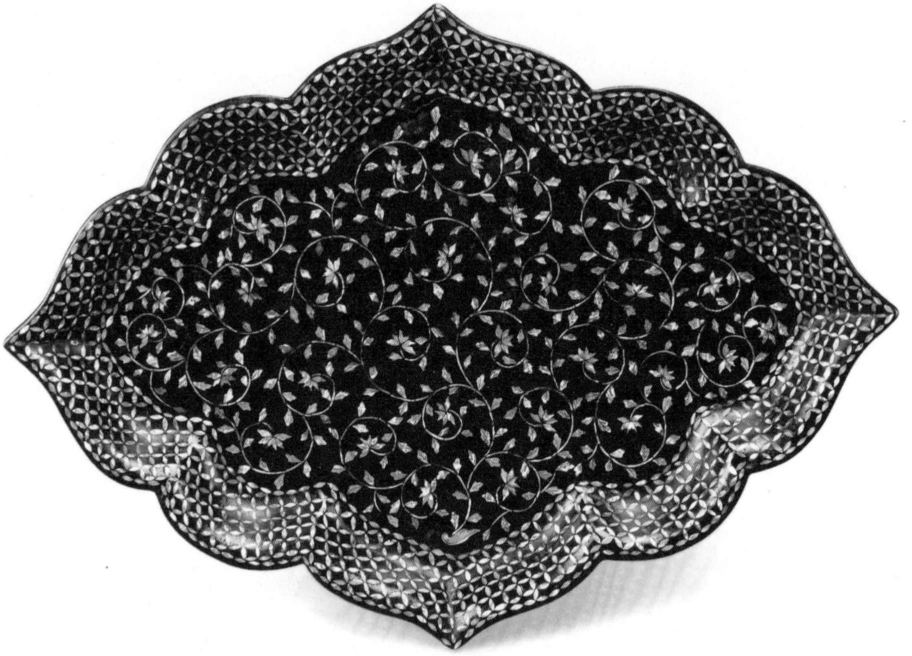

10 나전흑칠모란넝쿨무늬꽃모양접시, 16세기, 너비 44cm, 개인 소장

고려시대 많이 제작된 나전칠기 경함經函의 전통은 조선왕조에 들어와 숭유억불崇儒抑佛로 불교 경전의 제작이 드물어지면서 위축되었지만 그 나전 기술은 고급 상자 제작에 그대로 이용되었다.

〈나전흑칠모란넝쿨무늬벼루상자〉도11는 만개한 모란꽃과 꽃봉오리를 자개로 오려 붙였고, 곡선을 그리며 뻗어나간 덩굴줄기도 자개를 끊어 이어 붙여 율동적인 아름다움을 보여준다.

〈나전흑칠국화모란넝쿨무늬상자〉도12는 상자 전체에 국화꽃과 연꽃을 번갈아 가며 줄지어 배치하여 문양으로 꽉 채워진 느낌을 주는데 꽃무늬가 넝쿨로 연결되지 않고 작은 이파리들로 둘러싸여 있다. 덕분에 이 나전 상자는 꽃송이들이 흩날리는 듯한 환상적인 아름다움을 자아내고 있다.

이러한 나전 상자들은 정확한 제작 시기가 알려진 유물이 없는데, 공예사가들은 양식상으로 보아 16세기 내지 17세기로 넓게 편년하고 있다.

11 나전흑칠모란넝쿨무늬벼루상자, 17세기, 너비 27cm, 개인 소장

12 나전흑칠국화모란넝쿨무늬상자, 17세기, 너비 34cm, 개인 소장

조선 후기의 나전칠기

조선 후기 나전칠기는 양식상 17세기, 18세기, 19세기가 확연히 다른 모습을 보여준다. 17세기에는 앞 시기 넝쿨무늬의 전통을 이어받아 넝쿨무늬가 흐드러지게 뻗어나간 모습을 보여주고, 18세기에는 넝쿨무늬로부터 완전히 벗어나 회화미가 곁들여지며, 19세기 후반으로 들어가면 나전칠기가 대중화되면서 다양한 양상으로 나타난다.

〈나전흑칠쌍학모란넝쿨무늬상자〉도13는 대단히 화려한 유물로 뚜껑의 마름

13 나전흑칠쌍학모란넝쿨무늬상자, 17세기, 너비 81.8cm, 국립중앙박물관 소장

14 나전흑칠포도무늬상자, 18세기, 너비 72cm, 일본 야마토[大和]문화관 소장

모창 안에 주문양으로 쌍학을 우아하게 새겨넣고 넝쿨무늬를 종속문양으로 삼아 받쳐놓은 형상이다.

18세기, 영정조 시대로 들어오면 나전칠기 문양의 구성이 회화적으로 바뀐다. 모란넝쿨무늬와 연꽃넝쿨무늬는 퇴조하고 대나무·매화·난초·국화 등 사군자四君子와 소나무·사슴·학 등 십장생을 소재로 하는 서정적인 도안이 부각되며 회

15 나전흑칠십장생무늬함, 19세기, 너비 82cm, 국립전주박물관 소장

화적인 세련미를 보여준다. 이는 도자기, 회화 등 미술문화 전반의 발전과 궤도를 같이하는 것이다. 이에 따라 나전 기법도 크게 변하여 종래의 주름질보다 끊음질이 주로 나타나게 되었다.

〈나전흑칠포도무늬상자〉도14는 뚜껑에 포도 그림을 시원스럽게 나타내고 여백을 빈 공간으로 남겨두어 회화미를 강조하였다. 17세기 이래 유행한 포도 그림과 〈백자철화포도무늬항아리〉(국보 107호)(《한국미술사 강의》 제5권 139쪽 참조)를 연상케 하는데 측면에는 모란넝쿨무늬를 마치 종속문양처럼 나타내 높은 완성도를 보여주고 있다.

19세기 나전칠기는 문양 구성이 성글고 민화풍이 나타나면서 앞 시기의 정교한 멋은 떨어지는 인상을 준다. 문양의 종류는 다양하게 구사되어 있지만 조형적 짜임새는 긴장감이 떨어진다.

〈나전흑칠십장생무늬함〉도15은 십장생과 화조화로 주문양을 구성하고 초화무늬로 테두리를 장식하였다. 앞면은 매조도와 학죽도로 회화미를 강조하였으며 양 측면은 수壽 자 문양을 중심으로 초화무늬를 배치한 반면에 윗면에는 수 자를 중심으로 학과 복숭아를 대칭으로 새겨넣었다.

16 나전흑칠구갑무늬이층농, 19세기 말, 높이 114.7cm, 이화여자대학교박물관 소장

나전칠기 장과 농

나전칠기는 박락이 일어나 보존하기 어렵기 때문에 장과 농처럼 규모가 큰 칠 가구의 경우 18세기 이전의 유물은 거의 전하지 않는다. 현재 전하는 것은 대개 19세기에 만들어진 것으로 추정되고 있다. 19세기 나전칠기 장롱은 자연의 묘사에 더 집중해 산수풍경을 표현하거나, 끊음질로 구갑무늬 등 기하학적인 무늬를 기물 전체에 씌운 경우가 많다. 나전칠기 가구의 종류도 장롱을 비롯하여 문갑, 벼루함, 연상, 빗접, 소반 등으로 다양해지며 문양 구성도 화려취미로 흐르는 경향을 보여준다.

조선 말기의 나전칠기 중에는 붉은색을 내는 주칠과 검은색을 내는 흑칠 기

17 나전흑칠화조무늬이층농, 19세기 말, 높이 108cm, 본태박물관 소장

법을 곁들인 경우가 많다. 본래 주칠에 쓰이는 주사는 중국에서 수입한 것으로 매우 귀하였을 뿐만 아니라 붉은색은 왕의 상징이므로 왕실가구와 내사품에만 사용되었지만 조선 말기로 오면 민간에서도 사용되었다.

〈나전흑칠구갑무늬이층농〉도16은 가늘고 긴 자개를 잘게 끊어가며 전면에 구갑무늬를 시문하고 문짝에 수壽 자 무늬로 악센트를 준 이층농이다. 자개 무늬가 단순한 반면에 백동 장석이 화려하게 도드라져 더욱 화사한 느낌을 준다.

〈나전흑칠화조무늬이층농〉도17은 화조도와 십장생도를 빼곡하게 새겨넣어 화려한 분위기를 자아내는 전형적인 안방가구이다. 대개 19세기 말로 들어서면 나전칠기는 이처럼 호화로운 분위기로 많이 흘러갔다.

18 나전흑칠구갑무늬문갑, 19세기 말, 너비 83.6cm, 국립중앙박물관 소장

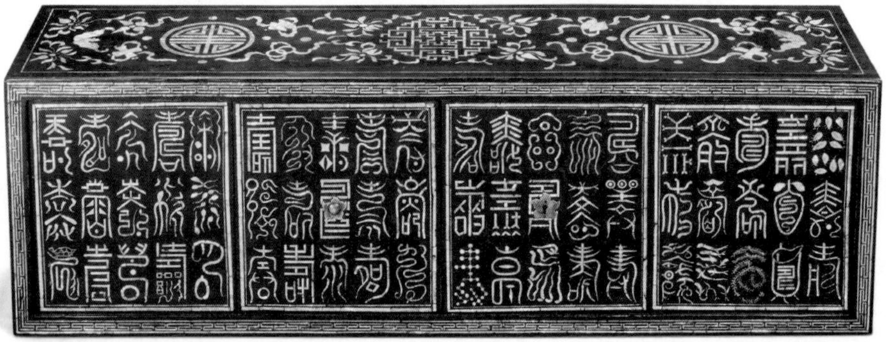

19 나전흑칠수자무늬문갑, 19세기 말, 너비 105.5cm, 국립중앙박물관 소장

나전칠기 규방용품

나전칠기는 다양한 규방용품으로 제작되어 문갑, 가께수리, 경상經床, 빗접, 반짇고리 등 소품 중 19세기 이후 유물이 적지 않게 전하고 있다.

〈나전흑칠구갑무늬문갑〉도18은 네 짝 두껍닫이 문이 달린 문갑으로 문짝마다 구갑무늬를 사방연속무늬로 새겨넣었다. 문갑 앞면 테두리와 문짝 주변은 모두 아자亞字무늬 띠를 둘러 짜임새를 돋보이게 하였으며 손잡이는 꽃 모양의 백동 장석을 달았다.

20 나전흑칠십장생무늬가께수리, 20세기 초, 높이 66.2cm, 이화여자대학교박물관 소장

〈나전흑칠수자무늬문갑〉도19은 앞의 문짝마다 다양한 형태의 전서체로 쓴 수壽 자 15개로 가득 채웠다. 그리고 양옆에는 복福 자 무늬를 넣고 천판은 초화무늬와 수 자 무늬를 섞어 구성해 각 글자의 모양에 맞게 자개를 잘게 끊어낸 솜씨가 돋보인다.

〈나전흑칠십장생무늬가께수리〉도20는 앞면에 소나무와 사슴을 자개로 새겨 넣고 서랍은 다시 화조, 사슴, 학 등으로 장식한 초호화 나전칠기 가구이다. 조선 말기에 이르러 나전칠기는 이처럼 다소 지나친 화려취미로 흐르고 있었다. 가께

21 나전흑칠경상, 19세기, 너비 73.5cm, 개인 소장

22 나전흑칠연상, 19세기, 너비 40.6cm, 국립중앙박물관 소장

수리는 본래 일본의 무역선에서 귀금속과 문서를 보관하는 용도로 쓰였던 가케스즈리[懸硯]라는 작은 궤가 변한 것이다. 가께수리는 앞쪽 문짝에 금속제 잠금장치가 달려 있고 그 안에 층층이 작은 서랍이 들어 있는 형태로, 19세기 후반에 조선식으로 변용되어 규방가구로 유행하였다.

〈나전흑칠경상〉도21은 천판, 다리 등에 자개로 꽃무늬를 새겨넣은 경상이다. 앞면에 두 개의 풍혈을 두어 공간감을 준 것이 이 상을 더욱 화려하게 보이게 한다.

23 나전넝쿨무늬사각접시,
19세기, 너비 31cm,
일암관 소장

24 나전흑칠운룡무늬반짇고리,
19세기, 지름 34cm, 일암관 소장

〈나전흑칠연상〉도22은 전형적인 형태의 연상으로 맨 아래 공간은 비워두었고 위에는 뚜껑을 얹었으며 가운데에는 서랍이 있다. 뚜껑은 수壽 자와 쌍학, 측면은 꽃무늬와 산수무늬로 장식하고 다리에는 아자무늬를 길게 새겨 연상 전체가 빛을 발하는 화려함을 자랑한다.

〈나전넝쿨무늬사각접시〉도23는 가운데는 가지 형태의 모란꽃으로 화려하게 장식하고 테두리에는 초화넝쿨무늬를 두른 최고급 사각접시다. 나전의 기법이 섬세하고 발색이 은은하며 여백의 미를 살린 것이 매력이다.

〈나전흑칠운룡무늬반짇고리〉도24는 종이와 헝겊을 여러 겹 바르고 칠을 입힌 건칠乾漆가구로 형태가 단정하고 대단히 가볍다. 안 바닥에는 구름 속의 쌍룡이 동감 있게 표현되어 있고 테두리에는 안팎으로 수복壽福 자가 배치되어 있으며, 바깥 테두리는 해포海泡무늬로 정연하게 장식되어 화려하면서 고급스러운 장식미를 보여준다.

대모와 화각

자개를 이용한 나전칠기는 흰색 단색조임에 반하여 색채를 화려하게 구사할 수 있는 칠공예의 기법으로 대모玳瑁 기법과 화각華角 기법이 있다. 대모는 바다거북의 껍데기로 길이가 대개 40~80센티미터이고 등 쪽에는 적갈색 바탕에 황갈색의 불규칙한 무늬가 있고 배 쪽에는 누르스름한 얼룩무늬가 있다. 대모를 아주 얇게 갈고 그 뒷면에 붉은 채색을 하여 표면에 색이 비쳐 보이도록 해서 쓰는 까닭에 복채伏彩라고도 일컫는다. 대모는 재료를 구하기 어려웠기 때문에 단독으로 쓰이기보다는 나전과 함께 사용된 경우가 많다.

〈대모삼층장〉도25은 앞판과 머름칸, 쥐벽칸을 모두 대모로 장식하여 갈색과 검은색 추상무늬로 화려하게 구성된 삼층장이다. 이는 최초의 조선 주재 프랑스 외교관으로 1887년에 부임한 콜랭 드 플랑시Collin de Plancy(1853~1924)가 구입하여 프랑스 국립기메동양박물관에 기증한 것으로 전하며 비슷한 크기에 같은 구성을 보여주는 삼층장이 하나 더 있어 쌍을 이루고 있다. 높이가 약 세 자(92cm)로 키가 작은 삼층장이어서 버선장으로 생각되며 부유한 집안의 혼례 때 신부 집에서 보냈던 것으로 추정된다. 본래 대모로는 이와 같이 큰 가구를 만들기도 힘들고 또 보존하기도 어려워 예가 매우 드물다.

〈대모나전용봉무늬상자〉도26는 모서리를 둥글게 마무리한 비교적 큰 상자로 귀한 옷을 넣었던 것으로 생각되고 있다. 뚜껑에는 여의주를 가운데 두고 이를 희롱하는 용과 봉황을 새겨넣었고 몸체에는 넝쿨무늬를 장식하였다. 주로 대모를 사용하였지만 용의 몸통과 봉황의 날개에는 구리 선을, 얼굴의 일부에는 어피와 나전을 사용하고 함 전체에 금가루를 발라 한층 고급스러운 분위기를 띠고

25 대모삼층장, 19세기 말, 높이 92cm, 프랑스 국립기메동양박물관 소장

있다.

대모 대신 쇠뿔[牛角]을 펼쳐서 그림을 그려넣은 것이 화각장華角粧, 줄여서 화각이다. 쇠뿔을 종잇장처럼 얇게 펴 투명하게 만든 다음 그 뒷면에 아교를 푼 안료로 문양을 그리는 채색법이다. 서유구徐有榘(1764~1845)의 《임원경제지林園經濟志》에는 쇠뿔을 종이나 송판처럼 얇게 만들고, 다섯 색깔 염료로 뿔을 염색한다는 대목이 나온다.

쇠뿔은 주로 젊은 수소의 뿔을 썼다. 암소의 뿔은 가늘고 쉽게 구부러지지만

26 대모나전용봉무늬상자, 20세기 초, 너비 63.2cm, 호림박물관 소장

수소의 뿔은 통이 굵기 때문에 화각의 재료로 적당하였다. 어린 소의 뿔은 흰색 점이 있고, 늙은 소의 뿔은 검은색의 심대가 있어 투명하지 않기 때문에 주로 젊은 수소 뿔을 사용하였다. 그중에서도 휘어진 뿔이 아니라 곧추선 뿔을 사용하였는데, 특히 황해도에서 자란 황소의 뿔을 최상으로 여겼다. 화각의 골재로는 옹이가 없고 완전히 잘 마른 잣나무를 비롯해 오동나무, 피나무, 은행나무, 호두나무 등을 사용했다.

제작 과정을 살펴보면, 우선 쇠뿔을 잘라낸 뒤 물에 삶고 뿔 안쪽에 붙은 두꺼운 연골을 저민 뒤 지져서 편평하게 편다. 이렇게 만든 쇠뿔 판을 앞뒤로 닦아서 얇게 만들고 광을 내면 투명해진다. 이 투명한 판을 필요한 크기로 마름질한 다음 아교풀에 갠 안료로 그림을 그리고, 나무로 만든 기물에 붙인다. 화각을 붙이지 않은 부분에는 식물성 기름으로 간단히 칠을 하고, 화각 부분은 광택을 내기 위해서 사슴가죽[鹿皮]으로 문지른다.

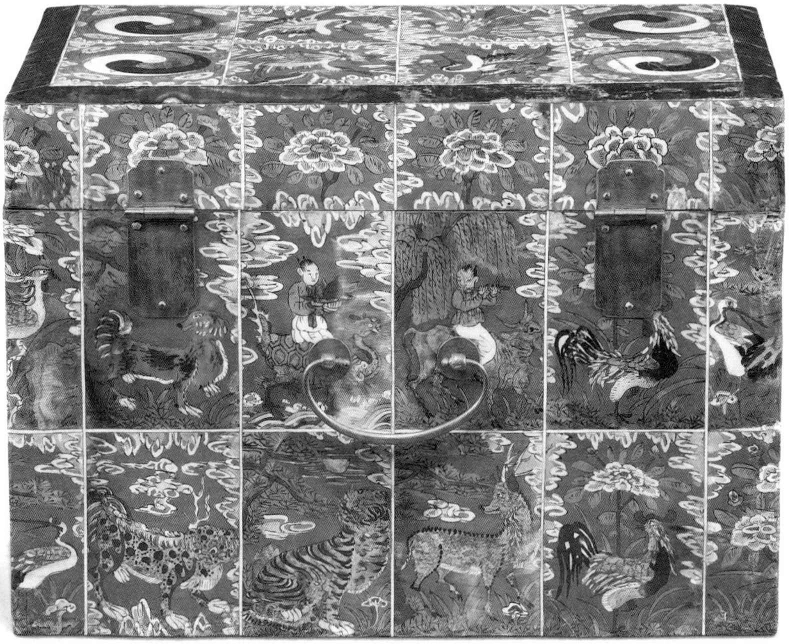

27 화각함, 20세기 초, 너비 34.1cm, 국립중앙박물관 소장

현존하는 화각공예품 가운데 가장 오래된 것은 신라에서 일본으로 건너간 것으로 보이는 바느질자[針尺]이며, 일본 정창원正倉院(쇼소인)에 소장되어 있는 비파에서 화각공예의 흔적이 발견된다. 그러나 화각공예는 오래 보존하기 힘들어 현존하는 유물들은 대부분 조선 후기에서 말기에 제작된 규방공예품들이다.

화각공예의 안방가구로는 화각장·화각함 등이 있으며, 침선도구로는 반짇고리·바느질자·실패 등이 있고, 화장도구로는 얼레빗·참빗이 있다. 필통·붓두껍·벼루집 등 문방구에도 화각 제품이 있다.

〈화각함〉도27은 현재 전하는 화각함 중 가장 화려하면서 정교한 기법을 보여주는 명품이다. 태극, 모란꽃, 호랑이, 사슴, 닭, 학, 동자 등이 섬세하게 묘사되어 있고 화각의 발색이 밝으면서도 고급스러워 전혀 속기를 느낄 수 없다.

〈화각함〉도28은 전후면에 각 40개, 윗면에 32개, 양옆에 각 20개, 네 모서리에 각 5개씩 총 172개의 정사각형 화각으로 장식된 함이다. 붉은색 바탕에 십장

28 화각함, 19세기 말,
너비 71cm,
국립고궁박물관 소장

29 화각함, 19세기 말,
너비 47.2cm,
국립중앙박물관 소장
(이건희 기증품)

생과 호랑이, 잉어, 공작새 등 온갖 동물화가 그려져 있어 화려하기 그지없다. 마치 십장생 병풍을 화각으로 나타낸 듯해 부티가 느껴진다.

〈화각함〉도29은 황색 바탕에 봉황, 학, 용, 호랑이, 사슴 등 상서로운 동물들을 그려 화려하게 장식하였는데 각 문양판 사이에 쇠뼈로 계선界線을 넣어 화각이 견고하게 부착되도록 도와주면서 동시에 낱낱 그림들이 돋보이게 하는 효과

30 화각사층장, 19세기 말,
높이 95.8cm,
국립중앙박물관 소장

를 내고 있다.

〈화각사층장〉도30은 비록 4층이지만 높이 약 세 자(95.8cm) 크기의 버선장이다. 복판의 원창에는 사슴, 학, 거북이 등 십장생 중 동물무늬를 그리고 머름칸과 쥐벽칸은 모란꽃 등 꽃무늬로 장식하여 더없이 화려한 인상을 준다. 앞서 본 〈대모삼층장〉도25과 마찬가지로 대갓집 혼사 때 신부 집에서 버선장으로 보낸 혼례

31 화각십장생무늬필통, 19세기 말, 높이 12.5cm, 국립중앙박물관 소장

32 화각반짇고리, 19세기 말, 너비 28.2cm, 국립중앙박물관 소장

품으로 추정된다.

〈화각십장생무늬필통〉도31은 각기 다른 크기의 통 세 개를 연결한 이른바 '삼형제 필통'인데 가운데 통은 팔각, 양옆 통은 육각으로 이루어졌다. 노란색 바탕에 십장생무늬를 선명하게 그려넣어 회화미를 강조하고 있다. 그리고 맨 윗면은 하얀 쇠뼈로 장식하여 화각의 그림 효과를 높여주고 있다.

〈화각반짇고리〉도32는 오동나무 골재에 화각으로 측면을 둘렀는데 붉은색을 주조로 하면서 동물무늬에는 초록색을 많이 사용하고 꽃무늬에는 노란색을 주로 사용하여 강한 대비를 이루고 있다.

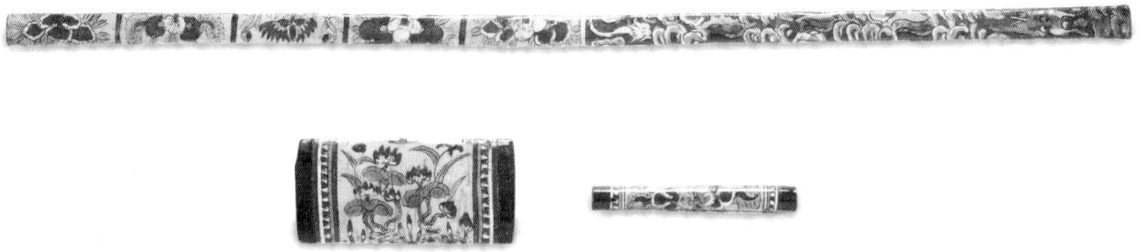

33 화각 자, 실패, 밀대, 19세기 말, 자(위) 길이 54cm, 일암관 소장

34 화각베개, 19세기 말, 너비 29cm, 본태박물관 소장

〈화각 자, 실패, 밀대〉도33는 일괄 유물로 모두 노란색을 주조로 하고 있다. 자는 약 54센티미터 길이인데, 열 칸으로 나누어 다섯 칸은 국화나 모란꽃으로 장식하고 나머지 부분에는 운룡무늬를 그렸다. 실패는 소나무를 골재로 하여 넓은 면에 연꽃을 아름답게 장식했다. 밀대는 천을 누빌 때 안팎 옷감 사이에 솜을 넣고 밀리지 않게 하는 용도인데, 간단한 초화무늬를 그려넣고 양끝을 검은색으로 마감하였다.

〈화각베개〉도34는 붉은색을 주조로 하면서 동물무늬는 크게, 꽃무늬는 작게 배치하여 조화를 이루는 가운데 쇠뼈로 계선을 명확히 나타내어 정연한 느낌을

35 나비모양고비, 20세기 초, 높이 34cm, 개인 소장

36 주칠흑칠고비, 20세기 초, 높이 50.7cm, 국립중앙박물관 소장

준다. 위쪽 판이 휘어 있는 것으로 보아 귀중품을 보관하는 동시에 실제 베개로 사용한 것으로 생각된다.

고비

본래 고비는 벽에 걸어두고 편지나 시전지 등을 보관하는 용도의 가구로 중국과 일본에서는 볼 수 없는 우리나라 특유의 목공예품이다. 고비는 사랑방의 필수품인데, 규방용으로 만들어져 여성적인 멋을 보여주는 것도 있다.

〈나비모양고비〉도35는 드물게 보이는 규방용 고비이다. 전체적인 형태를 나

37 주칠빗접, 20세기 초, 높이 24cm, 개인 소장

38 주칠빗접, 20세기 초, 높이 29cm, 본태박물관 소장

비 모양으로 만들면서 더듬이까지 나타냈는데, 이처럼 아담하고 사랑스러운 고비는 다른 예를 찾아보기 어렵다.

〈주칠흑칠고비〉도36는 현재 전하는 규방용 고비 중 가장 규모가 크고 화려하다. 격자 모양으로 구획하고 흑칠을 한 틀 안에 대나무 살을 구부려 마름모꼴로 넣고, 풍혈이 있는 나무판에는 주칠을 가하였다. 구조 자체로 기하학적 구성미를 보여주는데 주칠과 흑칠이 환상적으로 어울린다.

빗접과 경대

규방가구 중 소품으로는 빗접, 경대 등 여성용 생활가구가 많은데, 주칠을 한 경우는 그것만으로도 귀티가 일어나고 장석에도 화려한 무늬를 새겨넣어 공예로서 정교한 멋을 더하고 있다. 그리고 흑칠을 한 경우에는 나전으로 꾸민 경우가 많다.

〈주칠빗접〉도37은 전형적인 빗접으로 윗면은 뚜껑을 젖혀 열게 되어 있고 두

39 나전흑칠빗접, 20세기 초, 높이 24.2cm, 서울역사박물관 소장

40 나전흑칠경대, 20세기 초, 높이 27cm, 서울역사박물관 소장

개의 서랍이 달려 있는데 거북 모양의 주석 장석과 꽃잎 모양의 서랍 손잡이가 매력적이다.

〈주칠빗접〉도38은 두껍게 주칠을 해 고급스러운 질감을 보여주는 가운데 만자卍字무늬를 투각한 장석이 튼실하게 고정되어 있어 중후한 느낌을 준다.

〈나전흑칠빗접〉도39은 측면의 송학무늬 나전이 회화적인 아름다움을 보여주는 가운데 앞면과 모서리에 장석이 화려하게 달려 있으며 앞면에 칠보, 파초, 부채 등이 새겨져 있는 치밀한 구성미를 보여준다.

〈나전흑칠경대〉도40는 앞면, 옆면, 윗면 전체에 소나무와 사슴, 오동나무 잎과 새, 구갑무늬 등을 거의 추상화시켜 자개로 빽빽이 장식한, 온통 흰빛을 발하는 화려한 경대이다.

〈나전흑칠경대〉도41는 앞면은 연꽃무늬. 측면은 물가와 물고기를 나전으로 새겨넣은 전형적인 경대로 뚜껑을 들어 젖혔을 때 거울이 비스듬히 놓이는 구조로 되어 있다.

41 나전흑칠경대, 20세기 초, 높이 25.8cm, 부산박물관 소장

머리장식

여성의 머리치장과 몸치장은 복식과 함께 시대마다 바뀌었다. 조선시대 여성의 헤어스타일은 쪽진 머리에 비녀를 꽂는 것이 기본이었고 여기에 꽂이, 족두리, 댕기가 뒤따랐다.

비녀 비녀는 쪽진 머리를 단장하는 필수 장신구였기 때문에 아주 다양하게 발달하였다. 비녀는 재료에 따라 금·은·백동·옥·비취·산호·각角(쇠뿔)·골骨(뼈)·목木(나무)·죽竹비녀가 있다. 금·은·보석으로 만든 비녀는 양반 여성들이 사용하였다. 비녀는 비녀머리의 장식 형태에 따라서는 봉잠鳳簪·용잠龍簪·가란잠加蘭簪·원앙잠鴛鴦簪·매죽잠梅竹簪·죽절잠竹節簪·연봉잠蓮峯簪·모란잠[牧丹簪] 등으로 분류된다. 비녀 중에서도 왕실의 비녀가 더욱 화려하고 아름다운데 예절에 따라 달리 사용되었다. 헌종憲宗(재위 1834~1849)의 후궁인 경빈 김씨慶嬪金氏(1832~1907)의 《사절복색자장요람四節服色資粧要覽》에는 비녀의 용도가 다음과 같이 나와 있을 정도로 다양하다.

42 영친왕비 머리장식 일괄, 20세기 초, 국가민속문화재 265호, 국립고궁박물관 소장
1 진주잠 2 백옥봉황꽂이 3 봉황꽂이 4 봉황꽂이 5 백옥떨잠 6 백옥나비떨잠 7 백옥떨잠
8 진주동곳 9 용비녀 10 가란잠 11 봉잠 12 봉잠 13 대요

탄일과 정초 문안에는 큰머리 칠보에 니사봉잠이나 옥모란잠·옥봉잠·옥원잠·니사연잠을 한다. 동지 문안에는 니사봉잠이나 옥모란잠·옥입잠·봉잠을 꽂아도 좋다. 과세 정월 망알(대보름)에는 용잠을 한다.

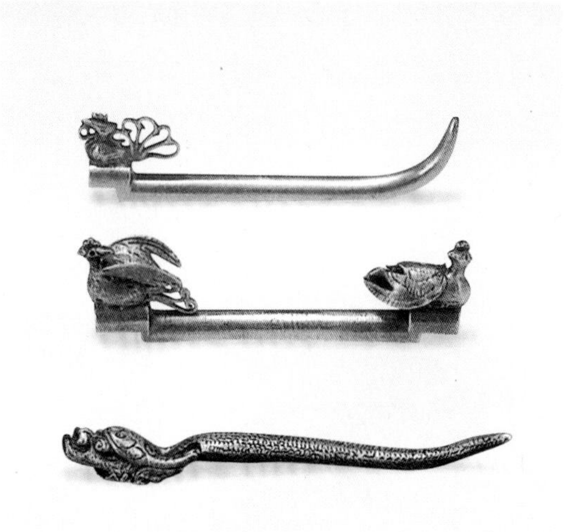

43 첩지 일괄, 20세기 초, 용첩지(맨 아래) 길이 6.6cm, 이화여자대학교박물관 소장(장숙환 기증품)

떨잠 궁중과 양반 여성은 예장禮裝할 때 가체加髢로 큰머리나 어여머리를 올렸는데 양옆과 위쪽을 떨잠으로 장식하였다. 은사로 만든 용수철에 매단 나비와 새 모양의 장식을 '떨'이라고 하며 이 떨이 달린 장식잠을 '떨잠'이라고 한다. 떨잠은 일명 떨철반자라고도 하는데 원형·각형·나비형 등 여러 가지 모양이 있으며 칠보·진주·보석 등으로 장식되었다. 가체는 대단히 사치스러운 것이어서 영조는 한때 이를 금지하는 체계금지령髢髻禁止令을 내리기도 하였지만 여전히 유행하여 정조 때는 나이 든 딸이 있어도 치장할 돈이 없어 혼사를 못 치른다는 말이 나올 정도였다.

꽂이 꽂이는 쪽진 머리에 덧꽂는 장식으로 머리채를 고정시키기 위해 끝이 뾰족하며, 머리 위로 드러나는 장식의 모양이 매우 다양했다. 대표적인 모양은 국화·연꽃 봉오리·매화·나비·천도·봉황 등으로 이를 산호·비취·보석·칠보·진주 등으로 꾸몄다.

첩지 영조의 체계금지령 이후 쪽진 머리가 장려되고, 가체 대신 화관花冠이나 족두리로 꾸미게 하면서 첩지가 사용되었다. 첩지는 화관이나 족두리가 흘러내리지 않도록 고정시켜 주는 구실을 하기도 하였다. 첩지는 그 자체로는 착용할 수가 없어 받침대 위에 얹은 뒤 양쪽으로 다리(가발)를 붙여 사용했다. 첩지는 머리꽂이라고도 하며 대개 봉황, 개구리 등으로 장식하였는데 왕비는 금으로 도금한 봉첩지를, 대한제국의 황후는 용첩지를 사용하였다.도43

노리개

조선시대 여성의 복식에는 여러 패물佩物이 있었다. 이전 시대에 목걸이·귀걸이·팔찌 등을 패용하던 습속은 거의 사라지고 지환指環이라 불린 반지만이 남았는데, 그 대신 복식에 노리개·향낭香囊·향갑香匣·장도粧刀·주머니 등을 달았다. 그중 대표적인 장신구는 노리개이다.

노리개는 여자의 저고리 고름이나 치마에 차던 패물이다. 노리개에는 세 개로 구성되는 삼작(세줄)노리개와 하나로만 구성되는 단작(외줄)노리개가 있다. 또한 크기에 따라 대삼작, 중삼작, 소삼작으로 나누었는데, 이중 대삼작노리개는 왕실 예복인 원삼圓衫이나 활옷에 달았다.

대삼작노리개는 기본적으로 쌍나비·산호·열매로 구성되었고 이를 꾸미는 재료로는 금·은·동·백옥·비취·홍옥·산호·진주·밀화蜜花·호박琥珀 등이 다양하게 사용되었다.도44 왕실의 노리개는 계절에 따라 달리 착용하였음이 경빈 김씨가 쓴 《사절복색자장요람》에 나타나 있다.

> 봄가을과 여름에는 구슬과 옥 노리개 차고, 겨울에는 옥접한 향이나 마노·밀화 향접한 뉴를 찬다. 규칙은 이렇지만 향접한 노리개가 쉽지 못할 듯하니 그때는 겨울에는 두꺼운 옥노리개를 차고 경첩한 악한 노리개만 차지 않으면 된다.
> 도병(장도)은 때에 맞추어 차되 공작석은 고도(깨끼)와 자적 저고리에 차고, 산호와 자마노는 자적 저고리 외에는 다 차고, 밀화는 옥색과 자적 저고리에 차려 하면 차되 국기일國忌日(왕이나 왕비의 제삿날)에는 긴히 사용할 수 있다. 옥 도병·수정 붕어도병은 고도와 겹적삼에 찬다. 조롱줌치(주머니)는 자적 저고리에만 찬다. 세줄노리개는 탄일·정초 문안과 동지 문안에 사용한다.

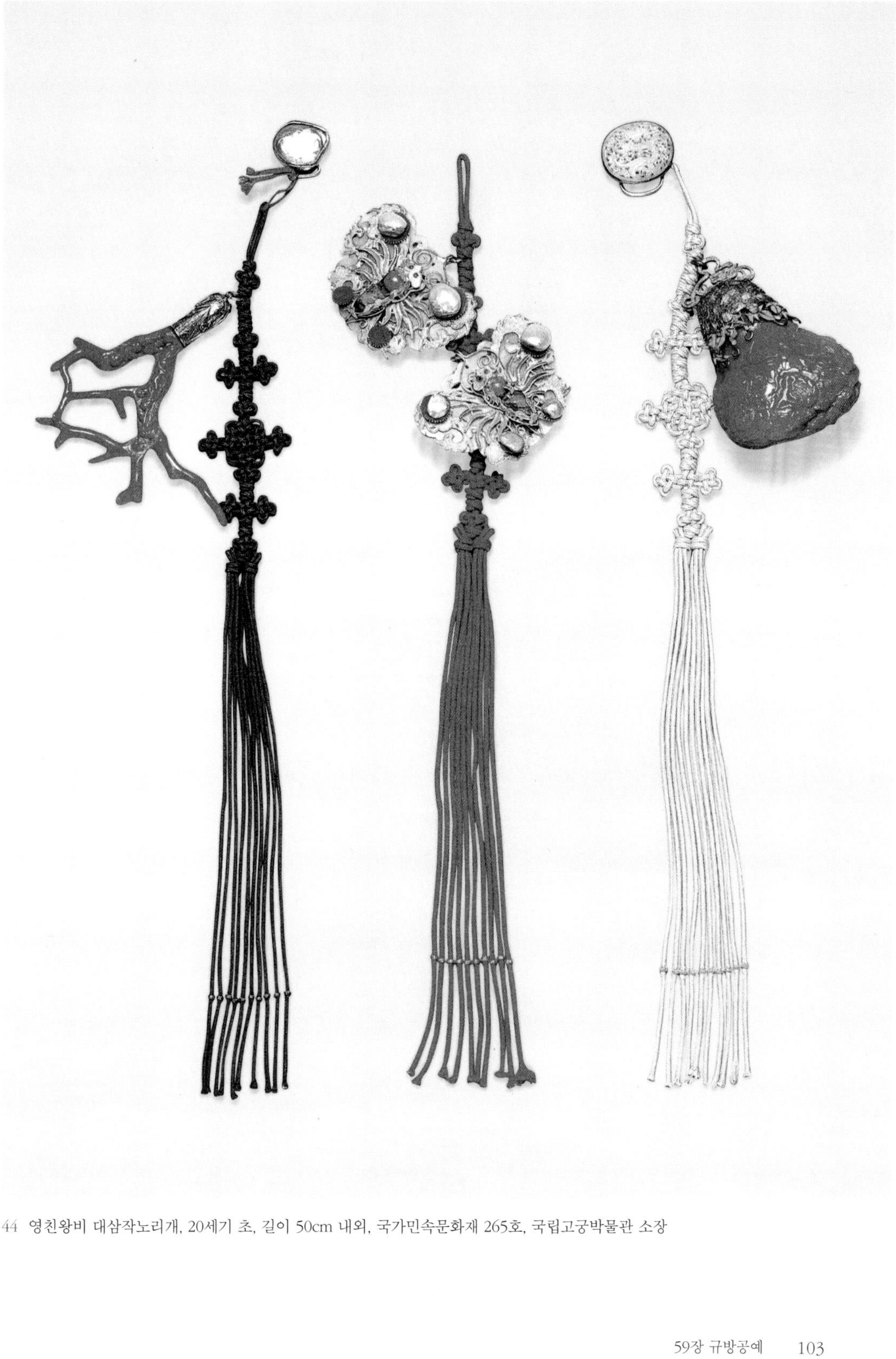

44 영친왕비 대삼작노리개, 20세기 초, 길이 50cm 내외, 국가민속문화재 265호, 국립고궁박물관 소장

45 노리개 일괄, 20세기 초, 길이 26~33cm, 본태박물관 소장

중삼작노리개는 양반 여인이, 소삼작노리개는 양반 처녀가 착용하였다.도45 단작노리개도 많이 패용되었으며 오작노리개도 드물게 보인다.

노리개는 박쥐·거북·잉어 등의 동물 형태, 가지·고추·포도송이·천도·석류 등의 식물 형태, 그리고 호리병·주머니·방아다리·투호·장도·종·표주박·북·장구·안경집·자물쇠·도끼·버선·방울·석등·벼루·각종 문자 등 일상에서 취한 형태가 있다. 특히 길상무늬를 택하였으며, 그 가운데서도 부귀, 다남, 복, 장수를 뜻하는 것을 주로 사용하였다.

장도

장도粧刀는 조선시대 남녀 없이 많이 패용하였던 작은 휴대용 칼이다. 주로 은으로 만들고 장도집은 칠보나 법랑으로 장식했다. 부녀자들은 장도를 장식용으로서만이 아니라 호신용이자 정절의 상징으로 중요하게 여겼다. 최남선崔南善

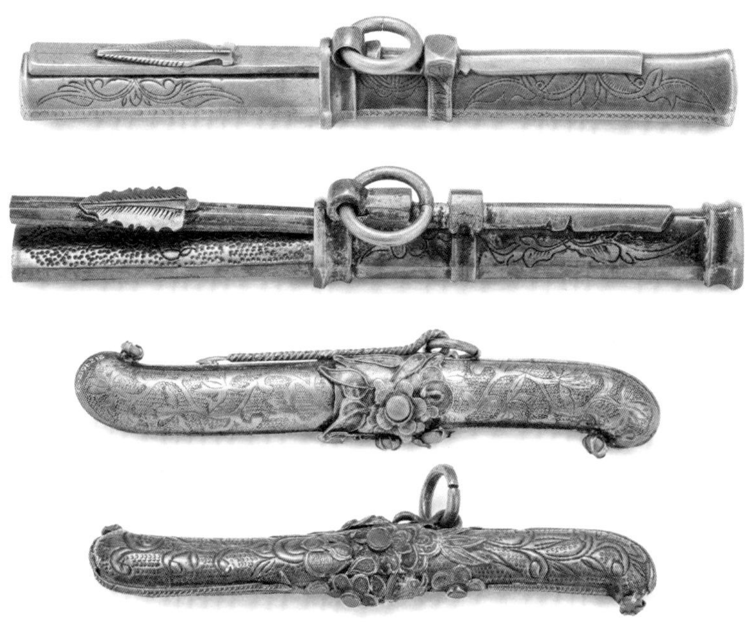

46 은장도 일괄, 20세기 초, 길이 14.5cm(맨 위), 국립민속박물관 소장

(1890~1957)은 《고사통故事通》에서 "지금은 구습舊習이 되었거니와 남녀의 옷고름에 차는 장도는 형체와 패용법이 순전히 몽고풍임이 분명하다"라고 하여 장도를 차는 풍습이 고려시대 때부터 내려온 것으로 설명하고 있다.

장도는 노리개로 차는 것은 패도佩刀라고 하고 주머니에 넣고 다니는 것은 낭도囊刀라고 하였다. 장도에는 젓가락이 함께 달린 것이 많은데, 휴대하면서 젓가락으로 사용하기도 했고 음식의 독을 분별하기도 했다.도46 소재는 백옥·금·은으로 만들었고, 형태는 원통형·을자형·사각형·팔각형 등이 있다.

향갑과 향낭

향갑香匣은 향을 담은 갑이며, 향낭香囊은 향을 넣은 주머니이다. 향갑은 위아래에 작은 고리가 있어 매듭의 위아래를 따로 묶고 아래쪽을 열 수 있도록 한 것이 특징이다.도47 향낭은 주로 비단 종류로 만든 향주머니로 색깔이 아주 다양하다.도48

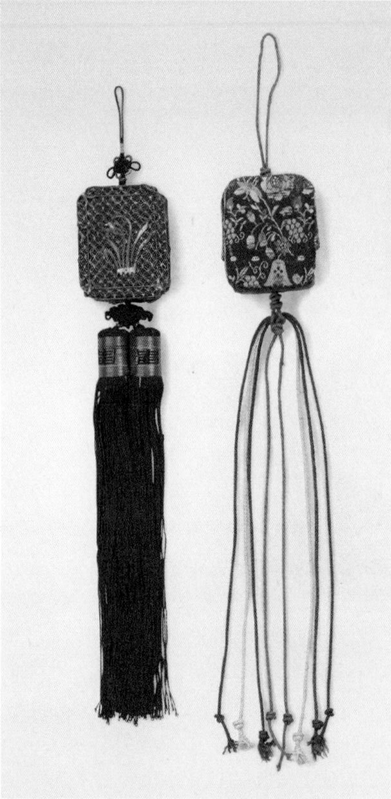

47 향갑 일괄, 20세기 초, 길이 40cm 내외, 본태박물관 소장

48 향낭 일괄, 20세기 초, 길이 29cm(왼쪽), 본태박물관 소장

경빈 김씨의《사절복색자장요람》에서는 향낭과 주머니에 관해 다음과 같이 설명하고 있다.

> 향낭은 항라亢羅 당저고리에서부터 초사 당저고리까지 다 찰 수 있고, 자라줌치는 유청은 자적 저고리에 차고 백색은 춘추동에 다 찬다. 진주낭자는 궁중에서 제일 큰 명절인 탄일과 정초 문안에 사용할 수 있다.

침선도구

규방공예 중 바느질에 따르는 침선도구로는 반짇고리, 실상자, 바늘방석, 실패,

49 목제반짇고리, 20세기 초, 높이 20cm, 국립민속박물관 소장

50 지제반짇고리, 20세기 초, 높이 15cm, 개인 소장

51 지제반짇고리, 20세기 초, 높이 14cm, 본태박물관 소장

52 지제실상자, 19세기 말, 높이 13.5cm, 개인 소장

자 등이 있다.

〈목제반짇고리〉도49는 작은 팔각 상자로 맵시 있는 모양을 하고 있다. 목제반짇고리는 사각형으로 만들어지는 경우가 많았기에 드문 사례다.

〈지제반짇고리〉도50는 색실이나 자투리 헝겊 등을 보관하는 함으로 종이를 여러 겹 발라 모양을 만들고 종이를 오려 여러 문양을 덧붙여 아름답게 장식했다. 습기와 벌레를 방지하기 위해 들기름이나 잣기름을 발라 엷게 윤이 나고 있다.

〈지제반짇고리〉도51는 종이로 만든 팔각함의 형태로 색종이에 꽃무늬를 도드

53 바늘방석 일괄, 20세기 초, 지름 13~15cm, 본태박물관 소장

54 바늘방석, 20세기 초, 지름 10cm, 부여문화원 소장

55 실패 일괄, 19세기 말, 길이 29.7cm(오른쪽), 개인 소장

56 꽃실패 일괄, 20세기 초, 길이 6~10cm, 본태박물관 소장

라지게 붙여 단아한 아름다움을 보여준다.

〈지제실상자〉도52는 바느질하거나 수를 놓을 때 필요한 각종 색실을 분류하여 보관해 놓은 종이함이다. 이 실상자는 뚜껑 아래에 16개의 작은 상자가 접혀 들어가 있어 상자마다 각기 다른 색실을 넣어둘 수 있는 구조로 되어 있으며, 그 아래에도 서랍이 또 있다. 구성이 기발할 뿐만 아니라 아녀자의 섬세함과 정성이 느껴진다.

〈바늘방석 일괄〉도53과 〈바늘방석〉도54은 바느질하면서 바늘을 꽂아두기 위해 만든 작은 방석으로, 속에 솜을 넣고 천으로 동그랗게 싸 자투리 천으로 아름답게 장식하였다.

〈실패 일괄〉도55은 실이 미끄러지지 않도록 사방연속무늬를 넣었다. 실패의 재료로는 가볍고 부드러운 은행나무, 피나무가 주로 사용되었다.

〈꽃실패 일괄〉도56은 나무 실패를 천으로 감싸서 아름답게 꾸민 것이다. 꽃실패는 주로 색실을 말아두기 위한 것으로 크기가 작지만 한결같이 실이 감기는 가운데가 움푹 들어가게 하여 기능을 살리고 있다.

보자기: 민보

보자기는 왕실공예의 궁보宮褓에서 자세히 살펴본 바 있는데, 이에 못지않게 민간에서 제작한 민보民褓도 다양한 종류가 있었다. 본래 보자기는 실내가 협소하고 수납공간이 적은 한옥에서 쓰기에 좋았기 때문에 많이 사용되었고 또한 다양하게 만들어졌다.

보자기는 재료에 따라 비단보·모시보·무명보·베보·조각보 등이 있다. 비단보는 비단의 종류에 따라 명주보明紬褓·사보紗褓·항라보亢羅褓 등으로 다시 분류된다. 두께와 누비 여부에 따라서는 홑보·겹보·누비보·솜보 등으로 나뉘고, 용도에 따라 이불보·빨래보·서답보·버선본보·책보·간찰보簡札褓·맛보(식보) 등으로 불렸다.

생활용 보자기 이외에 혼례 때 예물을 포장하는 보자기는 함보函褓·목안보木雁褓·사주단자보四柱單子褓·예단보禮緞褓·연길보涓吉褓·폐백보幣帛褓 등으로 분류되었다. 민보는 궁보에 비해 재료의 질이 낮을 수밖에 없었으나, 궁보에서는 볼 수 없는 아기자기한 아름다움을 보여준다. 보자기의 도상은 대개 꽃을 주제로 하고 있으며 이를 구성하는 방식은 추상, 구상, 디자인화된 문양 등 아주 다양하게 나타나고 있다.

〈사주단자보〉도57는 혼례를 앞두고 신랑의 사주를 적어 신부 집으로 보낼 때 사용한 보자기로 연두색 안감에 붉은색 비단으로 꾸미면서 수복壽福 자와 함께 "생민지혼生民之婚 만복지원萬福之元", 즉 백성의 혼례는 만복의 근원이라는 뜻의 문자수를 넣었으며 〈버선본보〉도58는 여인들이 버선본을 담아두던 보자기로 아담

57 사주단자보, 20세기 초, 37×37cm, 본태박물관 소장

58 버선본보, 20세기 초, 13×13cm,
서울공예박물관 소장(허동화 기증품)

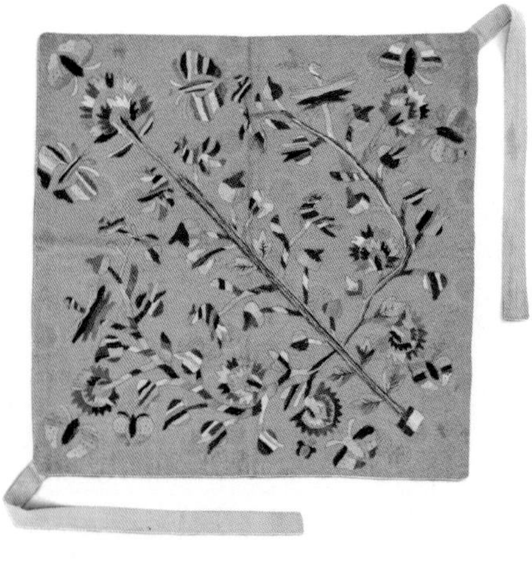

59 혼례용보, 20세기 초, 44.5×46.0cm,
서울공예박물관 소장(허동화 기증품)

60 자수보, 20세기 초, 29.5×29.5cm,
서울공예박물관 소장(허동화 기증품)

한 크기인데 자수로 꽃무늬를 추상적으로 넣었다.

〈혼례용보〉도59는 다홍색 비단에 꽃과 나비를 도안한 대단히 화려한 자수 보자기다. 나무가 대각선 방향으로 뻗어 있고 양옆으로 뻗어 올라간 줄기에는 꽃과 잎이 달려 있고 사방으로 나비가 날아들고 있는데 모두 반半추상화되어 있다. 이처럼 꽃과 나비가 어울리는 자수 보자기는 혼인 전날 신랑 집에서 신부 집에 채

61 자수보, 20세기 초, 39.5×50.5cm, 개인 소장

단采緞(청홍색 비단)을 납폐納幣로 보낼 때 싸는 용도로 쓰였다.

〈자수보〉도60는 나뭇가지에 무성히 달린 잎을 도안화한 것으로 거의 추상적인 구성의 미를 느끼게 한다. 잎의 색깔이 빨강, 노랑, 초록, 파랑, 검정 등이 섞여 있고 초승달과 그믐달이 마주 보는 듯 대칭으로 되어 있는데 자세히 보면 나뭇가지 아래쪽 잎이 위쪽 잎보다 작게 매달려 있어 구성상의 단조로움과 경직성을 피하고 있다. 민보만의 즐겁고 자유로운 조형의 멋을 느끼게 한다.

〈자수보〉도61는 꽃과 나비를 수놓은 것이지만 형상을 소략하게 나타내면서도 사실적인 분위기를 잃지 않아 한 폭의 민화를 보는 듯한 즐거움이 있다. 형태가 장방형이어서 혹시 맛보(식보)가 아니었을까 생각된다.

조각보

조각보는 작은 천 조각을 잇대어 만든 보자기이다. 낱낱 천 조각을 활용한 알뜰한 살림의 산물로 그 구성이 세련되어 누구든 보는 순간 몬드리안의 기하학적 추상작품을 보는 듯한 감동과 아름다움을 느끼게 한다. 현재까지 조각보는 우리나라 이외의 나라에서는 발견되지 않고 있다.

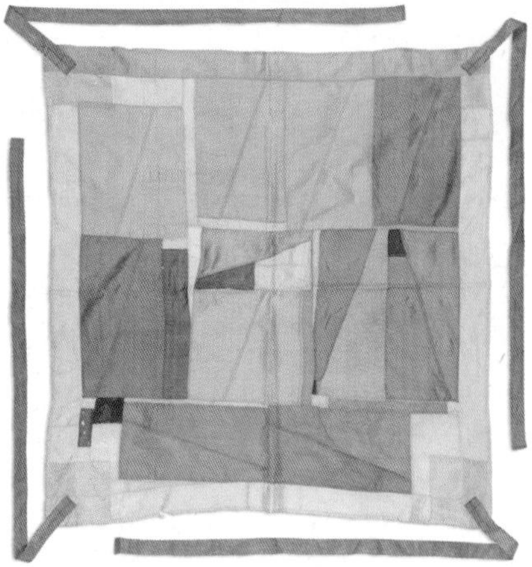

62 비단조각보, 20세기 초, 74×75cm,
서울공예박물관 소장(허동화 기증품)

63 모시조각보, 20세기 초, 43×44cm,
서울공예박물관 소장(허동화 기증품)

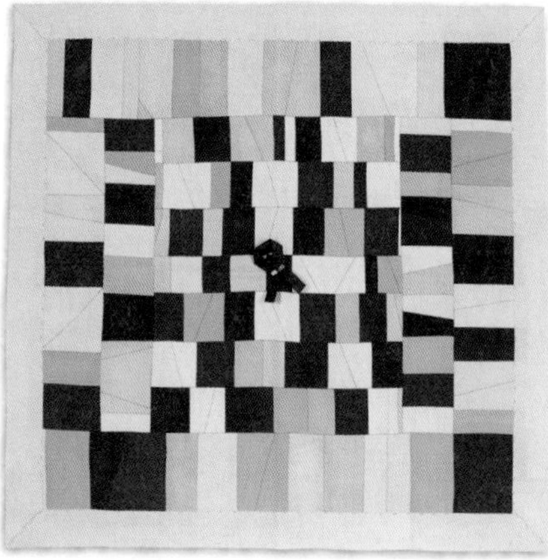

64 명주조각맛보, 20세기 초, 세로 59~64cm,
본태박물관 소장

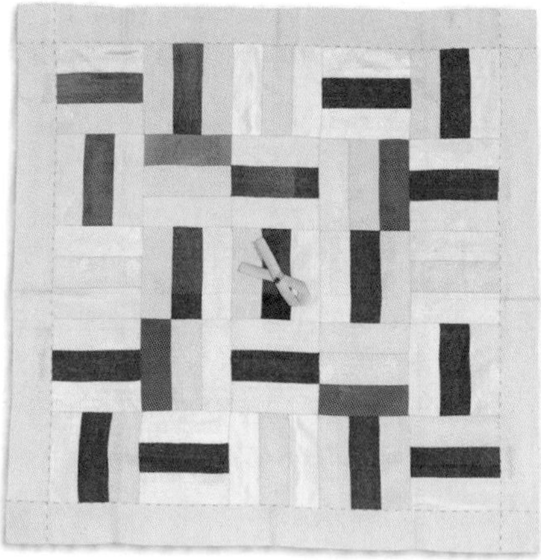

65 명주조각맛보, 20세기 초, 세로 59~64cm,
본태박물관 소장

조각보는 오랜 전통의 규방공예로 전해왔다. 근대에 들어서 1925년에 숙명여자고등보통학교 교원인 김숙당金淑堂이 쓴 《조선재봉전서朝鮮裁縫全書》의 '조각보 모는 법'이라는 항목에는 조각보 구성의 범례 도판과 함께 다음과 같이 설명되어 있다.

66 항라조각보, 20세기 초, 51×51cm,
서울공예박물관 소장(허동화 기증품)

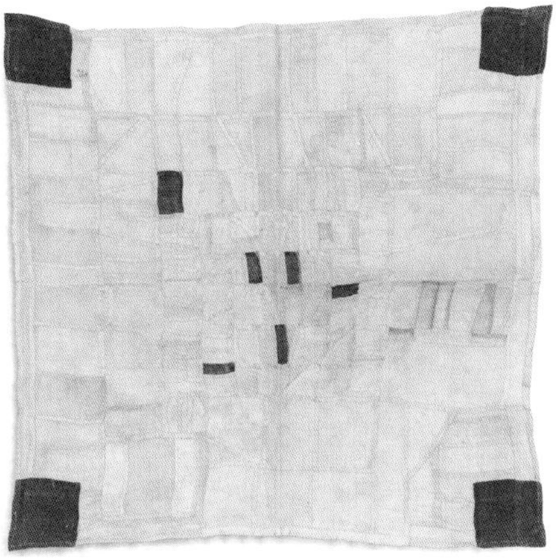

67 모시조각보, 20세기 초, 57×61cm,
서울공예박물관 소장(허동화 기증품)

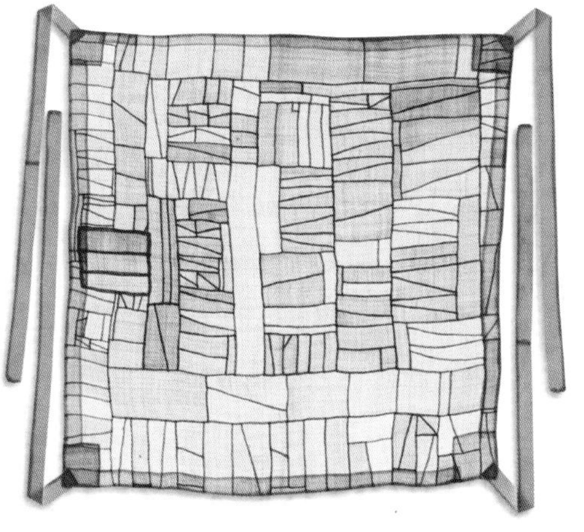

68 모시조각보, 20세기 초, 73×75cm, 본태박물관 소장

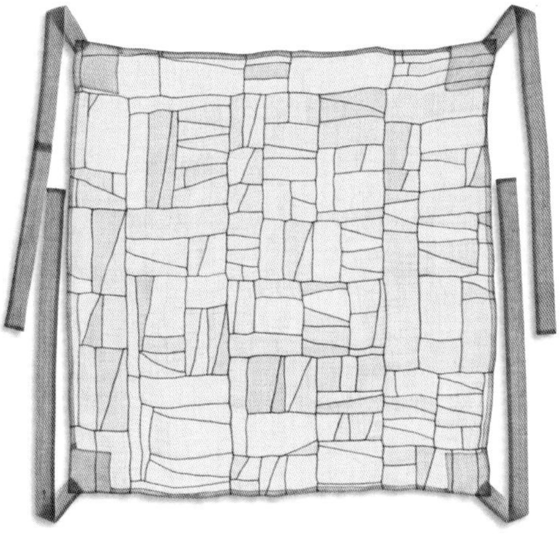

69 모시조각보, 20세기 초, 87×87cm, 본태박물관 소장

작은 베조각을 한데 모아 쓰면 긴요도 하고 또 아이들 감침질과 박음질 공부도 되나니라. 모든 법은 가로지는 가로지끼리 안팎으로 얄게 꺾어서 맞대고 감치나니 작은 조각들을 모아서 긴 헝겊으로 사방을 둘러가지고 단을 하고 귀를 그림과 같이 대고 귀에는 홍실로 상침을 놓고 끈을 다는데 혹은 물도 들여 쓰나니라.

〈비단조각보〉도62는 크고 작은 비단 조각을 잇대어 만들었는데 세모와 네모가 어우러지는 조화미가 뛰어나며 〈모시조각보〉도63는 작은 모시 조각에 오색 물감을 물들인 기하학적 추상의 조각보로 크기와 색채의 배열에서 탁월한 구성미를 보여준다.

〈명주조각맛보〉도64·65는 밥상보로 색색 명주 조각을 가지런히 배열하고 가운데에 고리를 달았으며, 〈항라조각보〉도66는 짙고 옅은 연둣빛 항라 조각이 가운데 정사각형 조각을 중심으로 사방으로 퍼져나가는 듯 가지런하면서도 은은하게 구성하였다.

〈모시조각보〉도67는 세모, 네모, 사다리꼴의 모시 조각을 가운데에는 작은 것, 바깥쪽에는 큰 것을 배치하고 네 모서리는 붉은색 천으로 마감하여 뛰어난 구성미를 보여준다.

〈모시조각보〉도68·69는 모시가 투명하게 비쳐 마치 설치미술품을 보는 듯한 기하학적 추상미를 느끼게 한다.

60장
선비공예

검이불루儉而不陋의 조용한 절제미

사랑방가구의 아름다움

목가구에 사용된 목재의 성질

의거리장과 책장

사방탁자와 탁자

서탁

문갑

서안

경상

연상

책갑

문방용품: 필통, 지통

서류함과 필갑

서견대와 고비

능화판

시전지와 시전지판

벼루

사랑방가구의 아름다움

선비공예를 상징하는 대표적인 물품은 사랑방가구이다. 사랑방가구의 종류로는 수납가구인 의거리장과 책장, 장식가구인 문갑과 탁자, 그리고 문방가구인 서안書案, 연상 등이 있다. 사랑방가구는 조선시대 목가구의 아름다움과 조선적 미학의 특질을 가장 잘 보여주는 것으로 대략 네 가지 특징이 있다.

첫째, 매우 간결한 구조로 결구하는 이음새가 아주 견실하다. 목재가 맞물리는 부분은 각각 요철凹凸로 만들어 손가락 깍지 끼듯 엇물리게 하는 사개물림으로 단단하게 결합하였으며 못을 사용하지 않고 꼭 필요한 경우에만 대나무 못을 사용하였다.

둘째, 긴 판재는 휘거나 터지기 쉬우므로 짧은 목재로 조합한 짜임새가 발달했다. 이는 나무의 수축, 팽창을 극복하기 위한 방편으로 나온 것인데 오히려 이것이 견실한 아름다움을 낳았다.

셋째, 별도의 장식을 가하지 않고 나뭇결을 무늬로 삼아 은은하면서도 자연스러운 아름다움을 보여주고 있다. 이를 목리木理라고 한다. 우리나라에서 자라는 나무는 사계절의 기온차로 나이테가 뚜렷하여 가로로 혹은 비스듬하게 추상무늬가 생기는데, 이를 좌우대칭으로 배열하면서 가지런한 문양 효과를 내었다.

넷째, 가구의 기능상 필요한 경첩·문고리·손잡이, 면과 면의 연결을 보강하는 거멀잡이를 무쇠나 은은한 노란색의 주석으로 만들어 기능과 장식이 분리되지 않은 실질적인 아름다움을 보여준다.

이런 네 가지 구조적 특징을 갖고 있는 조선시대 사랑방가구는 특별한 장식이 없으면서 목리를 이용한 질감(마티에르)을 살리고 높이와 넓이, 면과 면의 비례, 부재와 부재 사이의 비례감으로 단아한 아름다움을 보여주고 있다. 한마디로 말하여 사랑방가구는 면 비례가 아름답고 목리의 질감이 은은히 드러나 검소하지만 누추하지 않은 '검이불루儉而不陋'의 절제미를 보여주고 있다.

의거리장, 19세기, 높이 174cm, 이화여자대학교박물관 소장

목가구에 사용된 목재의 성질

사랑방가구를 비롯한 조선시대 목가구는 목재를 그 성질에 따라 용도에 맞게 사용하였다. 가구의 목재는 크게 세 가지 종류가 있다. 가장 많이 쓰이는 넓은 판재板材, 골격을 세우는 데 쓰이는 골재骨材, 디테일을 나타내는 데 활용하는 장식재裝飾材 등이다.

조선시대 목가구에 가장 많이 쓰인 나무들의 수종과 그 특성을 정리하면 다음과 같다.

소나무 수축·팽창에 따른 변화가 별로 없고 나뭇결이 고우며 촉감도 부드러워 모든 가구에 널리 사용되었다. 특히 재질 자체가 검소해 보여 서안 등 사랑방가구에 널리 애용되었다.

오동나무 연질이지만 판재를 얇게 켜도 터지지 않는 데다 가볍기까지 해 널리 사용되었다. 판재의 목리를 도드라지게 나타내기 위해 인두로 연한 부분을 제거하기도 하였는데 이를 낙동법烙桐法이라 한다. 오동나무는 질감이 검소하고 좀이 슬지 않아 사랑방가구의 책장, 문갑, 책갑, 의거리장에 두루 사용되었다.

느티나무 느티나무는 크게 자랄 뿐 아니라 단단하고 묵직하여 반닫이, 궤 등 두꺼운 판재가 필요한 가구에 많이 쓰였으며 무늬가 아름다워 장과 농의 앞면과 반닫이의 판재로도 쓰이고 양면 대칭이 요구되는 문갑의 문짝에도 애용되었다. 특히 옹이나 밑동의 무늬는 용틀임하는 모습이어서 용목龍木이라고 불리며 각종 소품에 많이 사용되었다.

피나무 재질이 부드럽고 온순하여 넓고 두꺼운 판재로도 쓸 수 있어 반닫이를 비롯하여 여러 가구에 두루 사용되었다. 잘 트지 않는 특징이 있어 추운 지방에서 유용하게 쓰였다.

은행나무 탄력이 있어 많은 가구의 부재로 사용되었고 조각의 재료로도 애용되었다. 또한 크게 자라기 때문에 넓은 판재로도 쓸 수 있으며, 얇게 켜도 터지거나 휘지 않아 연상이나 소반의 판재로 많이 쓰였다.

물푸레나무 나무의 성질이 질기고 목리가 아름다워 장롱의 문짝에 많이 사용되었다.

먹감나무 감나무 노목 중에서 자연적인 검은 무늬가 나타나는 먹감나무는 추상적인 아름다움이 있는 무늬 덕분에 문갑, 탁자, 연상, 빗접, 머릿장 등의 작은 판재에 두루 사용되었다.

참죽나무 뒤틀림이 별로 없어 책장, 탁자, 문갑 등 비교적 힘을 많이 받는 가구의 기둥에 많이 사용되었다.

배나무 워낙에 단단하여 큰 가구의 골재로 많이 쓰였다.

이외에 박달나무, 가래나무, 호두나무 등이 나무의 성질과 무늬의 생김새에 따라 각종 가구의 부재로 널리 사용되었다. 그리고 조선 후기에 들어가면 자단紫檀, 흑단黑檀, 침향목 등 수입 목재를 중국에서 들여와 고급 가구 제작에 사용하기도 하였다.

의거리장과 책장

사랑방을 장식하는 규모가 큰 가구로는 의거리장과 책장이 있다. 외출할 때 의관을 단정히 차려입는 것이 선비의 기본자세이기 때문에 의거리장은 대개 오동나무 통판에 장식이 없는 단아한 구조로 되어 있다. 책장 또한 학문을 연마해야 하는 선비의 필수 가구로 기능적이면서 엄정한 분위기를 지니고 있다. 동시에 책이 갖고 있는 무게감을 해치지 않는 범위에서 가벼운 장식을 가하여 단조로움을 피하고 있다.

〈의거리장〉116쪽은 조선시대 사랑방가구의 대표적인 명작 중 하나로 훤칠하고 넉넉해 멋스럽고도 높은 품격이 느껴진다. 단단한 가래나무 골재에 문짝의 넓고 긴 복판이 대칭을 이루는 단순한 구조이지만 선명한 목리가 은은한 문양 효과를 자아내고 있다. 여기에 주석 장석과 쥐꼬리 자물쇠가 강한 악센트가 되어 더욱 고귀한 기품을 자아낸다. 장 안의 위쪽에는 옷을 구기지 않고 걸어놓을 수 있는 횃대가 길게 걸려 있었는데 후대에 책장으로 바뀌어 지금은 네 개의 층널이 걸려 있다.

1 의거리장, 19세기, 높이 166.2cm, 개인 소장

2 이층의거리장, 19세기, 높이 162cm, 본태박물관 소장

〈의거리장〉도1은 두 장의 넓고 긴 오동나무 판재를 복판으로 써 문짝을 구성하고, 쥐벽칸과 머름칸을 널찍하게 배치한 단순한 구성을 보여주고 있다. 복판은 낙동법으로 오동나무의 목리를 살리면서 음각으로 국화, 대나무, 구름무늬를 새겨넣고 국화에는 분홍빛, 노란빛으로 채색을 가하여 수묵담채화와도 같은 회화미를 자아내고 있다.

〈이층의거리장〉도2은 전형적인 의거리 이층장으로 넓은 위 칸엔 횃대가 있어 옷을 걸어 보관할 수 있게 되어 있다. 특히 이 이층장은 나뭇결을 낙동법으로 살

3 이층책장, 19세기, 높이 114.5cm, 개인 소장

려내 무늬로 삼고 그 위에 매조도와 난초도를 아름답게 새겨넣어 은은한 아름다움을 보여주고 있다. 이와 똑같은 구조로 채색이 들어 있는 〈이층의거리장〉이 서울공예박물관에 소장되어 있다.

〈이층책장〉도3은 단아하면서도 정중한 분위기를 지니고 있어 혹 왕실가구가 아닌가 생각되기도 하는데 앞면의 면 분할이 복잡한 가운데 엄정한 질서가 있어 선비가구의 진면목을 보는 듯하다. 상하 두 칸으로 되어 있지만 문짝과 머름칸을 연결하는 경첩이 견실하게 달려 있고 서랍과 머름칸이 상하좌우의 대칭 구조를 견고히 받쳐주고 있다.

〈삼층책장〉도4은 전형적인 선비공예의 목가구로 전체를 3등분한 단순한 구

4 삼층책장, 19세기, 높이 134cm, 국립중앙박물관 소장 (이건희 기증품)

5 삼층책장, 19세기, 높이 138.3cm, 국립중앙박물관 소장 (이건희 기증품)

조로 공간을 넓게 쓰기 위하여 문짝을 기둥에 직접 연결하였다. 전체가 오동나무로 이루어져 있는데 옹이 진 오동나무의 결을 이용하여 동세가 강한 추상무늬의 효과를 자아내고 있다.

〈삼층책장〉도5은 낙동법으로 도드라지게 드러낸 자연스러운 오동나무 목리가 인상적인데 약과형 자물쇠 앞바탕과 경첩이 강한 악센트를 주면서 전체적으로 단아한 분위기를 보여주고 있다.

〈이층책장〉도6은 아래 칸이 위 칸보다 높아 무게 중심이 아래로 잡혀 있는데 다리가 성큼하게 올라와 있고 천판과 아랫널이 옆으로 날개를 펴고 있어 멋스러우면서도 경쾌한 느낌을 준다. 다리가 높은 것은 쥐가 책을 쏠지 못하게 하기 위

6 이층책장, 19세기, 높이 111.8cm, 개인 소장

함이다. 대체로 경상도 동부의 양반집에서 많이 보이는 책장이다.

사방탁자와 탁자

탁자卓子에는 사방탁자四方卓子, 삼층탁자, 서탁書卓이라 불리는 장탁자長卓子 등 여러 형식이 있다. 이중 사방탁자는 사랑방가구의 간결한 아름다움을 상징적으로 보여준다. 사방탁자는 입식 장식장으로 사방이 트여 있어 붙은 이름인데, 이는 실내 공간이 좁은 한옥에서 공간에 부담을 주지 않기 위해 사면을 개방한 기능적인 구조이다. 사랑방 한쪽에 사방탁자를 놓고 거기에 문방구와 책, 또는 애완품을 올

7 사방탁자, 19세기, 높이 149.5cm, 국립중앙박물관 소장

8 삼층탁자, 19세기, 높이 132.8cm, 국립중앙박물관 소장

9 삼층탁자, 19세기, 높이 139cm, 국립중앙박물관 소장

려두면 실내에 문기와 격조가 살아나기 때문에 선비들의 사랑을 받았다.

사방탁자는 사랑방의 두 모서리나 문갑의 양끝에 놓기 위하여 쌍으로 제작되곤 하였는데 공간의 크기에 따라서 높이와 폭을 달리한다. 어느 경우든 경쾌한 면 분할과 적절한 높이로 기하학적인 구성미를 보여준다. 대개 네 기둥은 배나무로 하고 얇은 오동나무 판재를 층널로 삼아 끼우는 간결한 구조로 경우에 따라서는 기둥의 바깥쪽 면은 가볍게 홈을 만들어 디테일의 멋이 구사되어 있다.

〈사방탁자〉도7는 네 단에 걸쳐 면 막음 없이 대담하게 개방한 전형적인 사방탁자로 면 비례에서 현대적인 조형미까지 느껴진다. 각 층의 층널은 그냥 얹지 않고 정교하게 끼워 맞춘 것으로 이음새가 견고하고 사랑방가구의 간결한 아름다움도 보여준다.

〈삼층탁자〉도8는 3층 사방탁자에서 맨 아래층만 칸을 막고 문을 달아 수납 기능을 더해 구조적인 안정감을 보여주고 있다. 면 비례가 쾌적하고 복판의 목리가 조용한 분위기를 더욱 고조시키는데 조선시대 목가구에 안목이 높았던 김환기金煥基(1913~1974)가 소장했던 명품이다.

〈삼층탁자〉도9는 중후하면서도 단아한 구조에 먹감나무의 목리가 좌우 대칭을 이루는 단정한 아름다움이 돋보이는 명품이다. 가로가 세로의 두 배쯤 되어 듬직한 분위기가 있는데 골재는 참죽나무, 층널은 오동나무로 되어 있다. 1층 문짝 위로는 서랍이 두 개, 아래로는 머름칸이 세 개 있어 단정한 짜임새를 보여주고 있다.

서탁

사랑방가구 중에는 서탁書卓이라고 불리는 아주 단순한 구조의 탁자가 있다. 서탁은 강세황姜世晃(1713~1791)의 〈청공도淸供圖〉참고1 등에서도 확인할 수 있는데, 형식은 긴 널판이 가로질러 있는 것이 기본으로 뒷면이 막혀 있는 것과 트여 있는 것, 서랍이 달려 있는 것 등 여러 형태가 있다.

〈서탁〉도10은 가로, 세로, 높이의 비례가 평범하지만 그만큼 안정감이 느껴지며, 양쪽 다리를 달팽이 모양으로 둥글게 다듬은 것에 매력이 있다. 이런 서탁은 단원檀園 김홍도金弘道(1745~1806?)의 〈자화상〉참고2에서도 볼 수 있다.

〈서탁〉도11은 서랍을 갖추고 있어서 문갑으로 분류되기도 하지만 기본 구조로 보면 서탁이라 할 수 있다. 위아래 긴 널판 사이의 공간을 칸막이로 분할하고 서랍을 배치하였는데 그 비례감이 쾌적하여 조선시대 사랑방가구의 세련된 멋을 여실히 느끼게 한다.

〈서탁〉도12은 네 개의 다리 위에 긴 널판이 얹혀 있는 단순한 구조로 장탁자라고 부르기도 한다. 사랑방 한쪽 벽에 기대어 놓고 책과 문방구를 올려놓는 아주 기능적인 것이어서 여러 형태가 보이는데 이 서탁은 2미터가 넘는 너비에도

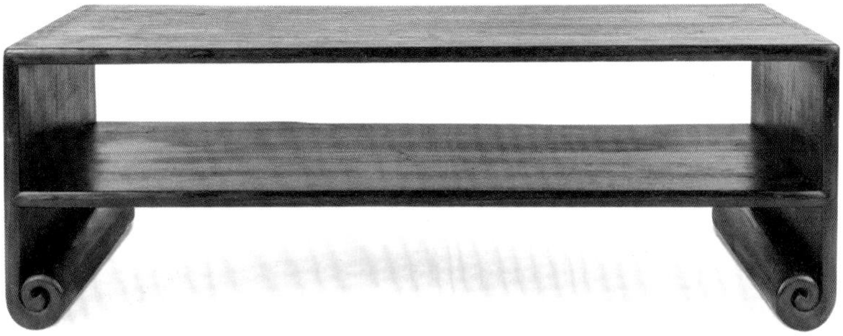

10 서탁, 20세기 초,
너비 85.5cm,
개인 소장

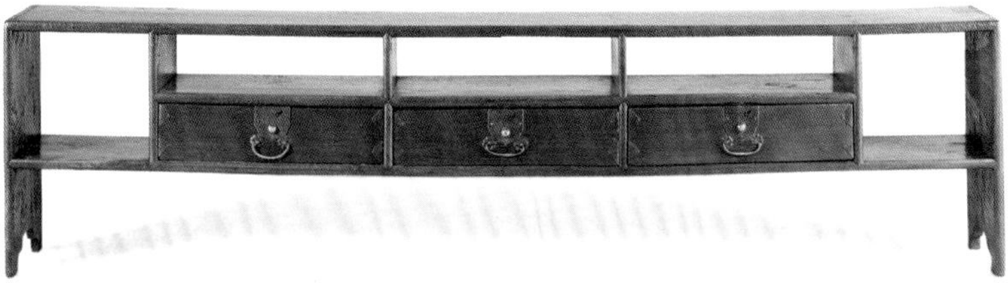

11 서탁, 19세기,
너비 140cm,
국립중앙박물관 소장

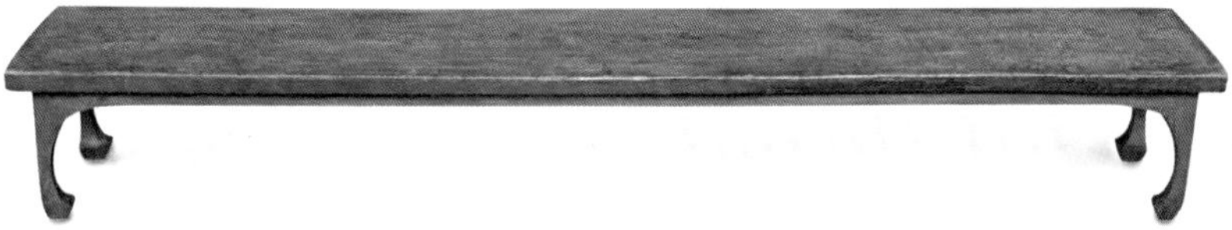

12 서탁, 19세기,
너비 218cm,
개인 소장

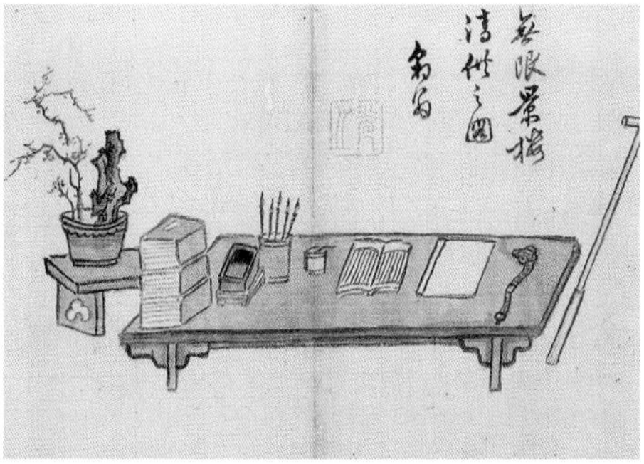

참고1 청공도(부분), 강세황, 18세기 후반, 비단에 담채, 23.3×39.5cm, 선문대학교박물관 소장

참고2 김홍도 자화상(부분), 김홍도, 18세기 후반, 종이에 담채, 27.5×43.0cm, 평양 조선미술박물관 소장

13 서탁, 19세기, 너비 85.5cm, 개인 소장

14 서탁, 19세기, 너비 91.5cm, 개인 소장

불구하고 안으로 살짝 말린 다리가 아주 튼실하여 안정감이 있다.

〈서탁〉도13은 맵시 있는 구성과 견고한 재질감을 보여주는 가운데 서랍이 대칭을 이루지 않고, 양옆에는 돋을새김으로 꽃무늬를 장식하여 선비공예로서는 자못 화려한 인상을 준다.

〈서탁〉도14은 나뭇결이 살아 있는 천판을 박쥐형 운각雲脚과 상큼하게 높은 개다리가 단정하게 받치고 있다. 단순한 구조이지만 면 비례가 쾌적하고 군더더기 없는 형태미가 있어 사대부들이 애용하였다.

15 쌍문갑, 20세기 초, 너비 각 81.8cm, 서울공예박물관 소장(유홍준 기증품)

16 장문갑, 19세기, 너비 99.6cm, 개인 소장

문갑

문갑文匣은 문구갑文具匣의 준말로 문서나 문구류를 보관하기 위한 사랑방 선비 가구의 필수 품목이다. 키는 사랑방 문지방 높이 정도로 낮으나 가로로 길어 공간을 차지하는 느낌을 주지 않고 오히려 그 위에 애완 기물을 놓는 받침대 역할을 한다.

문갑에는 쌍문갑과 단문갑(외문갑)이 있고, 문짝이 달린 것과 문짝 없이 개방된 것이 있는데 어느 경우에도 철저히 좌우대칭을 이루는 특징이 있다. 쌍문갑은

17 단문갑, 20세기 초, 너비 93cm, 국립민속박물관 소장

18 단문갑, 19세기, 너비 58.6cm, 개인 소장

대개 테두리가 달린 네 개의 문짝이 상하단에 패인 홈에 끼워져 있어 이를 들어낼 수 있는 구조이다. 내부에는 대개 서랍이 설치되어 있다. 목재는 소나무, 오동나무, 먹감나무, 배나무, 느티나무 등이 두루 사용되었다.

〈쌍문갑〉도15은 흔히 '휘가사 문갑'이라 불리는 매력적인 가구이다. 휘가사란 목재를 세로로 엇비슷하게 켠 뒤 골이 깊이 파인 곳에 회칠을 하여 자연스러운 무늬로 살리는 기법을 말한다. 조선시대 목가구에서 목리를 적극 이용한 사례라

할 수 있다.

단문갑 중에서 길이가 긴 것을 장문갑이라고 하는데, 〈장문갑〉도16은 공간을 사분四分하여 위쪽에는 낮게 서랍을 배치하고 아래쪽 가운데에는 한 쌍의 여닫이 문으로 공간을 감추었으며, 양옆은 개방하면서 정사각형의 서랍을 설정하여 공간 구성이 제법 다양하다. 문짝은 물푸레나무의 무늬를 살려내면서 소나무 판재를 뒤쪽에 덧대 휘지 않도록 보완하였다.

〈단문갑〉도17은 위 칸은 서랍 세 개, 아래 칸은 문짝 두 개와 열린 공간으로 구성되어 단정하면서도 변화가 있는 구성미를 보여준다. 먹감나무 복판을 좌우 대칭으로 배치하여 목리의 자연스러운 문양 효과를 잘 보여주고 있다.

〈단문갑〉도18은 단아한 형태에 3단의 면 분할이 아름답고 복판으로 쓰인 오동나무의 질감이 부드러우면서도 고상하고, 주석 장석의 악센트가 경쾌하여 상자형 단문갑의 대표적인 작품으로 꼽히고 있다.

서안

한옥의 좌식 생활에서 방 안에는 주인이 사용하는 상床이 놓여 있어야 가구 배치가 완성된다. 사랑방에 놓이는 상은 서안書案과 경상經床 두 종류가 있는데 서안은 천판이 평평한 데 반해 경상은 양끝에 턱이 있다는 차이가 있다.

서안은 공간에 부담을 주지 않고 또 옮기기 쉽도록 가볍고 작게 만들어졌으며, 천판에 다리가 달려 있는 아주 간결한 구조로 뒷면이 개방된 것도 있고 막힌 것도 있다. 막힌 경우에도 공간은 그냥 비어 있거나, 작은 서랍만 달려 있다.

재료는 소나무를 주로 사용했고 장식을 거의 가하지 않았다. 이는 검소함을 미덕으로 삼는 선비정신을 반영한 것으로 《산림경제山林經濟》, 《임원경제지》의 〈이운지怡雲志〉 등에서는 선비의 품격을 위해 옻칠을 하지 않는 대신 나뭇결이 좋은 목재 중에서 견고하고 치밀한 것을 골라서 인두로 지지거나 향유로 닦아 소박하게 만든다고 했다.

〈서안〉도19은 천판의 가로세로, 그리고 다리의 높이가 이루는 비례가 안정감 있으면서도 멋스러워 많은 서안 중에서도 명품으로 꼽히고 있다. 다리의 윗부분

19 서안, 19세기, 너비 60cm, 개인 소장

20 서안, 19세기, 너비 77cm, 개인 소장

을 꽃잎 모양으로 돌린 것이 매력적이다.

〈서안〉도20은 앞면 위 칸은 서랍을 중심으로 좌우를 빈 공간으로 설정하고 아래 칸은 통으로 비워놓아 기능적으로 구성되어 있는데, 각 공간에 정성스레 테두리를 돌렸고 족대도 달팽이 모양을 하고 있어 디테일의 아름다움을 한껏 뽐내고 있다.

21 경상, 19세기, 너비 65cm, 개인 소장

22 경상, 19세기, 너비 67cm, 개인 소장

경상

경상經床은 서안과 골격은 같지만 천판의 양끝이 두루마리처럼 말려 있는 것이 큰 차이이다. 이는 불경을 읽을 때 두루마리 경전이 상에서 굴러 떨어지지 않게 한 것으로, 경상이라는 이름도 여기에서 유래하였다. 천판에 맞추어 다리는 호랑이다리 또는 개다리 모양이며 몸체에는 한두 개의 서랍이 달려 있고, 안상眼象무늬나 여의두무늬가 새겨져 있다. 때문에 같은 책상이어도 경상은 주로 규방에서 사용되었을 것으로 추정되기도 한다. 재료는 소나무뿐만 아니라 오동나무, 피나무, 결이 고운 느티나무 등이 두루 쓰였다.

〈경상〉도21은 전형적인 조선시대 경상으로 천판의 양끝이 가볍게 말려 올라가 있다. 다리는 개다리에 서랍엔 여의두무늬가 새겨져 있다.

〈경상〉도22은 화려한 편에 속하는 경상이다. 멋스러움이 한껏 구사된 호랑이 다리 모양 다리 앞뒤를 족대로 연결하여 아주 튼실해 보이는데 천판의 끝이 맵시 있게 올라가 있다. 두 개의 서랍은 동자로 면 분할한 뒤 위에는 여의두무늬를, 아래에는 안상무늬를 새겨 장식성을 강조했다.

연상

사랑방가구에서 서안 곁에는 벼루 받침인 연상硯床이 놓여 있었다. 연상은 서안에 비해 아주 다양한 형태를 보이는데 기본적으로 상자형, 개방형, 복합형 세 가지 유형으로 되어 있다. 어느 경우든 연상의 키는 서안보다 약간 낮은 편인데 이는 앉은자리에서 편하게 먹을 갈게 하기 위함이다.

〈연상〉도23은 상자형 연상으로 오동나무 뚜껑을 열면 벼루 받침대가 있고 받침대를 들면 그 속은 비어 있어 수납공간으로 쓸 수 있다. 단순한 형태이지만 아주 기능적이기 때문에 연상의 보편적인 형식이다.

〈연상〉도24은 위에는 벼루를 얹고 닫을 수 있는 뚜껑이 있고 몸체에는 작은 서랍을 두었는데 비례가 아름다워 단아하면서도 상큼한 멋을 풍긴다.

〈연상〉도25은 개방형 연상으로 위에는 턱만 있어 벼루를 얹게 되어 있고, 아래는 연적 등 간단한 문구를 넣어두는 수납공간으로 개방되어 있다. 배나무 골재에 오동나무 판재로 구성되어 있고 발을 살짝 다듬어 멋을 냈는데 가로, 세로, 높이의 비례가 안정적이면서 아주 세련된 인상을 준다.

복합형 연상은 3단 구조로 벼루를 넣어두는 상단, 서랍이 있는 중단, 종이나 연적을 넣어두는 빈 공간인 하단으로 구성되어 있다.

〈연상〉도26은 은행나무에 번개무늬를 투각하고 주칠하여 대단히 화려한 인상을 준다. 상단에 뚜껑이 없다는 점에서는 개방형이지만 상단 턱 밑에는 서랍이

23 연상, 20세기 초, 너비 37cm, 개인 소장

24 연상, 20세기 초, 너비 37cm, 개인 소장

25 연상, 20세기 초, 너비 40cm, 개인 소장

26 연상, 20세기 초, 너비 40.4cm, 국립중앙박물관 소장

달려 있어 복합형으로 분류할 수 있으며 서랍 또한 투각으로 장식하여 디자인의 통일성을 꾀하고 있다.

책갑

책갑冊匣은 책을 보관하는 상자이다. 조선시대 선비들의 사랑방 안에는 별도의 책꽂이가 없었다. 조선시대의 선장본線裝本(실로 꿰매는 장정법으로 만든 책)은 뉘어놓

27 책갑 일괄, 19세기, 높이 71.5cm(가운데), 개인 소장

아야 했기에 책을 보관할 때는 책장에 넣어두었고, 필요한 책은 문갑이나 탁자 위에 꺼내두고 보았기 때문이다. 책갑은 자주 보는 책을 꺼내보기 편하도록 넣어 두거나, 귀중본을 별도로 보관하는 용도로 쓰였다. 오동나무는 가볍고 문기가 있기도 하지만 좀이 잘 슬지 않기 때문에 책갑의 재료로 안성맞춤이었다.

〈책갑 일괄〉도27은 전형적인 책갑들이다. 여닫이문이 있는 박스 형태로 책 권수에 맞추어 크기를 달리하였으며, 책갑 안에 선반이나 낮은 서랍을 두어 위아래를 구분해 쓰기도 하였다. 책갑 문짝에 "좌전左傳 십이책十二冊"이라고 써 책 이름과 권수를 표기해 두기도 하고, "맹자孟子 공해십사책共解十四冊"이라고 하여 언해본諺解本과 함께 들어 있음을 나타내기도 하였다.

책갑은 그 하나하나도 단아한 멋을 보여주지만 책갑 몇 개를 겹쳐 쌓아 두었을 옛 선비의 사랑방을 상상하면 설치미술 같은 조형 효과도 있었을 것이라는 생각이 든다.

28 죽제필통, 19세기, 높이 16.9cm, 호림박물관 소장

29 목제지통, 19세기, 높이 28cm, 개인 소장

문방용품: 필통, 지통

선비들의 필수품인 지필묵紙筆墨과 관련한 용품들은 선비공예의 꽃이다. 종이를 담는 지통紙筒, 붓을 담는 필통筆筒은 주로 도자기로 많이 만들어졌지만 목공예품으로도 다양하게 제작되었다. 필통과 지통은 거의 같은 형식이지만 지통이 필통보다 큰 편이며 오동나무와 대나무로 많이 만들어졌다.

〈죽제필통〉도28은 가는 대나무 통을 돌려 연결해 만든 필통으로 대나무 통이 안쪽에 18개, 바깥쪽에 23개가 있다. 바깥쪽 대통은 키가 똑같은 반면에 안쪽 대통은 높이를 달리하여 변화를 주었다. 각 대통에는 한 자루씩 붓을 꽂게 되어 있으며 안쪽은 붉은색 종이를 발라 마감한 기발한 구조이다.

〈목제지통〉도29은 전형적인 오동나무 육각 지통으로 각 면은 위는 넓고 아래는 좁은 사다리꼴 모양이다. 오동나무 판을 인두로 지지는 낙동법으로 목리를 은은히 살려냈다. 입술과 굽은 단단한 은행나무로 둘렀고, 그 검붉은 빛깔이 견실하면서도 오동나무 판과 잘 어울리고 있다.

〈목제투각지통〉도30은 조선시대 나무 지통 중 가장 화려한 아름다움을 보여

30 목제투각지통, 19세기, 높이 17.5cm, 일암관 소장

31 죽제지통, 19세기, 높이 15cm, 일암관 소장

주는 작품이다. 단단하면서도 조각하기 쉬운 은행나무 판재를 아래는 좁고 위는 넓게 팔면으로 짜 맞추고 여기에 십장생무늬를 투각으로 새겼다. 화려하고 복잡한 구성이지만 정교한 기법 덕분에 번잡스러워 보이지 않는다.

〈죽제지통〉도31은 굵은 대통을 쪼갠 뒤 위는 넓고 아래는 좁게 다듬은 것 일곱 개를 이어 붙여 꽃 모양을 이룬 아름다운 구성의 지통이다. 대나무 껍질에 위로 뛰어오르는 잉어와 새, 소나무 등을 그림으로 새긴 다음 여백을 긁어내고 먹칠하여 마치 분청사기의 박지 기법처럼 문양을 나타냈다. 이는 당시 죽세공장의 특기였던 듯 국립중앙박물관에도 비슷한 죽제 지통이 전하고 있다.

서류함과 필갑

서류함은 문서를 보관하는 함으로 문서함이라고도 하는데 사랑방의 필수품 중 하나였다. 함函과 상자는 다르다. 함은 여닫이 뚜껑이 경첩으로 달려 있는 것이고 상자는 뚜껑을 위에 씌운 것이다. 서류함은 대개 크지 않고 납작한데 중요한 문서를 넣어두었던 만큼 아주 고급스러운 것이 많다.

〈서류함〉도32은 안정적인 비례감을 보여주는 전형적인 형태의 서류함으로 단

32 서류함, 19세기, 너비 35.2cm, 개인 소장

33 서류함, 19세기, 너비 36cm, 개인 소장

34 서류함, 19세기, 너비 32.5cm, 개인 소장

35 필갑, 19세기, 너비 27.4cm, 개인 소장

풍나무의 아름다운 목리와 노란 주석 장석이 잘 어울리고 있다. 모서리는 귀싸개 장석으로 감아 싸고 면과 면은 초엽형 거멀잡이 장석으로 견고하게 연결하였다.

〈서류함〉도33은 질감이 매끄러운 은행나무 판재에 국수형 거멀잡이 장석과 초엽형 귀싸개 장석으로 짠 견고한 인상을 주는 함이 날렵한 개다리상 위에 올라가 있는 특이한 형태이다. 서류함은 대개 문갑이나 탁자 위에 놓고 사용하였으나 이 서류함은 서안 옆에 두고 썼을 것으로 생각된다.

〈서류함〉도34은 물푸레나무 판재의 아름다운 목리에 네모난 약과형 경첩과 붙박이 자물쇠가 잘 어울리는 명품이다. 납작하고 작은 함이지만 네 모서리에는

36 서견대, 19세기, 높이 40cm, 일암관 소장

37 서견대, 19세기, 높이 28.5cm, 개인 소장

주석으로 된 귀싸개 장석이 붙어 있고, 옆면은 국숫발처럼 가늘고 긴 국수형 거멀잡이 장석이 감싸고 있어 매우 견고해 보인다. 이런 형태의 서류함은 크게 유행한 듯 오동나무, 소나무, 배나무로 만든 것, 흑칠을 하여 검은빛을 발하는 것, 또는 어피를 입혀 질감을 강조한 것 등이 두루 전하고 있다.

필갑筆匣은 붓을 담아두는 상자로 선비들이 여행할 때 휴대용으로 지니고 다녔던 것으로 안에는 붓과 먹과 작은 벼루를 넣을 수 있어서 '벼루집'이라고도 부른다.

〈필갑〉도35은 호두나무를 얇게 켜서 만든 작은 함이지만 짙게 옻칠이 된 나무와 주석 장석이 좋은 대비를 이루어 간결한 가운데 어딘지 화려한 느낌조차 자아낸다.

서견대와 고비

사랑방가구 소품 중에는 서견대書見臺와 고비가 있다. 서견대는 독서하기 편리하도록 기울여 놓은 책 받침대로 인체공학적으로 디자인된 것으로 이해되고 있지만, 실제로는 누워서 책을 볼 때 머리 곁에 두고 책을 받쳐놓기 위한 것이어서 와

38 고비, 19세기, 높이 95cm, 국립중앙박물관 소장

39 고비, 19세기, 높이 60cm, 개인 소장

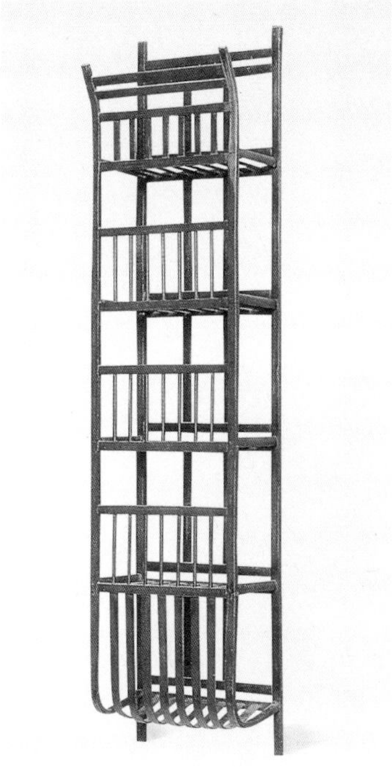

40 고비, 19세기, 높이 82.6cm, 국립중앙박물관 소장

견상臥見床이라고 부르기도 한다.

〈서견대〉도36는 연잎을 엎어놓은 모양의 받침대에 연줄기 모양의 기둥을 세우고 다시 연잎이 말린 형상의 받침대를 얹어 뛰어난 조형미를 보여주고 있다. 책 받침대에는 유려한 행서체로 "와간시의臥看是宜(누워서 보는 것이 마땅하다)"라 새기고 "삼산한인 작三山閒人作"이라는 낙관을 새겼다. 서울공예박물관에는 이와 똑같은 연잎 모양 서견대가 있는데 여기에도 삼산한인의 작품이라는 낙관이 새겨 있어 같은 장인이 만든 것으로 생각된다.

〈서견대〉도37는 구름무늬 열십자 받침대에 기둥 네 개를 꼬아 올리고 그 위에 나비 모양의 받침대를 비스듬히 세워 멋스러운 조형미를 유감없이 보여주고 있다.

고비는 벽에 걸어놓고 편지나 종이를 꽂아두는 가구의 순우리말인데 홍만선洪萬選(1643~1715)의 《산림경제》에서는 서재용품을 열거하는 가운데 '죽고비

竹高飛'라 표기하였고 이만영李晩永(1748~?)의 《재물보才物譜》에서는 고비를 '서팔書朳'이라 하고 종이로 만든 것은 '고삭 고비'라 일컫는다고 하였다.

〈고비〉도38는 폭이 좁고 위아래가 긴 벽걸이 형태로 뒷널과 앞널 사이에 3단 칸막이가 있어 종이를 꽂기 편리하게 되어 있는 전형적인 오동나무 고비인데, 앞널에 포도무늬를 소담하게 새긴 것이 큰 매력이다.

〈고비〉도39는 이중 구조의 고비로 오동나무 앞널에 대나무 그림을 음각으로 새기고 칠을 하여 아주 고급스러운 멋을 보여준다. 앞널을 낮추지 않고 위쪽 끝에 앞으로 기울인 장식을 가하여 중후한 느낌을 주고 있다.

〈고비〉도40는 대나무 살을 엮어서 만든 4단 고비로 구성미가 뛰어난 명품이다. 특히 실제로 사용될 때 칸칸이 편지나 색종이가 들어 있었다면 더욱 아름다웠으리라 상상이 간다.

능화판

능화판菱花板은 책을 장정할 때 표지를 견고하고 아름답게 만들기 위해 사용하는 목판이다. 능화란 마름꽃을 지칭하는 것이며, 능화판은 마름모꼴 사방연속무늬를 기본으로 다양한 문양이 새겨진 목판이다. 이 목판에 두꺼운 한지를 압착하고 밀랍으로 문지르면서 종이에 피막을 입힌다. 이렇게 하면 책 표지가 견고해지고 방충 및 방수의 효과도 볼 수 있으며 동시에 미적 효과도 얻을 수 있다. 능화판은 우리나라 특유의 제본술의 산물로 조선시대 선비공예의 일부이다.

능화판이 언제부터 사용되었는지는 정확히 알 수 없지만 고려시대 불경의 표지에 사용되기 시작하여 조선시대 능화판에도 연꽃무늬, 보상화寶相華무늬, 만자무늬, 칠보무늬 등 불교와 관계된 문양이 많이 나타나고 있다.

능화판은 배나무, 회양목 등 단단한 나무로 만들어져 목판 자체의 질감이 견실하다. 능화판은 간혹 천에 무늬를 새기기 위한 보판褓板과 혼동되곤 하는데 능화판은 음각으로 문양을 촘촘히 새겼고, 보판은 대개 양각으로 문양을 성글게 나타냈다.

〈능화판〉도41은 전형적인 마름모꼴 사방연속무늬 구성인데 가운데에는 사슴

41 능화판, 19세기, 33.5×57.5cm, 개인 소장

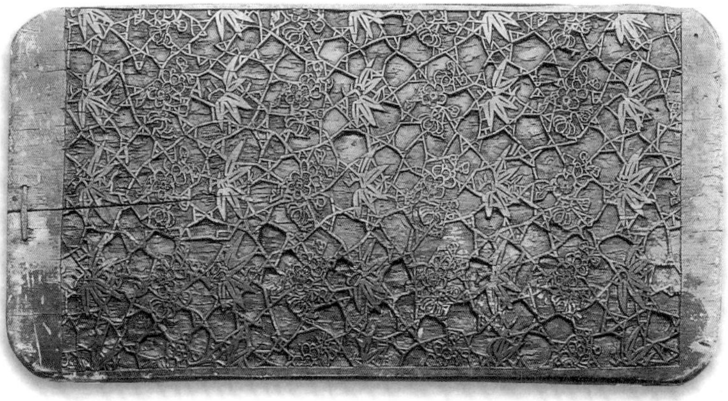

42 능화판, 19세기, 37.0×72.5cm, 영남대학교박물관 소장

43 능화판, 19세기, 32.2×61.5cm, 영남대학교박물관 소장

과 꽃나무가, 바깥쪽에는 복福 자나 번개무늬 등이 마름모 형태로 새겨져 있는 것이 매력적이다.

〈능화판〉도42은 빙렬氷裂무늬를 바탕으로 매화와 대나무 잎을 엮어 전면을 반복적으로 덮은 문양 구성이 아름답고 특이할 뿐만 아니라 섬세한 새김의 디테일이 뛰어나다. 그 조형 감각은 거의 현대적이다.

〈능화판〉도43은 만자무늬가 연속으로 퍼져나가 동감조차 느끼게 하는데 "율리헌 쌍회당 진장栗里軒 雙檜堂 珍藏"이라고 소장처가 명기되어 있다.

시전지와 시전지판

시전지詩箋紙는 조선시대 선비들이 편지나 시를 주고받을 때 사용한, 오늘날의 꽃편지지 같은 것으로, 시전지판은 이를 찍어낼 때 사용한 목판이다. 시전지를 사용한 간찰과 시고詩稿는 17세기 중엽부터 유행한 것으로 처음에는 죽책竹冊무늬로 줄무늬만 찍혀 있었는데 17세기 후반으로 들어가면 옆에 매화를 비롯한 작은 문양이 찍히면서 멋스러운 시전지로 발전하였다. 병자호란 때 재상이었던 최명길崔鳴吉(1586~1647)의 〈시고〉도44와 김집金集(1574~1656)의 〈간찰〉도45, 윤선거尹宣擧(1610~1669)의 〈간찰〉도46 등이 그 대표적인 예이다.

18세기엔 도장식으로 간단하게 문양을 찍은 시전지가 유행하여 겸재謙齋 정선鄭敾(1676~1759)의 《경교명승첩京郊名勝帖》 중 〈목멱조돈木覓朝暾〉에 붙어 있는 사천槎川 이병연李秉淵(1671~1751)의 시전지도47에는 풀꽃이, 원교圓嶠 이광사李匡師(1750~1752)의 〈간찰〉도48에는 소나무가 아름답게 찍혀 있다.

이후 죽책무늬 없이 커다란 문양을 가운데 찍고 그 위에 글씨를 쓰는 방식으로 유행이 변하였다. 종이 자체에 추상적인 문양을 가하기도 하여 군필君弼의 〈시고〉도49, 초재蕉齋 심염조沈念祖(1734~1783)의 〈시고〉도50, 정우민鄭瑀民의 〈혼서지〉도51 등은 가히 현대적인 추상미를 보는 듯한 감동이 있다.

시전지를 찍을 때 사용된 시전지 목판은 여러 문양으로 많이 전해지고 있다. 그중 〈시전지판 탁본〉도52은 앞뒤로 연꽃, 매화, 절지 등 모두 일곱 가지 문양이 새겨져 있는 목판을 찍은 것으로 당시 유행했던 시전지 무늬가 모두 들어 있는

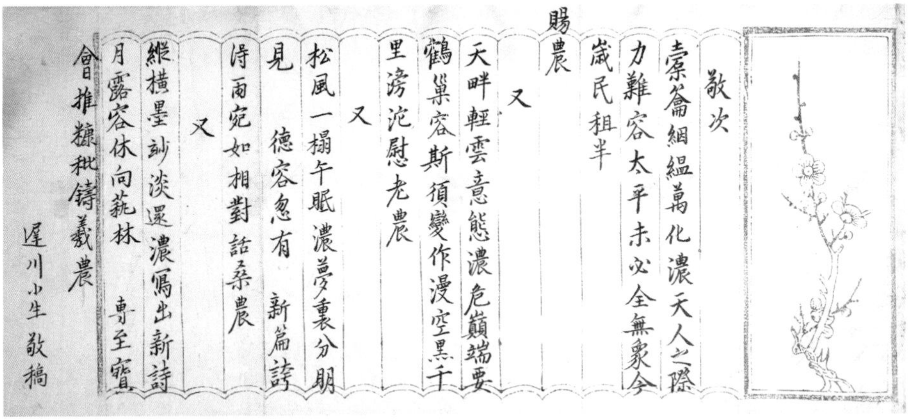

44 시고, 최명길, 17세기 전반, 종이에 묵서, 22.9×50.0cm, 개인 소장

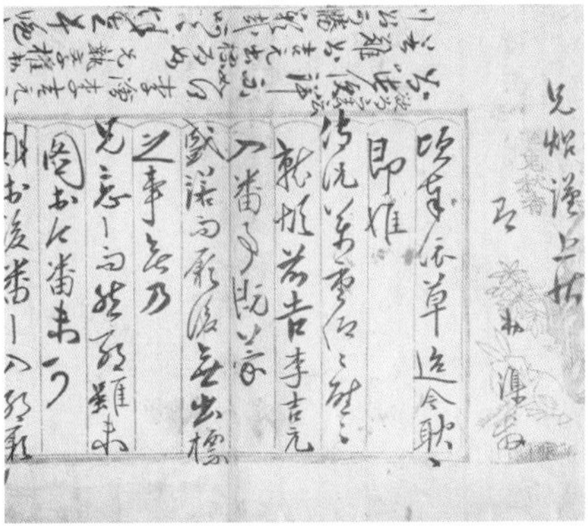

45 간찰(부분), 김집, 17세기 전반, 종이에 묵서, 28.5×40.0cm, 개인 소장

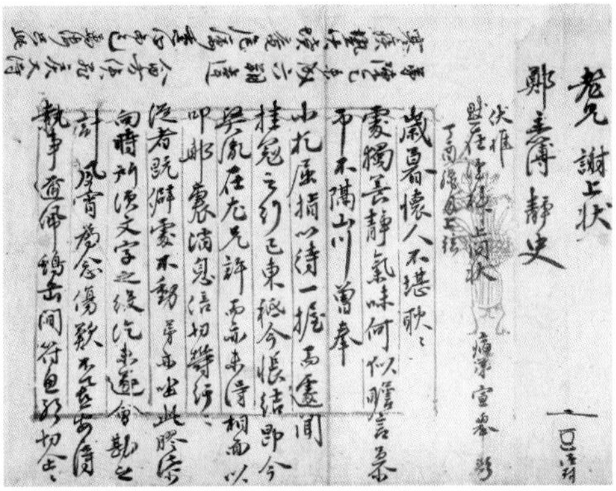

46 간찰, 윤선거, 17세기 후반, 종이에 묵서, 29.5×38.5cm, 개인 소장

47 《경교명승첩》 중 〈목멱조돈〉의 이병연 시전지 부분

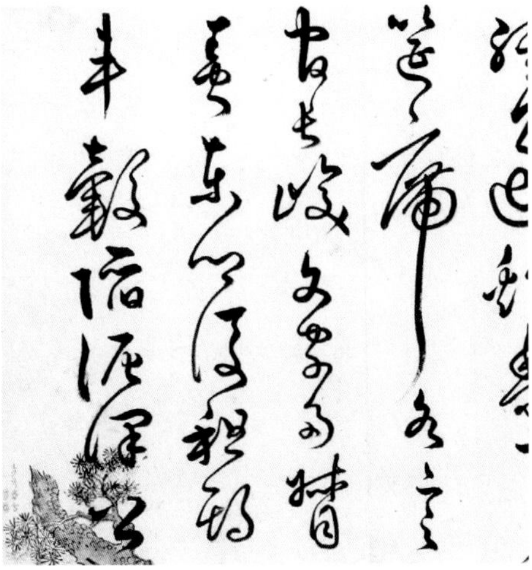

48 간찰(부분), 이광사, 18세기, 종이에 묵서, 22.0×80.5cm, 개인 소장

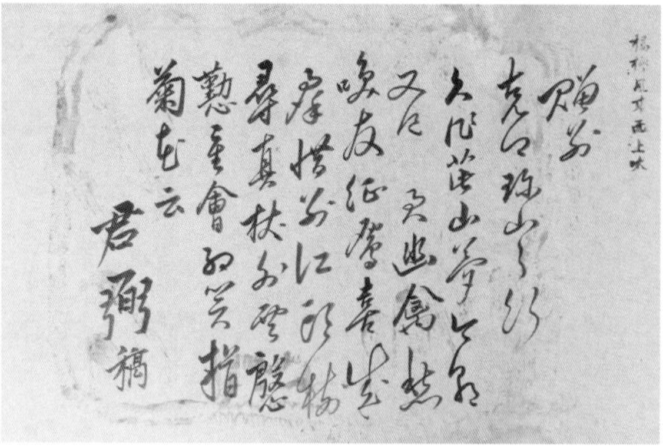

49 시고, 군필, 18세기, 종이에 묵서, 24.8×36.4cm, 개인 소장

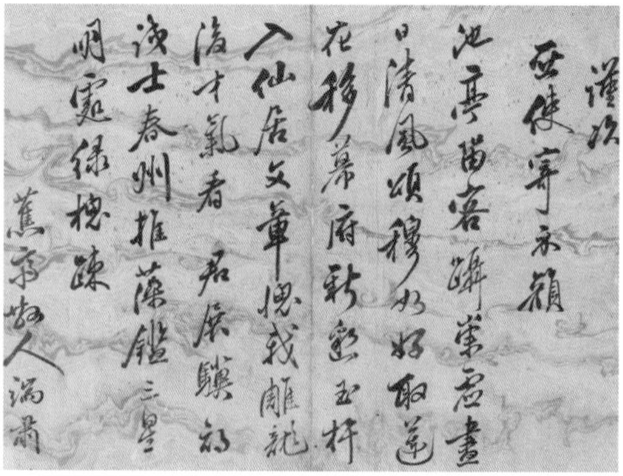

50 시고, 심염조, 18세기, 종이에 묵서, 49.4×61.5cm, 서울공예박물관 소장(유홍준 기증품)

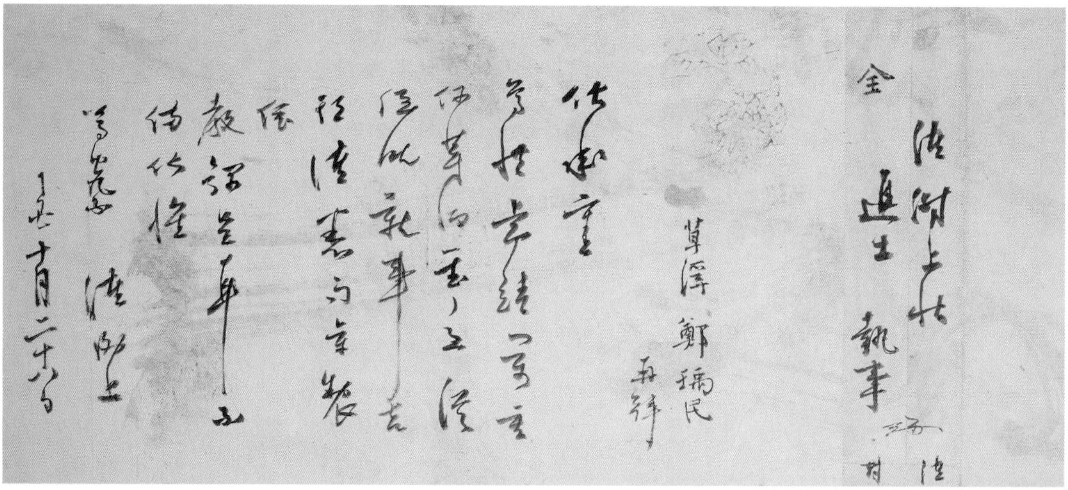

51 혼서지, 정우민, 19세기, 종이에 묵서, 27.8×60.2cm, 개인 소장

아주 특이한 예이다.

〈시전지판〉도53은 편지지나 시고를 쓰는 종이 한쪽에 상큼하게 찍은 매화무늬의 원판이다. 이러한 시전지판은 17세기 후반 내지 18세기 전반에 많이 사용되었다. 이에 비해 죽책무늬를 바탕으로 삼고 꽃이나 나무를 무늬로 덮어 씌운 시전지판은 대개 18세기 후반에 유행한 것이다.도54·55

19세기 후반으로 들어가면 중국의 시전지가 수입되어 크게 유행하면서 시전

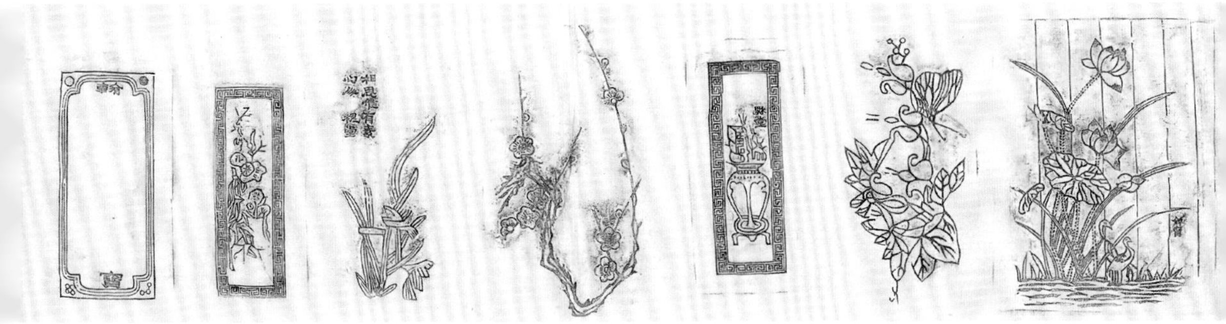

52 시전지판 탁본, 목판 18세기, 17.0×76.5cm, 개인 소장

53 시전지판, 18세기, 21.0×10.5cm, 개인 소장

54 시전지판, 18세기, 13.5×27.2cm, 개인 소장

55 시전지판, 19세기, 25.0×13.2cm, 개인 소장

56 시전지판, 19세기, 24.5×56.5cm, 개인 소장

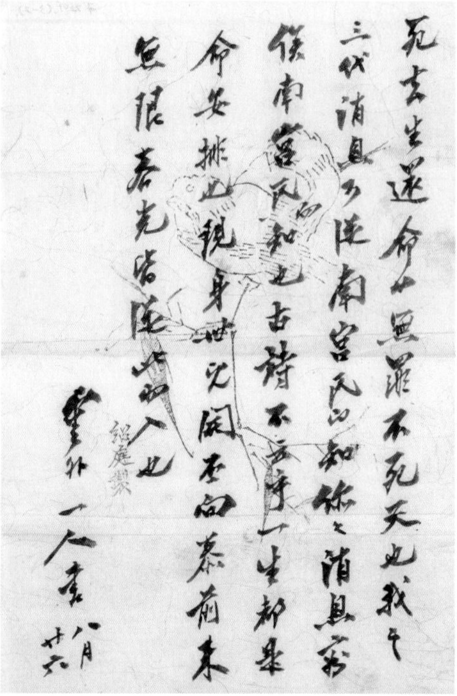

57 간찰, 흥선대원군, 19세기 후반, 종이에 묵서, 23.8×16.0cm, 국립중앙박물관 소장

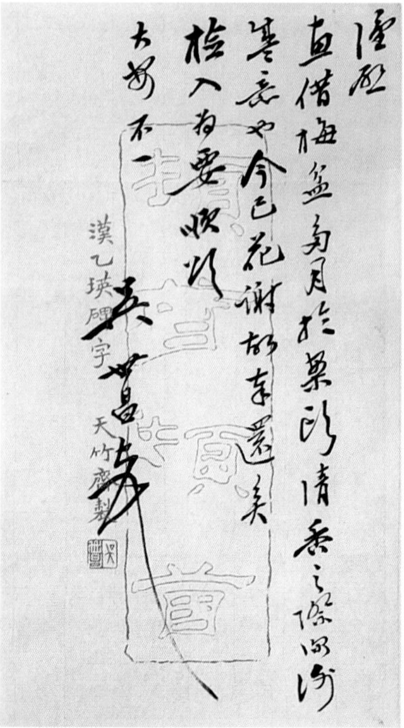

58 간찰, 오세창, 20세기, 종이에 묵서, 24×14cm, 개인 소장

지의 무늬로도 중국식 분재도盆栽圖가 유행하였다. 〈시전지판〉도56은 항아리의 매화 꽃꽂이가 회화미를 느낄 수 있을 정도로 아름답게 새겨져 있다.

흥선대원군의 경우는 자신의 난초 그림으로 전용 시전지를 만들어 사용하였고 이런 전통은 근대로 들어와서도 위창葦滄 오세창吳世昌(1864~1953)의 전용 시전지로 이어진다.

흥선대원군의 〈간찰〉도57과 오세창의 〈간찰〉도58은 각자의 전용 시전지에 쓴 편지로 시전지의 최종 형태에는 꽃 편지지 같은 아름다움이 있음을 보여준다.

벼루

벼루는 선비들의 필수품으로 너나없이 좋은 벼루를 갖기를 원하여 일찍부터 아름다운 벼루가 제작되었다. 벼루는 워낙에 선비와 가까운 문방구여서 많은 일화

59 어제벼루(앞뒷면), 16세기, 16.1×9.1cm, 오죽헌·시립박물관 소장

가 전하는데 그중 정철조鄭喆祚(1730~1781)는 벼루를 좋아할 뿐 아니라 제작도 잘하여 자신의 호를 석치石痴, 즉 '돌에 미친 바보'라고 자처했으며 강세황, 유득공柳得恭(1748~1807) 등 당대의 명사들이 그의 벼루를 소장하고 있었다.

지금 강릉 오죽헌烏竹軒에 전하고 있는 〈어제벼루〉도59는 정조가 1788년(정조 12), 율곡栗谷 이이李珥(1536~1584)가 사용하던 벼루가 그의 집안에 전하고 있다는 소식을 듣고는 이를 가져오게 하여 보고는 벼루 뒷면에 다음과 같은 시를 새겨 돌려준 것이다. 시의 내용이 워낙에 함축적인데 의역을 하면 다음과 같다.

움푹 파인 것은 주자 고을의 연못 같고	涵婺池
생김새는 공자 고을의 돌을 연상케 하네	象孔石
그 쓰임새가 넓었으니	普厥施
용이 계곡으로 돌아갔어도	龍歸洞
구름이 먹을 뿌리는 것만 같아	雲潑墨
그 글이 여기 남아 있도다	文在玆

60 전 자암 김구 벼루, 16세기, 22×17cm, 개인 소장

61 권응수 벼루, 16세기, 24.2×16.0cm, 보물 668호, 국립진주박물관 보관

벼루의 재료가 되는 돌은 먹이 잘 갈리는 것은 물론 먹물을 오랫동안 품고 있고, 또 조각을 할 수 있도록 결이 여러 겹이어야 좋은 것으로 치는데 중국에서는 광동성 단계端溪와 안휘성 흡주歙州의 돌이 유명하다. 우리나라에서는 단연코 평안북도 위원渭原의 것을 제일로 쳤다. 서유구는《임원경제지》중 우리나라 벼루

62 위원석 고사독작탄금무늬일월벼루, 16세기, 40.5×26.0cm, 개인 소장

63 위원석 포도원숭이무늬일월벼루, 18세기, 27.3×18.2cm, 개인 소장

를 품평한 〈동국연품東國硯品〉에서 다음과 같이 말했다.

> 위원석 가운데 푸른 것은 흡주석을 닮았고, 붉은 것은 단계석을 닮았다. 그러나 무늬나 돌의 결이 다소 거칠다. 좋은 돌은 늘 물속에 있으므로 사람의 힘을 많이 써야 얻을 수 있다.

때문에 위원벼루는 일찍부터 국내는 물론이고 중국에도 수출되어 중국에 많이 전하고 있는 것으로 알려져 있다. 위원의 돌은 초록색과 갈색이 켜켜이 층을 이루어 마치 풀과 꽃이 어우러지는 것 같다고 해서 화초석花草石이라고도 불린다. 이를 이용해 초록빛 면에 여러 가지 그림을 조각하고, 갈색 면에는 달과 해를 겹쳐 나타내어 해는 먹을 가는 면으로 삼고 위쪽 초록빛 면에는 여러 가지 그림을 조각한 화초일월연花草日月硯이 위원벼루의 대표적인 양식이다. 이 화초일월연은 조선 초부터 만들어져 많은 명품이 전하고 있는데 시대마다 문양의 유행이 달

64 윤증 벼루(소나무사슴무늬벼루 부분과 일월벼루 부분), 17세기, 20.7×16.0cm, 국가민속문화재 22호, 개인 소장

랐다.

위원석 화초일월연으로 정확한 제작 시기를 알려주는 명문이 있는 유물은 거의 없으나 자암自庵 김구金絿(1488~1534)가 중종中宗(재위 1506~1544)에게 하사받았다고 전하는 벼루도60, 권응수權應銖(1546~1608) 장군 유품 일괄 유물(보물 668호)의 벼루도61는 16세기의 위원벼루로 볼 수 있다.

〈위원석 고사독작탄금高士獨酌彈琴무늬일월벼루〉도62는 16세기에 제작된 위원벼루로 추정되는데 당시 회화와 청화백자의 소재로 유행했던 세한삼우歲寒三友인 소나무, 대나무, 매화를 정교하게 엮어 벼루 전체를 덮고 선비가 홀로 술을 마시며 거문고를 켜고 있는 모습을 새겨넣은 명품이다.

18세기로 들어서면 포도무늬가 유행하여 〈위원석 포도원숭이무늬일월벼루〉도63 같은 정교하면서도 아름다운 벼루가 제작되었다.

위원 이외에 벼루의 산지로는 충청남도 보령이 가장 유명하였다. 사람에 따라서는 보령의 남포藍浦벼루를 으뜸으로 치기도 하여 성해응成海應(1760~1839)은 《연경재전집研經齋全集》에서 다음과 같이 말했다.

내가 어릴 적부터 벼루 모으기를 좋아하여 좋은 벼루를 많이 모았으나 우리나라

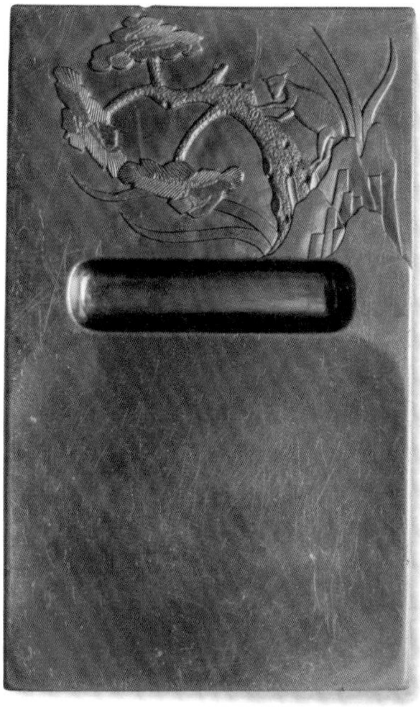

65 남포석 소나무사슴무늬일지벼루, 18세기, 26.7×16.5cm, 개인 소장

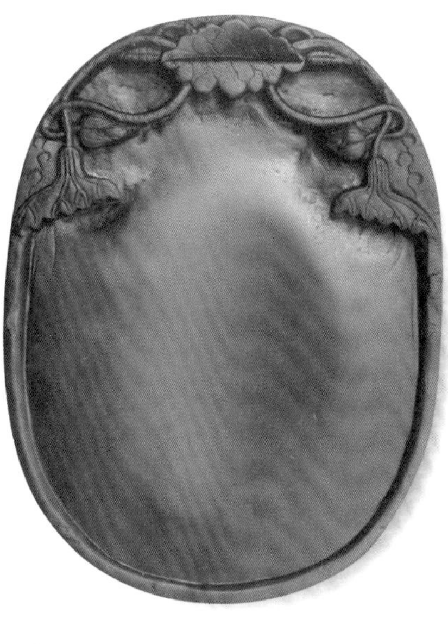

66 종성석 연꽃무늬벼루, 19세기 후반, 15.5×12.0cm, 개인 소장

것으로는 남포벼루를 따를 것이 없다.

남포벼루는 석질이 따뜻하고 윤기가 있는 것으로 이름 높았다. 〈윤증 벼루〉도64는 명재明齋 윤증尹拯(1629~1714)이 사용하던 벼루로 복식, 회화, 인장 등과 함께 국가민속문화재 22호로 지정되었다. 한 면은 일월연이고 반대쪽에는 소나무와 사슴이 양각으로 조각되어 있다.

〈남포석 소나무사슴무늬일지一池벼루〉도65는 전형적인 남포벼루 형식으로 먹을 가는 연당硯堂은 평평하게 하고, 먹이 고이는 연지硯池는 일자로 곧게 파 그 위로 문양을 배치하고 있다.

위원벼루와 남포벼루 다음으로 유명한 것은 함경북도 종성鐘城의 돌로 만든 벼루이다. 종성벼루는 남포벼루와 마찬가지로 검은빛을 띠고 있는데 〈종성석 연꽃무늬꽃벼루〉도66는 그 대표적인 예로 묵지를 따로 만들지 않고 연꽃이나 연잎 모양 아래로 먹물이 모이게 만들어져 있다. 이외에도 경상북도 안동, 충청북도 단

67 연잎무늬벼루, 18세기, 57.3×87.9cm, 국립고궁박물관 소장

양 등에도 벼룻돌의 산지가 있었다.

그리고 국립고궁박물관에 나전칠기 벼루집과 함께 전하고 있는 〈연잎무늬벼루〉도67는 현재까지 알려진 벼루 중 가장 큰 것의 하나이다. 연못 위의 연잎이 크게 묘사된 가운데 모란꽃, 헤엄치는 메기 두마리가 새겨져 있으며, 벼루집 뚜껑에는 구름에 감싸인 다섯 마리의 용이 나전으로 장식되어 있다. 이 벼루는 워낙에 아름답고 정교해서 궁중에서 시회가 열릴 때 여럿이 함께 사용했던 것으로 추정되고 있다.

61장
민속공예

삶의 향기, 혹은 생활의 체취

민속공예의 정의

조선시대 서민들의 생활공예는 흔히 민속공예라고 불리고 있다. 민속공예품은 줄여서 민예품民藝品이라고도 부르는데 그 범위를 명확히 구분하는 것은 아주 어렵다. 또 민속공예품이 과연 미술사의 한 영역이 될 수 있는가에 대해서도 이의 제기가 있을 수도 있다.

이런 이유로 민속공예는 미술사에서 본격적으로 다루어지고 있지 않았으나 그동안 많은 박물관에서 민속공예품을 주제로 한 여러 특별전이 열려왔고, 또 이를 통하여 우리가 민속공예의 아름다움에 적지 않은 예술적 감동을 받아온 것도 사실이다. 때문에 정확히는 생활공예라고 말하는 것이 맞지만 민속공예라고 부르는 데 익숙해져 있다.

민속공예는 근대로 들어오면서 그 미적·예술적 가치가 새롭게 주목받은 영역이다. 19세기 말, 영국의 윌리엄 모리스William Morris(1834~1896)는 산업사회의 기계화로 공예가 인간적 체취를 잃어가자 예술 공예 운동Arts and Crafts Movement을 일으켰고, 20세기 초 일본의 야나기 무네요시[柳宗悅](1889~1961)는 서민적인 삶의 정서가 진솔하게 들어 있는 민예품에서 현대사회에서 점점 사라져 가는 건강한 생활미를 발견하고 민예 운동을 일으켰다.

특히 야나기 무네요시는 인위적이고 기술적인 세련미가 특징인 왕실과 지배층의 공예와는 달리 민예품의 소박한 아름다움에는 생활의 체취와 삶의 향기가 짙게 배어 있다며 그 미적 가치를 강조하였다. 이렇게 부각된 민예품 중 박물관에서 다루고 있는 품목을 보면 다음과 같다.

살림가구 반닫이, 궤
부엌가구 찬장, 찬탁, 뒤주, 소반
주방용품 떡살, 다식판
조명기구 촛대, 등잔걸이

강화반닫이, 19세기, 높이 59.5cm, 국립중앙박물관 소장

의약용품 약장, 약주전자

생활기호품 표주박, 목침, 담배합

여름 생활용품 부채

겨울 생활용품 화로

제례용품 감실, 교의, 향상, 목어

혼례용품 목안

이처럼 민예품은 기본적으로 생활공예품이기 때문에 이중 많은 부분이 계층을 뛰어넘어 양반공예, 심지어는 왕실공예와 겹치기도 한다. 예를 들어 반닫이, 소반, 등잔, 촛대, 화로, 부채, 표주박 등은 어디까지가 양반공예의 산물이고 민속공예의 것인지 경계를 짓기 힘들다. 이에 여기서는 계층과 관계없이 사서士庶가 두루 사용한 생활공예품은 민속공예의 범주에 포함하였다.

팔도 반닫이

반닫이는 가히 '국민 가구'라 할 정도로 널리 사용되어 일반 서민과 양반의 가정집마다 몇 개씩 갖추고 있었고 궁중에서도 똑같이 사용하였다. 반닫이는 앞널의 반이 열리기 때문에 얻은 이름인데 앞이 열리기 때문에 앞닫이라고 불리기도 한다. 우리나라는 사계절의 기온차가 심해 대청마루와 온돌방을 기본으로 하는 한옥에서 좌식坐式 생활을 해왔다. 때문에 실내 공간은 좁고 천장이 낮으므로 수납을 위한 가구가 별도로 필요하였다. 이에 규모가 큰 장롱 외에도 작은 수납용 가구인 반닫이가 발달한 것이다. 특히 반닫이는 앞에서 문짝이 열리기 때문에 천판 위에는 이불을 비롯한 생활용품을 얹을 수 있어 구조상 방이 작은 한옥에서 더없이 유용한 수납용 가구였다.

반닫이는 단단한 재료에 단단한 구조로 되어 있는 것이 특징이자 자랑이다. 반닫이의 아름다움은 선과 면의 이상적인 분할, 나뭇결의 자연적인 아름다움, 이음새와 장석에 의한 견고미에 있다. 판재는 느티나무·소나무·느릅나무·참죽나무·피나무·가래나무 등을 두껍게 켠 다음 이음새는 사개물림으로 엇물려 튼튼하

1 밀양반닫이, 19세기, 높이 77.4cm, 개인 소장

2 예천반닫이, 19세기, 높이 69cm, 호림박물관 소장

게 고정하고 거멀잡이와 유두형 못을 촘촘히 박아 보강하였다. 여기에다 무쇠나 주석, 백동으로 만든 경첩을 비롯한 다양한 장석으로 결구하였다. 특히 단단한 느티나무와 견고한 무쇠 장석이 잘 어울려 반닫이의 아름다움은 '괴목(느티나무)에 거멍쇠(무쇠) 장석'에 있다는 말이 나왔다.

반닫이는 엄청난 수요 때문에 전국 각지에서 지역적 양식으로 발전하였다. 경기도·충청도·강원도·평안도·전라도·경상도·제주도 반닫이가 제각기 다른 형태를 띠고 있어 '팔도 반닫이'라는 말이 생겼다. 각 지역 반닫이의 특징은 독특한 면 비례와 장석의 문양과 배치에 나타나 있다.

세부적으로 보면 경기도는 강화 반닫이·개성 반닫이·남한산성 반닫이, 평안도는 박천 반닫이, 평양 반닫이, 경상도는 밀양(양산, 언양) 반닫이·예천(안동) 반닫이, 전라도는 나주(고창, 영광) 반닫이·전주(남원, 익산) 반닫이가 이름 높다. 대체로 평안도 반닫이는 두꺼운 옷을 보관할 수 있도록 높고 큰 편이며, 경기도·강원도·충청도 등 중부 지방 반닫이는 아담한 중간 크기가 많다. 경상도 반닫이는 키가 크고, 전라도 반닫이는 우람하다. 경기도 반닫이는 품위가 있고, 평안도와 경상도의 반닫이가 화려하게 치장된 것이 특징이라면 전라도 반닫이는 여백의 미가 있고 충청도·강원도 반닫이는 순박한 인상을 준다.

밀양 반닫이는 경상도 반닫이를 대표하는 화려하면서도 야무진 반닫이이다.

3. 남한산성반닫이, 19세기, 높이 82cm, 개인 소장

4. 개성반닫이, 20세기 초, 높이 85.7cm, 개인 소장

〈밀양반닫이〉도1는 경상도 반닫이가 대개 그렇듯이 폭이 넓은 편이라 안정감이 있다. 커다란 경첩에 아자무늬 등이 투각되어 있고, 문판의 양쪽과 배꼽장석 자리에 들쇠가 설치되어 있는 등 화려한 금속 장석도 특징이다.

밀양 반닫이는 인근 지역에 널리 퍼져 양산 반닫이, 언양 반닫이도 비슷한 양식을 보인다. 경상도 반닫이 중에는 광두정廣頭釘(머리가 둥글고 넓적한 장식용 못)에 은상감을 하여 장식미를 더한 것도 있다.

〈예천반닫이〉도2는 안동을 비롯한 경상북도 북부 지역에서 유행하던 형태로 비례에 품위가 있고 장석에도 디테일이 살아 있어 양반가의 기품을 느끼게 한다.

강화 반닫이는 폭이 높이보다 약간 길어 중후하면서도 안정된 형태미를 보여준다. 판재는 주로 느티나무나 소나무로 되어 있으며 섬세하고 치밀한 무쇠 장석으로 반닫이 중의 반닫이로 꼽히며 주로 궁중에서 사용되었다.

〈강화반닫이〉156쪽에는 아亞 자를 투각한 직사각형의 약과형 경첩이 두 개 달려 있고 가운데에는 복福 자를 투각한 호리병형 경첩이 두 개 달려 있다. 그리고 아래쪽에 마름모꼴 배꼽장석이 달려 있는 것이 매력적이다. 자물쇠의 뻗침대는 천판 이마 부분에 부착하여 물건을 얹어놓았을 때 불편함이 없게 하였으며 듬직

5 나주반닫이, 20세기 초, 높이 82cm, 서울공예박물관 소장

6 충청도반닫이, 20세기 초, 높이 60.5cm, 개인 소장

하고 네모난 자물쇠 앞바탕 좌우에는 작고 귀여운 태극 문양의 원형 장석이 달려 있다. 면과 면을 연결하는 초엽형 귀장석도 역시 화려하며 다리의 풍혈이 유연한 곡선을 이루고 있다.

남한산성 반닫이는 너비에 비해 높이가 높은 편으로 전체적으로 우람해 보이는데 주로 느티나무 통판으로 되어 있다. 앞에서 보면 문판이 아래의 앞널과 크기가 같거나 약간 큰 가분수형이라는 특징이 있다. 경첩과 장석의 배치는 간결하면서 아주 정연하다. 〈남한산성반닫이〉도3는 동그란 말발굽형 경첩이 세 개 달려 있고, 들쇠는 박쥐무늬로 꾸며져 있으며 자물쇠 앞바탕은 부채꼴로 되어 있다. 각목으로 다리를 달아 바닥에서 떨어지게 하였다.

개성 반닫이는 면 분할이 복잡하여 양옆에 작은 서랍이 달려 있고 중앙 부분에 장석이 촘촘히 박혀 있는 것이 특징이다.도4 아마도 개성상인들의 필요를 고려하여 공간을 분할한 것이 아닌가 생각되고 있다.

전라도 반닫이는 나주, 영광, 고창의 것이 비슷한데 우아한 형태미를 보여준다. 대체로는 크기가 장대하며 장식을 최소화하고 목재의 나뭇결을 그대로 살렸으며 내부에는 이중 선반에 셋 내지 다섯 개의 서랍이 설치되어 있다. 〈나주반닫

7 평양반닫이, 20세기 초, 높이 87.5cm, 한국가구박물관 소장

8 박천반닫이, 20세기 초, 높이 98cm, 국립민속박물관 소장

이〉도5는 경첩은 제비초리형이고 문판의 자물쇠 앞바탕은 약과형이며 들쇠가 두 개 달려 있다. 앞널은 만卍 자를 새긴 마름모꼴 배꼽장석 하나로 장식하였다. 다리는 앞을 가리는 장식 없이 족대만 달려 있다.

충청도 지역의 반닫이는 소담한 크기로 장식이 과하지 않아 조용한 인상을 준다. 〈충청도반닫이〉도6의 경첩은 아래쪽이 긴 제비초리형으로 끝이 맵시 있게 말려 있으며 문판 양끝으로는 광두정이 두 개씩 박혀 있다. 아래쪽 앞널 양끝에는 유두형 못을 촘촘히 박아 견실함을 보여준다. 장식이 과하지 않고 꼭 필요한 곳에만 적당히 배치되었으며 족통의 박쥐 모양 풍혈에 예쁜 곡선미가 살아 있다.

평양 반닫이는 다른 지역의 반닫이에 비해 유난히 크고 긴 약과형 경첩을 비롯하여 문판과 앞널에 백동 장석이 가득 달려 있는 것이 특징이다.도7 때문에 전체적으로 단단하면서도 화려한 인상을 준다.

평안북도 박천은 반닫이 산지로 이름을 크게 얻었다. 박천 반닫이는 장석마다 일일이 정으로 쪼아 여러 가지 다양한 문양을 정교하게 투각한 것이 특징이다.도8 때문에 장석에 구멍이 숭숭 뚫렸다 하여 '숭숭이 반닫이'라고도 불리고 있다. 박천은 추운 지방이기 때문에 반닫이 또한 대부분 크기가 크며 이 지역에서 쉽게 구할 수 있는 피나무를 사용하여 제작한 것이 많은데, 피나무는 트는 일이

9 강원도반닫이, 20세기 초, 높이 62.9cm, 개인 소장

10 제주도반닫이, 20세기 초, 높이 72.2cm, 호림박물관 소장

거의 없는 것으로 알려져 있다.

강원도 반닫이는 장식이 아주 간단하여 순박한 인상을 주는데 크기가 상대적으로 작아 '강원도 알반닫이'라고도 불린다. 〈강원도반닫이〉도9는 자물쇠 앞바탕과 경첩이 약과형인 데다 국화꽃 배꼽장식 이외에는 어떤 장식도 가하지 않아 더욱 소박한 느낌을 준다. 형태상으로는 문판이 액자에 끼우듯 옆널 안으로 들어가 있는 것이 특징이다.

〈제주도반닫이〉도10는 커다란 불로초형 경첩 세 개가 앞면 가운데를 넓게 차지하고 있어 화려한 인상을 준다. 자물쇠 앞바탕은 만卍 자가 투각된 실패형이고 문짝 양옆으로는 마름모꼴 광두정이 두 개씩 박혀 있고, 앞널은 거멀잡이로 옆널과 단단히 물려 있는 복잡한 구성이다. 순박한 화려미라고 할 만하다.

궤

궤櫃는 반닫이와 함께 생활에 반드시 필요한 가구로 오랜 전통을 갖고 있다. 《삼국유사三國遺事》에서 석탈해昔脫解는 길이 20척, 너비 13척의 궤에서 나왔다고 했고, 경주 김씨의 시조인 김알지金閼智도 금궤에서 나왔다고 하였다.

11 궤, 19세기, 너비 116cm, 국립중앙박물관 소장(이건희 기증품)

궤는 반닫이와 달리 천판의 반이 문짝으로 열리게 되어 있어 윗닫이라고 불리기도 한다.도11 반닫이에 비해 상대적으로 키가 작고 납작한 것이 특징이다. 궤는 운반하기 쉽도록 작은 것과 물품을 많이 넣을 수 있도록 옆으로 긴 장방형 두 가지가 있다.

작은 궤는 대개 방 안에 두고 옷가지나 잡동사니를 넣어두었고 옆으로 긴 궤는 대청이나 실외에 두고 제기, 놋그릇, 도자기 등 필요할 때만 꺼내 쓰는 물품을 넣어두었다. 그중 엽전을 보관하는 궤는 따로 돈궤라고 불렀다. 윗면의 반을 차지하는 문판에 경첩이 달려 있어 젖히도록 되어 있는 것과 두 개의 긴 뻗침대를 대 문판을 들어낼 수 있도록 한 것 두 가지가 있다.

판재로는 느티나무가 많이 사용되었는데 결이 곱고 단단한 느릅나무(황유목 黃楡木)를 쓴 것을 상품으로 여겼다. 옆으로 긴 궤는 무게 때문에 소나무로 된 것이 많다. 공예로서 궤의 아름다움은 가로·세로·높이의 적절한 비례, 단단한 나무의 질감과 자연스러운 나뭇결의 문양 효과, 그리고 사개물림의 이음새 구조와 무쇠 또는 주석 장석을 가한 튼실한 짜임새에 있다.

12 약장, 19세기, 높이 129cm, 개인 소장

약장

약장은 한약재를 보관하는 수납장으로 한의원의 필수 가구였다. 또한 옛 선비들은 한약에도 일가견을 갖고 있어서 가정에도 비치하는 경우가 많았다. 한약재는 종류가 많을 뿐 아니라, 종류에 따라 쓰이는 양에 차이가 있었기 때문에 약장도 무수히 많은 크고 작은 서랍으로 짜여 있다. 각 서랍마다 한약재의 이름이 알아보기 쉽게 쓰여 있는 것이 특징이다.

13 약장, 19세기, 높이 124.8cm, 국립민속박물관 소장

〈약장〉도12은 전형적인 경기도 약장으로 상단은 작은 서랍을 연속적으로 배치하고 하단은 여닫이문을 중심으로 좌우에 큰 서랍을 두었으며 장 위아래에는 똑같이 다섯 개의 서랍을 두어 구조적으로 안정감을 보여주고 있다. 이 약장은 여닫이문 판재로는 느티나무를 썼으며, 보통은 오동나무로 만드는 서랍을 전부 호두나무로 만든 것이 특징이다.

14 약장, 19세기, 높이 90.5cm, 국립중앙박물관 소장

〈약장〉도13은 윗부분의 작은 서랍은 가지런히 배치되어 있는 반면에 아랫부분은 칸을 넓게 잡아 가운데에는 '극약劇藥' 칸을, 양옆에는 많이 사용되는 감초와 인삼 칸을 크게 만들어 기능성을 추구하면서 동시에 구성의 단조로움을 피하고 있다.

〈약장〉도14은 천판을 경상처럼 양끝을 말아 올리고 족통에는 튼실하게 박쥐

15 이층찬탁, 20세기 초, 높이 53cm,
국립민속박물관 소장

16 오층찬탁, 19세기 말, 높이 83.3cm, 개인 소장

무늬를 길게 펼쳐 중후한 느낌을 주며 아래쪽 칸은 위의 칸들보다 두 배 되는 크기로 분할하여 안정적인 비례를 보여준다.

찬탁과 찬장

부엌가구로는 찬탁饌卓과 찬장饌欌이 있다. 둘 다 그릇이나 음식을 보관하기 위한 부엌가구이지만 찬탁은 개방형이고 찬장은 문이 달려 있고 뒤가 막혀 있는 것이 차이이며 두 가지 기능을 합친 찬장 겸 찬탁도 많다. 찬탁은 사방탁자, 서탁과 마찬가지로 여러 층의 층널로 구성하고 사방을 개방한 간단한 구조로 튼실한 구조와 단순미가 특징이다.

〈이층찬탁〉도15은 찬탁 중 가장 간명한 구조로 전체를 두 층으로 분할하였는데 공간 비례가 날렵한 느낌을 준다.

〈오층찬탁〉도16은 아담한 크기로 아래로부터 네 개의 층널을 촘촘히 가로지

17 이층찬탁, 19세기 말, 높이 92cm, 한국가구박물관 소장

18 삼층찬탁, 20세기 초, 높이 149.2cm, 개인 소장

르고 맨 위층만 네 짝 미닫이문으로 닫아놓은 구조이다. 부엌 한쪽 자투리 공간에 두고 사용했을 법한 기능적인 찬탁인데 구조가 아기자기하여 소담한 분위기가 일어나는 사랑스러운 가구이다. 혜곡兮谷 최순우崔淳雨(1916~1984)의 소장품이었다.

〈이층찬탁〉도17은 아래층은 층널을 뚜껑처럼 위로 열 수 있는 구조로 되어 있고 위층은 개방되어 있는 이중 구조로, 단정하면서도 멋스러운 구성미를 보여준다.

〈삼층찬탁〉도18은 보기에도 기발한 구조의 찬탁이다. 다리가 성큼하게 높은 것은 쥐와 해충을 방지하기 위함이나 천판과 층널을 기둥 밖으로 빼낸 것은 사용하기 편리하게 한 배려에서 나온 것으로 보인다. 이로 인한 파격적인 구성이 통쾌한 아름다움을 느끼게 한다. 소나무 판재의 나뭇결을 돋보이게 하기 위해 인두로 지진 것을 보면 멋을 아는 장인의 솜씨라는 생각이 든다. 건축가 김수근金壽根(1931~1986)의 소장품으로 유명하였다.

19 삼층찬장, 19세기, 높이 149.2cm, 서울역사박물관 소장

20 삼층찬장, 19세기 말, 높이 170cm, 서울역사박물관 소장

〈삼층찬장〉도19은 경기도 지방의 대갓집에서 유행한, 찬탁과 찬장의 결합형 가구인데 뒤와 옆이 막혀 있어서 찬장으로 불린다. 1층과 3층은 비워져 있고 2층에는 네 짝의 아亞 자형 창살이 달려 있는데, 가운데 두 짝은 경첩으로 연결되어 있는 여닫이문이다. 또한 위아래 머름칸에는 팔괘무늬를 투각으로 새겨 공기가 통하게 하였다.

〈삼층찬장〉도20은 전형적인 경기도 찬장으로 복판은 모두 목리가 대칭을 이루게 하였고 맨 위 칸의 바깥쪽에는 작은 서랍이 하나씩 있어 안정적인 형태미를 보여준다. 특히 문짝 양옆 쥐벽칸에 가로동자가 질러 있어 보기에도 튼실한 짜임새를 느끼게 한다.

21 쌀뒤주, 19세기 말, 높이 108.5cm, 서울역사박물관 소장(운현궁 기증품)

뒤주

뒤주는 곡식을 저장하는 용도의 우리나라 특유의 목가구이다. 별다른 장식을 가하지 않고 굵은 목재로 골조를 견실하게 결합하고 나무판을 끼워 막은 튼튼한 구조로 되어 있다. 천판의 뒤쪽 반은 고정되어 있고 앞쪽 반은 앞널과 뻰침대로 연결되어 경첩 없이 열 수 있게 되어 있으며 다리는 습기와 쥐 피해를 막기 위하여 지면에서 15센티미터가량 위로 올라와 있다.

뒤주의 크기는 일정치 않으나 쌀 뒤주와 잡곡 뒤주 두 종류가 있으며 쌀 뒤주는 느티나무로 된 것이 상품이고, 잡곡 뒤주는 소나무로 된 것이 많다. 뒤주의 구조는 거의 비슷했기 때문에 앞널의 나뭇결로 아름다움이 평가되었으며 팥 뒤주, 콩 뒤주, 깨 뒤주 등 잡곡 뒤주는 작고 아담한 크기로 사랑스러운 분위기를 자아낸다.

〈쌀뒤주〉도21는 운현궁에 있던 유물로 구조와 면 비례를 보면 서울 한강 밤

22 쌍둥이뒤주, 19세기, 높이 109.5cm, 국립중앙박물관 소장(이건희 기증품)

섬에서 제작된 전형적인 밤섬 뒤주이다. 일반적인 밤섬 뒤주는 앞널만 느티나무이고 나머지는 소나무로 되어 있는데 이 뒤주는 사방의 판재가 모두 느티나무로 되어 있으며 특히 앞널의 물결무늬가 아름답다.

〈쌍둥이뒤주〉도22는 대갓집에서 쓰던 뒤주로 쌀과 보리를 나누어 저장할 수 있도록 가운데에 칸막이가 있고 뚜껑도 따로 열리게 되어 있다. 구조가 무척 독특한데 앞면을 각목으로 견실하게 엮은 것이 기하학적 추상화와도 같은 느낌을 자아내고 있다.

〈잡곡뒤주〉도23는 기둥이 가늘어 날씬한 멋이 있으며 앞널에는 용목龍木의 무늬가 자연스럽게 잘 살아 있다. 골재는 소나무이지만 천판은 느티나무 통판으로 되어 있다.

〈잡곡뒤주〉도24는 경기도 일원에서 제작된 뒤주로 작은 크기이면서도 기둥의 굵기가 튼실하여 앙증맞고 귀여운 느낌을 준다.

23 잡곡뒤주, 19세기 말, 높이 31.4cm,
서울역사박물관 소장

24 잡곡뒤주, 19세기 말, 높이 31cm, 개인 소장

소반

소반小盤은 음식을 담은 그릇을 올려놓는 작은 상으로 쟁반에 다리가 달린 형태이다. 우리나라의 주거 공간은 방과 부엌이 따로 분리되어 있어 음식을 나르는 소반을 그대로 상으로 사용하게끔 발전한 것이다.

소반은 쓰임에 따라 반상飯床, 주안상酒案床, 약상藥床, 차상茶床, 공고상公故床 등으로 불리고 있다. 또 천판의 생김새에 따라 사각반·육각반·팔각반·십이각반·원반·화형반花形盤으로 나뉘며 다리의 생김새에 따라 호랑이다리의 호족반虎足盤, '개다리소반'이라고 불리는 구족반狗足盤, 그리고 외다리로 받치는 일주반一柱盤 등이 있다.

소반에는 천판과 다리를 연결해 구조에 안정감을 주는 운각雲脚이라는 부재가 곁들여 있으며, 앞뒤 다리를 연결하는 족대도 달려 있다. 재목은 가벼우면서도 튼튼한 은행나무가 최상품으로 꼽히며 가래나무·피나무·오동나무·소나무 등이 두루 쓰였다. 소반에 대해서는 일찍이 아사카와 다쿠미[浅川巧](1891~1931)가 《조선의 소반[朝鮮の膳]》(1929)이라는 저서를 펴내 그 민예로서의 아름다움에 주목한 바 있다.

25 나주반, 20세기 초, 높이 28cm, 개인 소장

26 통영반, 20세기 초, 높이 22.5cm, 개인 소장

지역 특산 소반으로는 나주반羅州盤, 해주반海州盤, 통영반統營盤, 충주반忠州盤 등이 있고 강원도반 역시 일정한 형식으로 정형화되어 있다.

지역 특산 사각반

〈나주반〉도25은 천판은 은행나무를 깊게 파 변죽이라 불리는 턱을 만들어 그릇이 미끄러지지 않게 하고, 위로 갈수록 굵어지는 동그란 다리가 곧게 뻗어 있는 단순한 구조이다. 상의 견고함을 위하여 천판 아래에는 운각이 있고, 다리에는 중대 혹은 가락지라 불리는 보강재가 질러 있으며 앞다리와 뒷다리의 바닥은 족대로 연결되어 있다. 나주반은 소반의 상징이자 전형으로, 그 아름다움은 약간 벌어진 자세로 힘 있게 뻗어 있는 군세고 튼실한 느낌에 있다.

〈통영반〉도26은 나주반과 같은 사각반이지만 다리가 죽절형이고 천판을 받치는 운각의 구성이 복잡하다. 다리 사이를 연결하는 중대도 굴곡이 있어 대단히 화려하고 고급스러운 멋을 보여준다.

〈해주반〉도27은 네 개의 다리 대신 양옆에 넓은 판을 세운 형태인데 거기 새겨진 조각과 운각의 형태가 아주 화려하다. 해주반은 만卍 자, 희喜 자, 수壽 자, 복福 자 등 문자무늬나 갖가지 꽃무늬를 옆면에 창 형태로 투각한 것이 특징으로

27 해주반, 20세기 초, 높이 29cm, 국립중앙박물관 소장 (이건희 기증품)

28 강원도반, 20세기 초, 높이 26.5cm, 개인 소장

조선시대 소반의 화려한 조각 장식을 다양하게 보여주는 최고급 공예품의 하나이다.

〈강원도반〉도28은 최소한의 구성 요소로 이루어진 아주 간결한 구조의 소박한 상이다. 두 다리에는 네모난 투공이 있을 뿐이고 무심하게 다듬은 것 같은 천판의 대패질 자국이 오히려 건강한 삶의 체취를 느끼게 한다.

소반의 형태미

사각반 이외에 원반과 팔각반, 십이각반은 상다리로 구조적인 안정성을 취하는 동시에 공예품으로써의 아름다움을 보여주고 있다. 구족반과 호족반이 기본 형태이며 호족반에는 대나무 마디 장식을 덧붙여 장식미를 더하기도 하였다.

구족반은 다리 밑부분이 안쪽으로 말린 형태의 소반을 가리키는데, 그 모습이 실제로 개의 다리처럼 생겨서가 아닌, 호족반의 다리에 비해 단순하다는 뜻으로 붙은 명칭이다. 〈구족반〉도29은 간결하면서 소박한 멋을 보여주는데 족대가 구조에 안정성을 더하고 있다.

호족반은 위가 굵고 아래가 가는 다리가 맵시 있게 밖으로 말려 있어 호랑이의 다리 같다는 뜻으로 얻은 이름이다. 천판의 형태는 원형, 팔각, 십이각 등 여러

29 구족반, 20세기 초, 높이 34.1cm, 국립중앙박물관 소장 (이건희 기증품)

30 호족반, 20세기 초, 높이 29.8cm, 호림박물관 소장

31 만자무늬호족반, 20세기 초, 높이 29cm, 국립중앙박물관 소장

32 죽절호족반, 20세기 초, 높이 28cm, 호림박물관 소장

종류가 있고 천판과 다리를 견고하게 연결하는 운각이 받쳐주고 있다. 〈호족반〉도30은 십이각 천판에 운각과 족대가 달린 전형적인 형태이다.

그런 중 〈만자무늬호족반〉도31은 운각을 만자무늬로 멋스럽게 장식하였다. 또 〈죽절호족반〉도32처럼 다리 위와 아래에 안팎으로 이음대를 더하여 견고성과 함께 화려한 멋을 더한 것도 있다.

33 공고상, 20세기 초, 높이 28.3cm, 호림박물관 소장

34 일주반, 20세기 초, 높이 25.2cm, 호림박물관 소장

〈공고상〉도33은 음식을 담은 상을 머리에 이고 나르기 편하도록 앞이 뚫려 있고, 양 측면에는 손잡이로 사용하도록 구멍이 뚫려 있다. 공고상은 주로 야외나 관청에서 음식을 나를 때 사용하던 것으로 번상番床이라고도 하며, 대개 대갓집이나 관아에서 사용하던 것이었기 때문에 형태에 품위가 있으면서 재료도 고급이다.

〈일주반〉도34은 대개 대갓집에서 손님에게 다과나 과일 또는 차를 대접할 때 쓰던 상이다. 이름은 천판을 받침대에서 올라온 기둥 하나가 지탱하고 있는 데서 유래하였으며 기능보다는 장식이 우선한 아름다운 상이다. 구름넝쿨무늬를 새긴 열십자 받침대에서 네 줄로 꼬아 올린 줄기를 기둥으로 삼고 그 위에 십이각 천판을 얹어 화려하면서도 정연한 멋을 보여주고 있다.

화려한 장식의 소반

소반 중에는 화려미를 보여주기 위하여 여러 방법으로 장식을 가한 것이 있다. 그중 가장 유명한 것이 통영의 나전칠기 상이다. 통영이 나전칠기의 고장이 된 것은 이순신李舜臣(1545~1598)이 삼도수군통제사로 부임한 뒤 군수품을 만들기 위

35 나전통영반, 19세기 말, 높이 27.7cm, 개인 소장

36 나전연잎모양일주반, 19세기 말, 높이 22.5cm, 개인 소장

하여 12공방을 설치한 데서 기원한다. 공방 중 옻칠을 하는 칠방漆房에서 나전칠기를 생산한 것이 전후에도 계속 이어졌고, 20세기에는 김봉룡金奉龍(1902~1994) 같은 명장을 낳았다.

〈나전통영반〉도35은 원통형 다리의 통영반에 무지갯빛 나전으로 중앙에 쌍희자[囍]를 새긴 뒤 주변에 네 마리 학과 천도복숭아를 배치하고, 네 귀에는 수복강녕壽福康寧을 전서체로 쓴 화려한 구성을 보여주고 있다.

〈나전연잎모양일주반〉도36은 거북 받침대에서 뻗어 올라온 기둥 주변에 막 피어나는 연꽃 봉오리와 연잎 등을 조각해 장식했다. 천판은 연잎 모양인데 연잎에 잎맥을 나타내고 그 주위로 칠언절구七言絶句를 새겼다. 조선시대 소반 중에서 최고로 화려한 상이라는 생각이 든다. 시구는 다음과 같다.

조개가 칠칠일(49일)을 지났는가	問是蚌胎經七七
중생극락이 어찌 나린이란 말인가	衆生極樂那羅隣
거상화는 큰 여의륜처럼 피어나고	渠相花發大如輪
천년을 노니는 거북을 보니 신령함을 알겠네	千載遊龜識有神

37 목제촛대, 19세기 말, 높이 47cm, 고려대학교박물관 소장

38 목제촛대, 19세기 말, 높이 47cm, 일암관 소장

조명기구

전기가 사용되기 전 조명기구로는 등잔과 촛대가 있었다. 등잔과 촛대는 가정의 필수품으로 나무, 백동, 놋쇠(주석), 무쇠 등 여러 재료로 아주 다양하게, 수없이 만들어지면서 자연히 기능과 멋을 갖춘 등잔과 촛대가 많이 제작되었다.

〈목제촛대〉도37는 대단히 기품 있는 촛대이다. 막 피어나는 연꽃 봉오리 속을 3센티미터 정도 파고 초꽂이를 세웠고 둥글고 넓은 받침대에는 물고기를 추상화시켰다. 특히 가느다란 기둥에 배흘림을 가하여 멋과 함께 시각적인 안정성을 꾀

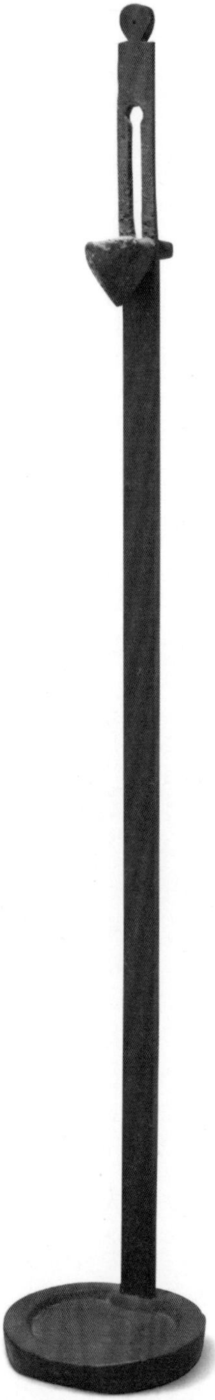

39 장등잔, 20세기 초, 높이 174cm, 한국가구박물관 소장

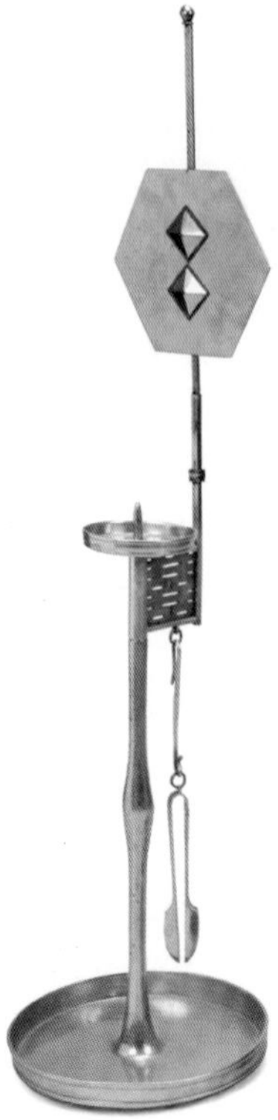

40 유제촛대, 19세기 말, 높이 88.2cm, 개인 소장

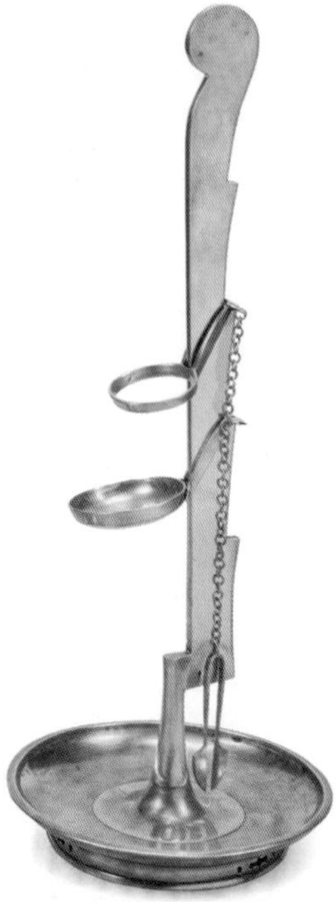

41 유제등잔걸이, 19세기 말, 높이 72cm, 개인 소장

하고 있다.

〈목제촛대〉도38는 연잎, 연줄기, 연꽃을 모티브로 만들어졌다. 예쁘게 피어난 연꽃 봉오리에 초꽂이를 세우고, 받침대는 연잎이 위에서 아래로 덮여 끝이 말려 있는 모습으로 튼실하게 만들었으며 기둥은 연줄기를 사실적으로 나타내기 위하여 얇은 종이를 덧발라 질감을 나타내었다. 조선시대의 가장 아름다운 목제 촛대의 하나로 꼽을 만하다.

〈장등잔〉도39은 서원이나 대갓집의 대청마루에 놓였던 키 큰 등잔으로 늘씬한 멋을 한껏

42 좌등, 19세기 말, 높이 99.1cm, 개인 소장

43 좌등, 19세기 말, 높이 78cm, 국립중앙박물관 소장

자랑한다. 등잔의 높이를 조절할 수 있도록 홈이 파여 있고 둥근 받침대만 있는 아주 간결한 구조이다.

〈유제鍮製촛대〉도40는 상류층에서 사용하던 최고급 놋쇠 촛대로 둥근 쟁반 모양의 받침에 배흘림이 있는 기둥을 세우고 침통형 초꽂이와 촛농받이를 끼워 넣었다. 그리고 긴 봉에 회전 방풍판을 세웠고, 촛불끄개를 달아매었다. 촛대의 기능과 멋이 동시에 살아 있는 디자인이다.

〈유제등잔걸이〉도41는 조선시대에 가장 유행했던 형식으로, 넓적한 불로초형 기둥에 네 개의 거치용 홈을 만들어 높이를 조절해 가면서 위에는 등잔을 걸고 아래에는 기름받이를 걸게 되어 있다. 대단히 기능적인 등잔걸이이다.

〈좌등坐燈〉도42은 궁중에서 방 안이나 대청 한쪽에서 주위를 은은하게 비춰주던 고급 등이다. 좌등은 네 면을 비단이나 종이로 발랐는데 마치 하나의 건물을

44 제등, 19세기 말, 높이 24.5cm, 개인 소장

45 조족등, 19세기 말, 높이 75cm, 일암관 소장

세우듯 고안하고 여러 문양을 배치하여 단일 가구로서 완벽성을 갖추고 있다. 때문에 좌등에는 졸작을 찾아보기 어렵다.

〈좌등〉도43은 네 면의 창호에 비단을 바른 간명한 구조로 각 면 위아래로 단정한 무늬를 투각하여 고급스러운 분위기를 자아낸다.

〈제등提燈〉도44은 좌등을 작고 들기 편한 형태로 만든 휴대용 등이다. 휴대하기 편하게 만들어야 했기 때문에 디자인이 간결하고, 재료는 대나무처럼 가볍고 질긴 것을 사용했는데 지체 있는 이들이 사용했던 것인 만큼 고급스러운 분위기가 있다.

〈조족등照足燈〉도45은 대나무로 둥근 등롱을 만들고 그 안의 회전대에 촛대를 설치하고 아랫부분을 뚫어 걸어갈 때 흔들리면서도 항시 발아래로 불을 비추게 한 구조이다. 이름은 '발길을 비추는 등'이라는 뜻인데, 조선시대의 손전등이라고 할 수 있다. 야외에서 사용하는 것이기 때문에 방수용 기름이 두껍게 칠해져 있

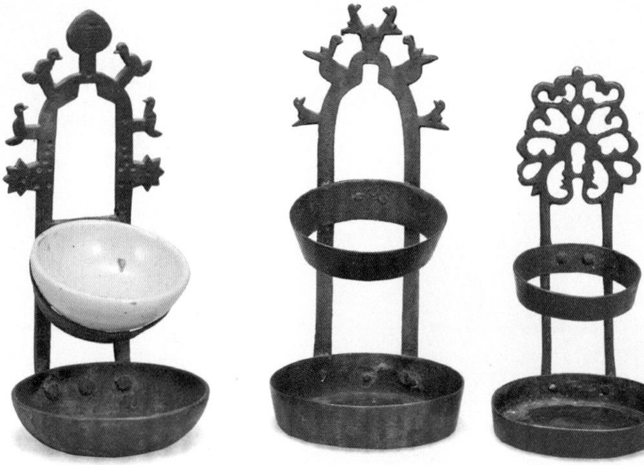

46 유제부엌등잔걸이 일괄, 20세기 초, 높이 22.4cm(왼쪽), 일암관 소장

으며 상류층의 용품답게 디자인에 세련미가 있다.

〈유제부엌등잔걸이 일괄〉도46은 부엌 기둥에 걸기 알맞게 고안되어 크게 유행한 등걸이이다. 나뭇가지에 새가 둘러앉아 있는 모습으로 만들어진 것이 많은데 이런 것들은 '새 등잔'이라는 별명을 갖고 있다. 등걸이의 새 조각은 여러 형태가 있으며 새 대신 추상적인 초화무늬로 된 것도 있다.

제례용품

조선시대에는 조상을 숭배하는 제례를 엄격하고도 진중하게 지냈다. 집집마다 최소 3대 봉사를 했기 때문에 해마다 거의 열 차례 제사가 있었다. 서원이나 종갓집의 사당에는 신주神主를 모시는 감실龕室이 있었다. 감실은 가옥 형태로 그 안에 주독主櫝이라 불리는 나무상자가 있고, 주독 안에 신주가 모셔졌다. 즉 사당 안에 감실, 감실 안에 주독, 주독 안에 신주가 있는 것이다. 그래서 '신주 모시듯 한다'는 말이 나왔다.

〈감실〉도47은 전형적인 형태의 감실로 단아한 가옥에 여닫이문이 설치되어

47 감실, 19세기 말, 높이 61.1cm,
안동시립민속박물관 소장

48 감실, 19세기 말, 높이 62cm, 국립중앙박물관 소장

49 감실, 19세기 말, 높이 69cm, 국립민속박물관 소장

있는 형태인데 집의 모습, 지붕의 형태, 격자창의 구성, 주칠과 흑칠 등이 제의의 엄숙한 분위기를 잘 보여주고 있다.

〈감실〉도48은 지붕은 낮은 가운데 두짝문이 기단에 올라앉아 있는 형태로 감실의 성스러운 분위기를 집약적으로 보여준다.

〈감실〉도49은 신주를 여럿 모시는 명문가의 감실로 모두 네 칸으로 분할되어

51 교의, 20세기 초, 높이 33.8cm, 부여문화원 소장

50 교의, 19세기, 높이 122.7cm, 개인 소장

52 교의, 20세기 초, 높이 52cm, 부여문화원 소장

있는데 창문이 가지런히 배치되어 엄숙한 분위기가 잘 살아나고 있다.

제사를 지낼 때는 제상祭床과 제병祭屛(제사용 병풍) 사이에 교의交椅를 설치하여 그 위에 신주를 모시고, 제상 앞에는 향로와 향합香盒을 올려두는 향상香床을 놓았다.

〈교의〉도50는 의자 아래로 사방탁자처럼 생긴 긴 다리가 달려 있는데 이는

53 향상, 20세기 초, 높이 36cm, 개인 소장

54 향상, 20세기 초, 높이 39.7cm, 개인 소장

신주가 제상보다 높은 위치에 있게 하기 위함이고 실제로 제사 때는 의자 부분만 보이게 된다. 제례용 가구인 만큼 엄숙한 분위기가 서려 있다. 이런 형태의 교의는 대개 종갓집이나 서원에서 사용하던 것이다.

〈교의〉도51는 일반 가정집 제사에서 제상이 낮은 경우 쓰던 작은 교의이다. 감실이 결합되어 있는 형태로 평소에는 여닫이문을 닫아둘 수 있다. 정성껏 칠을 한 아주 단정하고 품위 있는 교의이다.

이에 반해 〈교의〉도52는 가장 기본적인 형태의 것으로 의자의 형태가 단정하면서 의젓하고 흑칠로 엄숙한 분위기를 강조하였다.

〈향상〉도53은 천판에는 변죽이 있고 개다리에 족대가 달린 구조로, 특별한 장식이 없지만 덕분에 제사상의 엄숙한 분위기와 잘 어울린다.

〈향상〉도54은 다리와 다리 사이를 박쥐무늬 운각으로 연결하여 기능적으로 보완하면서 곡선미를 살려내고 있다. 서랍에는 여의두무늬가 새겨져 있다.

〈목어木魚〉도55는 생선을 구하기 힘든 산골에서 제사에 쓰기 위한 대용품으로 조각한 것이다. 목어는 대개 쌍으로 만들었으며 소박하기 그지없다.

〈나무북어〉도56는 역시 제상에 올리기 위해 만든 나무 조각인데 대단히 사실

55 목어, 20세기 초, 길이 20.6cm(오른쪽), 개인 소장

56 나무북어, 20세기 초, 길이 51cm, 개인 소장

적이어서 옹이로 나타낸 눈알이 반짝이고 배도 갈라두어서 진짜 북어를 방불케 한다. 솜씨 좋은 장인의 정성스러운 작품으로 생각된다.

목안

목안木雁은 나무를 깎아 만든 기러기로 혼례 때 신랑이 신부의 부모와 일가친척 앞에서 기러기처럼 백년해로百年偕老하며 살기를 맹세하는 의식을 위해 만든 것이다. 기러기는 암수가 한번 짝을 정하면 평생을 함께하며, 한쪽이 죽으면 다른 쪽이 따라 죽는다고 믿었기에 생긴 의식이다.

신랑 일행이 혼례를 올리러 신부 집으로 향할 때는 기럭아범이 목안을 안고 가며, 신부 집에서는 전안청奠雁廳이라 부르는 낮은 상 위에 보를 깔고 이를 받는다. 전안청 뒤에는 병풍을 쳐두는데, 신랑은 무릎을 꿇고 기럭아범에게 목안을 받아 상 위에 놓고 두 번 절을 한다. 그러면 장모가 나와서 기러기를 치마에 싸가지고 방 안에 있는 신부에게 슬쩍 밀어 넣는다. 이를 전안지례奠雁之禮라 한다.

〈목안〉도57은 가장 전형적인 나무 기러기이지만 기러기보다는 오리 모양에

57 목안, 19세기, 높이 25.5cm, 개인 소장

58 목안, 19세기, 높이 19.6cm, 일암관 소장

59 목안, 19세기, 높이 26cm, 일암관 소장

60 목안, 20세기 초, 높이 25cm, 본태박물관 소장

가까우며, 사실성과 단순성을 함께 보여주고 있다. 대개 목은 따로 제작해 끼우는데, 흔들면 기러기 울음소리와 비슷한 딸깍거리는 소리가 나게 되어 있다.

〈목안〉도58은 채색을 가하여 기러기의 특징을 사실적으로 표현하였다. 채색에 옻칠까지 더하여 윤기를 발하는 아름다운 목안이다.

〈목안〉도59은 긴 부리에 상큼한 목, 그리고 날렵한 몸체 표현이 뛰어나 거의 현대 조각가의 작품을 보는 듯한 명작이다.

〈목안〉도60은 목안보에 싸인 모습으로 목안보의 자수가 화려하여 목안의 나무 빛깔과 강한 대비를 이룬다. 이러한 목안보는 규방공예의 중요한 품목 중의 하나였다.

61 목침, 19세기, 너비 14.5cm, 개인 소장

62 목침, 19세기, 높이 16.7cm, 국립중앙박물관 소장

63 접이식목침, 19세기, 너비 32cm, 부여문화원 소장

64 목침, 19세기, 너비 32cm, 부여문화원 소장

목침과 안침

선비들의 기호용품은 아주 다양했다. 선비들이 사랑방에서 사용하던 소품으로는 문방구 이외에 목침木枕, 안침安枕 등이 있다.

〈목침〉도61은 꽃 모양으로 가운데를 뚫은 것 이외에는 장식이 없음에도 우아한 멋이 한껏 살아나고 있으며, 〈목침〉도62은 가운데 판재에는 사슴과 소나무를 투각으로 새겨넣고, 골격은 연귀짜임을 했다. 단순한 목침이지만 화려한 멋과 기교가 한껏 들어 있다.

〈접이식목침〉도63은 접으면 두 장의 나무 판이 되고 세우면 X자로 받치는 목침이 되는 기발한 작품이다. 이런 접이식 목침은 간혹 보이긴 하지만 이 목침은

65 안침, 19세기, 높이 27cm, 국립민속박물관 소장

66 안침, 19세기, 높이 13.2cm, 국립중앙박물관 소장

판재의 두께가 적절하고 보강한 턱이 멋스러울 뿐만 아니라 구조적으로 튼실하게 기능하고 있어 주목할 만하다.

〈목침〉도64은 평범한 목침 같지만 옆에 서랍이 달려 있고, 자물쇠를 잠글 수 있도록 앞바탕이 달려 있다. 양반사회의 한 단면을 보는 듯하여 절로 미소 짓게 한다.

안침은 앉았을 때 몸을 편하게 하기 위하여 팔을 가볍게 기대는 목제 팔걸이로 의침依枕이라고도 부른다.

〈안침〉도65은 기둥 세 개를 세우고, 안쪽으로 가볍게 휘도록 둥글게 다듬어진 판을 위아래로 둔 형태이다. 양옆의 기둥에는 투각으로 꽃무늬가 새겨져 있고, 가운데 기둥은 나선형으로 꼬인 모양이다. 천판의 양쪽 끝은 조금 높고 가운데는 둥근 듯 오목하게 되어 있다.

〈안침〉도66은 튼실한 인상을 주는 팔걸이로 기둥 역할을 하는 세 개의 틀 모두에 추상화된 꽃무늬를 투각하여 시원스러우면서도 의젓한 느낌을 준다.

담배합

담배는 선비들이 즐기던 기호품이어서 여러 형태의 담배합이 만들어졌다. 목제 담배합도 있지만 각종 돌로 만든 석제 합이 많고 은입사를 한 고급품도 있다.

〈철제은입사십장생무늬담배합〉도67은 철제 사각합에 은입사로 사슴, 학, 소

67 철제은입사십장생무늬담배합, 19세기 말, 너비 13.3cm, 개인 소장

68 목제담배합, 19세기 말, 너비 13cm, 개인 소장

69 애석제담배합, 19세기 말, 너비 18.1cm, 개인 소장

70 백석제담배합, 20세기 초, 지름 12.5cm, 개인 소장

나무, 불로초 등 십장생무늬를 섬세히 장식한 최고급 담배합이다. 과거에는 담배가 건강에 좋지 않다는 걸 몰랐는지 십장생무늬를 새겨넣었다는 것이 흥미롭다.

〈목제담배합〉도68은 단단한 느티나무 판재에 서랍 형태로 만든 담배합으로 초엽형 장석, 귀싸개 장석 등으로 테두리를 보강하여 기능적으로 튼실할 뿐만 아니라 고급스러운 분위기까지 자아낸다.

〈애석제담배합〉도69은 쑥돌이라고도 불리는 애석艾石으로 만든 사각합으로 형태미가 단정하고 기품이 있으며, 〈백석제담배합〉도70은 흰빛이 도는 곱돌을 원통형으로 다듬어 뚜껑에 수壽 자를 흑상감한 단정한 합이다.

71 목제복숭아모양표주박, 19세기 말, 길이 7.5cm, 개인 소장

72 목제버들잎모양표주박, 19세기 말, 길이 13.5cm, 국립민속박물관 소장

73 목제복숭아모양표주박, 19세기 말, 길이 9.5cm, 국립민속박물관 소장

74 목제꽃모양표주박, 19세기 말, 길이 7.8cm, 국립민속박물관 소장

표주박

표주박[瓢子]은 일반적으로 조롱박이나 둥근 박을 반으로 쪼개 만든 작은 바가지를 말하지만 민속공예에서 표주박은 나무로 만든 휴대용 바가지를 말한다. 우리나라는 물이 좋아 우물물, 약수뿐만 아니라 흐르는 개울물도 바가지만 있으면 퍼마실 수 있었기 때문에 여행객은 허리춤에 개인용 표주박을 차고 다녔다. 표주박은 주로 나무로 만들었지만 은, 옥, 조개, 종이 등으로도 만들었다.

표주박은 은행나무, 물푸레나무, 배나무 등 단단한 나무를 재료로 삼아 복숭아 모양이나 꽃 모양으로 만든 것이 보통이었으며 표면에는 넝쿨무늬나 꽃송이를 양각으로 새기기도 하였다. 고리는 대개 금속으로 만들어 끈을 매게 하였다.

〈목제복숭아모양표주박〉도71은 복숭아 모양으로 몸체에 잎사귀가 아름답게 장식되어 있고 끈을 달 수 있도록 투각으로 줄기가 조각되어 있다. 형태미도 아

75 목제용목표주박, 19세기 말, 길이 13.8cm, 개인 소장

76 지제표주박, 19세기 말, 길이 7.9cm, 일암관 소장

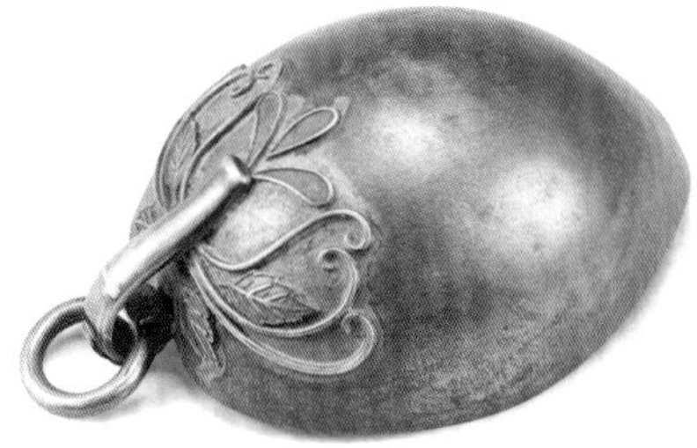

77 은제표주박, 19세기 말, 길이 10.7cm, 개인 소장

78 백옥제표주박, 19세기 말, 길이 14.2cm, 개인 소장

름답지만 잎맥의 조각이 섬세하여 디테일의 아름다움이 돋보인다. 〈목제버들잎모양표주박〉도72은 전체로도 버들잎 모양인데 몸체에도 버들잎 장식이 새겨져 있으며 구리로 만든 고리가 별도로 붙어 있다.

〈목제복숭아모양표주박〉도73은 안쪽에 붉은색 칠을 여러 겹으로 발라 고급스러운 느낌을 자아내며 〈목제꽃모양표주박〉도74은 꽃잎 모양의 형태미를 잘 살려내 사랑스러운 분위기를 갖고 있다. 〈목제용목표주박〉도75은 용목龍木이라고 불리는, 나무뿌리 부분의 울퉁불퉁한 면을 살려 추상적인 문양 효과를 낸 것이다.

〈지제표주박〉도76은 종이를 꼬아 만든 둥근 표주박으로 지승紙繩공예의 대표적인 품목 중 하나이다. 여기에 달린 백동 고리는 형태도 예쁘지만 허리춤에 낄 수 있어 기능적이다.

〈은제표주박〉도77은 복숭아 모양에 꽃줄기를 아름답게 장식한 최고급 표주박

79 떡살 일괄, 20세기 초, 길이 62.3cm(맨 위), 개인 소장

이며, 〈백옥제표주박〉도78은 끄트머리가 맵시 있게 휘어 있는 형태미가 특징인데 꽃무늬가 돋을새김으로 새겨져 있다.

떡살, 다식판

떡은 우리나라의 가장 대표적인 별식으로 제사의 중요한 진설품이었으며 잔치에 필수적으로 내는 음식이었다. 특히 잔치 때 내놓는 절편은 참기름을 바르고 꽃무늬나 글자를 새긴 떡살을 이용하여 모양을 내 상차림을 보기 좋게 하였다.

떡살은 재질이 단단한 소나무·참나무·박달나무를 이용하여 평평한 막대에 양끝은 손잡이로 하고 가운데에 연속된 혹은 여럿으로 나뉜 무늬를 새겨 절편에 찍을 수 있게 하였다.도79 도장 모양으로 만든 단독 떡살도 있는데 단독 떡살은 나무뿐만 아니라 백자로 된 것도 있으며도80 네모난 무늬 이외에 동그란 무늬로

80 백자국화무늬떡살, 19세기, 지름 7.5cm, 국립중앙박물관 소장

81 떡살, 19세기 말, 길이 7.2cm, 개인 소장

82 떡살, 20세기 초, 길이 32.8cm, 개인 소장

도 많이 만들어졌다.도81·82

떡살의 문양은 대개 연꽃·국화·매화·연꽃 등 예쁜 꽃무늬나 수복강녕壽福康寧의 문자무늬, 그리고 태극무늬·빗살무늬·만자무늬 같은 기하학적 무늬로 되어 있다. 떡살의 무늬는 실생활에 나타난 대표적인 민속공예의 무늬로 덕분에 '보기 좋은 떡이 맛도 좋다'는 말도 생겨났다.

다식茶食은 차와 함께 먹는 한과의 한 종류로 조선시대 제례나 혼례의 큰상 차림에서 뺄 수 없는 필수품이었다. 다식이 언제부터 있었는지는 정확지 않지만 이색李穡(1328~1396)이 팔관회八關會의 다식 맛이 연하고 좋았다는 시를 지은 것이 《목은집牧隱集》에 실려 있어 고려시대 연회에도 나온 음식이었음을 알 수 있다.

다식에 대하여 이익李瀷(1681~1763)은 《성호사설星湖僿說》의 '다식茶食'조에서 그 유래를 밝힌 바 있다. 그는 중국 송나라 때 찻잎을 떡처럼 뭉친 다병茶餠이 고안되어 세상에 널리 퍼졌고 제사 때 다식을 쓰는 것도 본래는 여기서 기원했는

83 다식판 일괄, 19세기 말,
길이 60.5cm(위), 개인 소장

데, 지금은 다식이라는 이름만 남고 실물은 쌀가루를 꿀과 반죽하여 나무틀에 넣고 다져 만든 둥그런 떡으로 바뀌었다고 하였다. 즉 실제가 완전히 달라지긴 하였으나 다식의 기원은 중국의 단차형 말차團茶形末茶인 것이다. 다식의 재료로는 쌀·송화·밤·검은깨 등이 있는데 어느 경우든 재료를 잘 말린 다음 볶아서 고운 가루로 빻아 소금과 꿀 또는 조청을 넣어 반죽한 다음 다식판에 박아 만든다.

다식판은 딱 맞물리는 위아래 판으로 구성되어 위쪽 판의 구멍으로 반죽을 넣어 아래쪽 판의 돌출된 부분에 눌러 찍을 수 있는 것도 있고, 하나의 판에 문양이 파여 있어 바로 반죽을 찍어낼 수 있는 단순한 것도 있다.도83

다식판은 떡살에 비해 훨씬 고급 공예품에 속하며, 떡살은 전국에서 만들어졌지만 다식판은 경상북도 예천의 특산물이었다. 다식판은 소중히 다루어져 어떤 것에는 만든 연월이나 당호가 새겨져 있고, 이것을 소중히 다루고 남에게 빌려주지 말라는 글귀를 새긴 것도 있다.

부채

부채는 동서고금을 막론하고 고대부터 오늘날까지 더위를 식히기 위해 쓰인 도구이다. 주로 여름철에 바람을 일으키는 데 썼으나 혼례 때 신랑은 푸른 부채, 신부는 붉은 부채로 얼굴을 가렸고 상중일 때는 흰 부채를 사용하였다. 조선시대

84 단선 일괄, 19세기, 백색단선(오른쪽) 너비 36.1cm, 남화진 소장

부채에는 기본적으로 손잡이가 달려 있는 둥글부채인 단선團扇과 접이부채인 접선摺扇 두 가지가 있다.

둥글부채인 단선은 부채 모양과 부챗살의 재료, 부채 바탕의 꾸밈, 부속품에 따라 공작선·파초선·태극선·연엽선·오색선·진주선 등의 이름이 붙여졌다. 단선은 규방에서 애용되어 그 모양이 아름답고 화려하기 그지없었다. 〈단선 일괄〉 도84은 모두 둥글부채지만 모양이 다양하고 종이의 색깔과 종류도 여러 가지이다.

선비들이 주로 쓴 합죽선合竹扇은 접이부채의 상징이다. 1798년(정조 22) 이성지李成之가 펴낸 《재물보才物譜》에서 합죽선은 고려 때 발명품이라 하였고 청나라의 학자인 조익趙翼(1727~1814)도 고려로부터 조공으로 들어온 것을 명나라 영락永樂 연간(1403~1424)에 황제가 모방하여 만들게 하고 그 위에 격언을 써 여러 신하에게 나눠주면서 민간에 퍼졌다고 했다. 다만 연암燕巖 박지원朴趾源(1737~1805)은 무슨 근거에서인지 《열하일기熱河日記》에 고려는 일본에서 배웠고 중국은 고려

85 합죽선, 19세기, 너비 36.5cm, 개인 소장

86 화각홍선, 19세기, 너비 66cm, 개인 소장

87 화각홍선, 19세기, 너비 37cm, 개인 소장

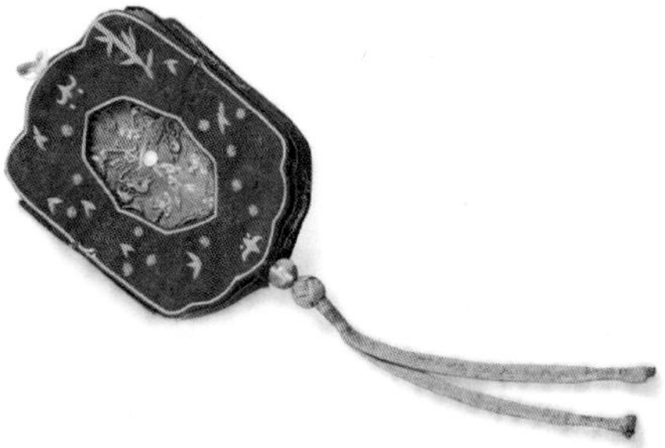

88 선추, 18세기 후반, 길이(끈 포함) 21.2cm, 수원화성박물관 소장

에서 배워 갔다고 했다.

합죽선은 전주의 특산물로 양반사회에서는 단오 때가 되면 이를 서로에게 선물하는 단오진선端午進扇이라는 풍습이 있었다. 이것을 구실로 청탁이 빈번하게 일어나 선정扇政이라고 불렸다.(김현영, 《문안 편지 한 장으로 족합니다》, 역사비평사, 2022) 선정의 양상에 대해서 임상원任相元(1638~1697)은 《교거쇄편郊居瑣編》에서 다음과 같이 말하였다.

> 옛날부터 (전주를 비롯한) 남쪽 고을에 부임한 수령들은 조정의 유력자와 친구들에게 어김없이 부채를 선물하였다. 그저 그곳 특산물로 인간관계를 다졌던 것일 뿐이다. 오늘날에는 부채를 재물로 보고 청탁의 밑천으로 여겨 지방으로 부

89 일산(편 모습과 접은 모습), 19세기,
손잡이 길이 79.5cm, 국립민속박물관 소장

90 일산, 19세기, 손잡이 길이 32.2cm, 일암관 소장

임한 수령이나 장수들이 저마다 부유함을 과시하며 수백 자루도 넘는 부채를 궤짝에 가득 채워 요직에 있는 자들에게 아첨을 한다.

합죽선은 수요의 증가와 함께 다양하게 만들어져 백부채인 소선素扇, 기름종이를 바른 유지선油紙扇, 대나무 무늬를 이용한 반죽선斑竹扇, 바깥 면의 갓대를 화각華角으로 장식한 화각선 등이 다양하게 만들어졌다. 그중 부챗살의 수 50개, 길이 1척(약 30센티미터) 이상의 대형 부채들은 오십죽별선五十竹別扇이라는 이름으로 공납되어 특권층이 썼다고 하며 영조 때는 길이 1척 정도의 살에 옻칠을 하고 두꺼운 종이를 붙여 파란 선으로 장식한 사치스럽고 견고한 부채가 유행하였는데 중의 머리처럼 둥글다 하여 승두선僧頭扇이라 불렀다 한다.

합죽선은 속살의 개수와 갓대의 재료, 종이의 종류 등에 따라 품질의 격과 이름을 달리한다.도85~87 합죽선에는 선추扇錘라는 장식을 달곤 하였다. 선추는

91 철제은입사화로, 19세기, 높이 13.3cm, 개인 소장

92 철제은입사육각화로, 19세기, 높이 18.2cm, 국립중앙박물관 소장(이건희 기증품)

나무, 말총, 비취, 호박, 옥, 뿔, 금은 등을 재료로 하여 다양한 형태로 만들어졌으며 안에 대개 향을 넣었다. 〈선추〉도88는 정조 때 영의정을 지낸 채제공蔡濟恭(1720~1799)의 유품으로 전하는 것으로 실제로 〈채제공 초상〉(시복본, 보물 1477호)(《한국미술사 강의》 제3권 60쪽 참조)에 그려진 것과 똑같은 형태이다.

해를 가리는 둥근 부채는 일산日傘이라는 이름으로 불렸다. 〈일산〉도89은 접혀 있는 상태에서는 합죽선 모양이지만 펼치면 댓살 28개가 둥근 원을 이루어 햇살을 가리게 되어 있으며, 〈일산〉도90은 적색과 녹색의 대비가 아름답고 화려하며 화각으로 만든 손잡이와 술 장식이 고급스러워 더욱 우아하게 보인다.

화로

실내 난방기구인 화로는 생활의 필수품이어서 열에 강한 철, 백동, 곱돌, 오지 등 여러 재료로 만들어졌으며 형태도 다양하였다.

〈철제은입사화로〉도91는 작고 아담한 네모난 철제 화로로 불을 쬐는 윗면과 손잡이에는 주석을 덧붙이고 몸체는 은입사로 장식한 최고급 화로이다. 이른바

93 곱돌팔각화로, 20세기 초, 높이 16cm, 개인 소장

94 곱돌삼족화로, 20세기 초, 높이 18.7cm, 개인 소장

쌍희자[囍]를 가운데 두고 번개무늬, 능화무늬를 빼곡히 장식하여 전체가 은빛으로 반짝이고 있다.

〈철제은입사육각화로〉도92는 받침, 몸체, 전 모두가 육각인데 아자무늬를 둘러 원창을 설정하고 그 안에 석류, 모란, 연화, 화조, 누각인물을 돌려가며 은입사로 새겨넣었으며 나머지 공간은 능화무늬로 채운 최고급 화로이다. 조선적인 화려함의 극치라 할 만하다.

곱돌공예

민속공예 중 빼놓을 수 없는 석공예로 곱돌공예가 있다. 곱돌은 검은빛을 내는 활석으로 단단하면서도 석질이 부드러워 다루기 쉽기 때문에 여러 기구로 제작되었다. 특히 빨리 뜨거워지는 반면 오랫동안 열을 지니고 있는 특성이 있어 화로, 약탕관, 약주전자 등으로 많이 만들어졌다.

〈곱돌팔각화로〉도93는 금사리 가마의 팔각 백자 그릇을 연상케 하는 단아한 형태미를 지닌 작은 화로로 '애기 화로' 또는 '손 화로'라 불리며 가마 안에서도 많이 사용되었다.

〈곱돌삼족화로〉도94는 손잡이가 달린 넓은 푼주를 세 발이 안정적으로 받치고 있어 안정감을 주고 있으며, 몸체에 두른 돌출된 두 개의 선이 맵시를 뽐내고

95 곱돌주전자, 19세기, 높이 10cm, 개인 소장

96 곱돌향로, 19세기, 높이 15cm, 국립민속박물관 소장

있다.

〈곱돌주전자〉도95는 뚜껑 있는 합에 각이 진 주구와 손잡이가 달려 있는 형태로, 반질반질 윤이 나면서도 감촉은 부드럽다. 이런 형태의 곱돌 주전자는 약주 전자로 많이 사용되었다.

〈곱돌향로〉도96는 세 개의 발이 달린 솥 모양이다. 뚜껑에는 팔괘 모양의 구멍이 뚫려 있고, 태극무늬가 음각되어 있다. 몸통에는 "태을궁중남방서기太乙宮中南方瑞氣"라는 문구가 음각되어 있으며, 손잡이는 용 모양이다.

62장
장식화

아름답고 풍요로운 장식병풍의 세계

감상화와 장식화
장식병풍의 회화사적 위상
궁궐의 장식병풍
양반가의 장식병풍
일월오봉도
십장생도
요지연도
해학반도도
곽분양행락도
한궁도
백자도
책가도
호피도
호렵도
백선도
모란대병
화훼도
궁궐의 붙박이 그림
동관왕묘의 삼국지연의도
궁궐 대문의 문배도

감상화와 장식화

한 시대에 생산된 회화들을 보면 감상화 이외에 종교화, 초상화, 기록화, 벽사화辟邪畵 등 명백한 쓰임새를 갖고 있는 실용화들이 있고 집 안을 꾸민 장식화도 있다. 동양에서는 감상화가 일찍부터 크게 발달하였다. 미술사학자 제임스 케이힐James Cahill(1926~2014)은 《중국회화사》에서 북송 때 산수화라는 장르가 성립되어 11세기부터 중국 회화의 주류를 이루었으며 이는 19세기까지 지속되었다고 말하였다. 우리나라의 경우도 고려 후기부터 감상화가 제작되기 시작하여 조선왕조로 들어오면서 본격적으로 감상화가 전개되어 산수화가 회화사의 주류를 이루게 된다.

그러나 건물의 실내를 아름답게 치장하는 장식화는 삶을 풍요롭게 꾸미기 위한 그림으로 거의 회화의 본령에 가까운 것이다. 장식화는 필연적으로 건축과 연관되어 있다. 석조, 조적조(벽돌), 목조 등 건축 형식에 따라 장식화의 양식이 제각기 다른 형태로 나타났다. 서양에서는 석조 건축이 발달하여 장식화로 벽화가 많이 그려졌다. 서양미술사에서 레오나르도 다빈치의 〈최후의 만찬〉, 라파엘로 산치오의 〈아테네 학당〉 등 우리가 알고 있는 많은 명작들이 벽화이다. 때문에 서양미술사에서는 굳이 장식화라는 별도의 개념을 사용하지 않고 있다.

이에 반해 동양의 건축은 조적조 건축과 목조 건축이 대종을 이루었기 때문에 장식화가 다르게 나타났다. 같은 동양이지만 중국의 주택은 대개 입식 생활을 하는 벽돌집으로 벽면이 차지하는 비중이 커서 여기에 붙이는 부벽화付壁畵가 따로 발달하였다. 중국의 부벽화로는 서예 작품, 간단히 장황(표구)하여 부착하는 첩락貼落이 유행했다. 이 첩락은 회화, 글씨, 또는 무늬 있는 대리석 등 다양한 형태가 있으며 그 집의 성격과 집주인의 취향을 드러내 보인다.

일본은 목조 건축에 실내는 두툼한 직사각형 돗자리인 다다미[畳] 방과 마루로 되어 있다. 난방시설은 방바닥의 일부를 네모나게 잘라낸 뒤 난방용으로 불을 피워놓는 이로리[囲炉裏]나 탁자 아래에 담요를 덮어놓는 고타쓰[炬燵]가 전부여

해학반도도(12곡 연결병풍, 부분), 19세기 말, 비단에 채색, 210.4×720.5cm, 미국 데이턴미술관 소장

서 공간이 상대적으로 넓다. 이 넓은 실내 공간은 후스마[襖]라고 불리는 칸막이로 분할되어 있어 이 후스마에 아름다운 그림을 장식하였다. 이를 후스마에[襖繪] 또는 장병화障屛畵라고 부르며 무로마치[室町]시대(1336~1573) 이후 일본 회화사의 주요 장르로 다루고 있다.

이에 비할 때 우리나라 한옥은 궁궐이든 민가든 온돌방과 마루로 구성되어 있어 구조상 그림을 붙일 벽면이 제한적이었다. 방에서 미닫이문을 보호하는 두껍닫이, 방과 방의 칸막이 역할을 하는 장지문[障子門], 그리고 다락이나 벽장의 두 짝 여닫이문 정도에 그림이 장식되는 정도였다.

그 대신 우리나라에서는 장식병풍이 크게 발달하였다. 병풍은 쓰지 않을 때는 접을 수 있어 간편히 옮길 수 있고 보관하기도 편리하며 쓰임새가 아주 많았다. 병풍은 실내를 장식하는 데 활용하였고, 겨울에 외풍을 막는 바람막이로 사용하기도 하였고, 제사 때는 제병으로 설치하였고, 잔치 때는 옥외에 설치하여 축제 분위기를 돋우었다. 때문에 조선시대에 궁궐은 물론이고 민간에서도 아주 다양한 장식병풍이 제작되었다.

따라서 서양에 벽화가 있고, 중국에 부벽화가 있고 일본에 장병화가 있다면 조선에는 장식병풍이 있다고 할 수 있다.

장식병풍의 회화사적 위상

조선시대 미술사 전체의 양상을 볼 때 장식화, 특히 장식병풍은 감상화와 더불어 회화사의 양대 산맥을 이루었다. 그러나 근대로 들어오면서 회화사적 관심이 수묵담채의 감상화에 집중되면서 장식화는 좀처럼 주목받지 못했다. 회화사 연구와 서술에서 장식화는 소외되었고 간송 전형필, 소전 손재형, 송은 이병직, 창랑 장택상, 무호 이한복 등 근대의 회화 컬렉터들도 장식화를 외면하였다.

이런 상태에서 일제강점기 궁궐에 있던 장식병풍들은 제대로 관리되지 않아 궁궐 밖으로 많이 유출되었다. 그리고 양반 대갓집에서도 장식병풍을 미술작품이 아니라 기물처럼 여겨 낡고 해지면 골동상에 내다 팔곤 하였다. 이런 장식병풍들을 당시 조선을 방문한 외국인들이 민속품 또는 여행 기념품으로 많이 구입해 갔다. 십장생도十長生圖, 곽분양행락도郭汾陽行樂圖, 요지연도瑤池宴圖, 책가도冊架圖, 호렵도胡獵圖, 모란도 등의 장식병풍이 서구의 유명 박물관 곳곳에 소장되어 있고 근래에 들어 소더비, 크리스티 등 유명 경매에 자주 출품되고 있는 것은 이 때문이다.

이런 조선시대 장식병풍들이 새롭게 주목받기 시작한 것은 '민화 붐'이 일어난 1970년대부터이다. 당시 민화 연구자와 수집가들은 이 장식병풍들을 민화의 하나로 간주하였다. 그때는 감상화가 아닌 그림, 화가를 알 수 없는 무낙관 그림은 모두 민화로 분류하는 경향이 있었다. 그리하여 궁궐이 아니면 사용할 수 없는 일월오봉도日月五峰圖까지 민화로 다루는 모순이 생겼다. 호암미술관 개관 1주년 기념전으로 열린 〈민화 걸작전〉(1983)이 대표적인 예이다. 그러나 민화는 왕실과 양반들 사이에서 유행한 장식화를 서민층이 받아들여 그들 나름의 조형세계를 전개해 간 것으로 양자의 예술적 성격은 완전히 다르다.

이러한 상황은 근래에 들어 조선시대 회화사를 전공하는 미술사가들이 의궤도儀軌圖, 계회도契會圖 등 기록화와 함께 궁중 장식화에 새롭게 주목하며 많은 연구논문을 발표하면서 새로운 전기를 맞이하게 되었다. 안휘준, 이성미, 김홍남, 정병모, 박정혜, 박은순, 이수미 등은 논문과 저술로 장식화 내지 장식병풍의 실체를 명확히 드러냈다.

나아가서는 장식화와 감상화의 관계, 장식화와 민화의 차이를 규명하여 조선시대 회화사의 장르를 새롭게 편성할 수 있게 되었다. 그리고 2006년 국립고궁박물관이 개관하면서 여러 특별전을 통해 궁중 장식화들이 계속 소개되어 이를 더욱 폭넓게 인식할 수 있는 계기가 되었다.(박정혜, 〈궁중 장식화의 세계〉, 《조선 궁궐의 그림》, 돌베개, 2012)

궁궐의 장식병풍

궁궐 장식병풍에 대해서는 이미 《한국미술사 강의》 제3권에서 간략히 해설한 바 있지만 이를 장르의 개념으로 다시 상세히 서술하려 한다.

궁궐 장식병풍은 대단히 다양하고 비단과 안료도 당시 최상의 재료가 사용되었다. 이를 제작하는 것은 도화서圖畵署의 중요한 임무였기 때문에 그림의 표현에서도 도화서 화원畵員들의 회화적 역량이 발휘되어 높은 예술적 성취를 이루고 있다.

궁궐에 많은 장식병풍이 있었음은 1802년(순조 2) 10월, 순조純祖(재위 1800~1834)와 순원왕후純元王后(1789~1857)의 가례(혼례)를 앞두고 선공감의 봉사직을 맡았던 이이순李頤淳(1754~1832)이 쓴 〈대조전 수리시 기사大造殿修理時記事〉를 통해 생생히 알 수 있다.

> 한가운데 한 칸 방 서벽에는 매화 병풍을 세웠고, 북벽에는 대나무 병풍을 세웠으며 동쪽 문짝 하나에는 매죽화를 그렸다. 바닥에는 황화석黃花席(누런 국화꽃무늬를 놓은 돗자리)을 깔고 채화등綵花燈을 놓았으며 황화석마다 위에 연꽃 방석 한 쌍을 놓았다. 이것이 정침의 가운데 방 모습이다. … 병풍이 10여 벌이다. 그중 금칠 병풍 하나에는 학 일곱 마리를 그렸고 나머지는 신선이나 비룡, 진귀한 금수와 기이한 화초들을 그렸는데 이루 다 기록할 수가 없다.(이이순, 《후계집後溪集》)

특히 대조전은 여성의 공간이었기 때문에 장식이 더욱 화려했던 것으로 보인다. 궁궐 장식병풍은 용도에 따라 소재를 달리 하였다. 종류로는 일월오봉도, 십장생도, 요지연도, 해학반도도海鶴蟠桃圖, 모란대병牡丹大屛, 책가도 등이 있다. 기록에 의하면 조선 초기에는 사민도四民圖, 빈풍칠월도豳風七月圖 등 감계화鑑戒畵도 제작되었다고 하며, 후기의 단원 김홍도의 〈서원아집도西園雅集圖〉, 〈해상군선도海上群仙圖〉 같은 감상화도 본래는 궁중 장식병풍으로 제작된 것이었다. 특히 가례가 있을 경우 도감에서는 도화서에 모란대병 수십 틀을 요구하기도 하였다.

양반가의 장식병풍

궁궐 장식병풍은 일월오봉도를 제외하고는 반가班家라고도 불리는 양반가에서도 그대로 사용되었다. 성현成俔(1439~1504)은 《용재총화慵齋叢話》에서 임금님으로부터 하사받은 십장생도 병풍에 시를 지어 노래하기도 했다. 유득공柳得恭

(1748~1807)은 《경도잡지京都雜誌》에서 심지어는 양반가에서 궁궐의 장식병풍을 빌려 사용하기도 하였다며 다음과 같이 증언하였다.

> 혼례 병풍으로 백자도, 곽분양행락도, 요지연도가 사용되는데, 왕실이 공적 용도로 제작한 모란대병을 사족士族들이 제용감濟用監에서 빌려 혼례에 쓴다.

그리고 권세 있는 양반들은 사적으로 화원을 동원하여 장식병풍을 제작하기도 했다. 때문에 어디까지가 궁중 장식화이고 어디까지가 양반사회의 장식화인지 구분하기가 힘들다. 게다가 조선 말기에 이르면 장식병풍을 전문적으로 그려 광통교廣通橋의 지전紙廛에 내다 팔 정도였다. 이런 사정은 1917년 창덕궁 화재 이후 대조전과 희정당熙政堂의 벽화를 그릴 때 윤필료潤筆料(제작비) 문제가 여론에 오르내리자 《동아일보》 1920년 6월 24일 자에 실린 다음과 같은 기사에서도 엿볼 수 있다.

> 각 지전에서 소용되는 십장생이나 두껍닫이에 붙이는 채색 그림을 그려 파는 화공들을 대소집하여 대대적인 염가로 … 그리고자 계획 중이라 하니 … 분개치 않으리오.

장식병풍의 규모는 절첩 수에 따라 쌍폭 가리개부터 12폭까지 짝수로 이루어졌으며, 키 작은 머릿병풍에서 키 큰 대병大屛까지 크기도 다양하다. 장식병풍은 낱폭이 이어져 이루어지기도 했지만 펼침 전체를 화폭으로 삼기도 하였는데 이를 일지병풍一枝屛風 혹은 연결병풍이라고 한다. 이 일지병풍은 일반 감상화에서는 볼 수 없는 장대한 스케일과 화려한 회화미로 장식 효과를 극대화시킨다.

일월오봉도

일월오봉도日月五峯圖는 조선시대 임금을 상징하는 그림으로 경복궁景福宮 근정전勤政殿, 창덕궁 인정전 등 각 궁궐 정전의 어좌 뒤에 설치되었다. 임금의 내실에도

1 무신진찬도(8곡 병풍, 부분), 백은배 등, 1848년, 비단에 채색, 각 폭 136.1×47.6cm, 국립중앙박물관 소장

장식되었고 옥외 행사 때는 어좌 뒤에 반드시 설치되었다. 때문에 의궤도나 궁중 행사도에서는 임금의 자리를 일월오봉도로 나타냈다.도1 일월오봉도는 같은 문화권인 중국·일본·베트남에는 현재까지 알려진 것이 없어, 조선왕조의 독창적 창안으로 생각된다.

일월오봉도에는 해와 달, 다섯 개의 산봉우리, 넘실거리는 파도, 한 쌍의 폭포 그리고 두 쌍의 소나무 등이 좌우대칭으로 그려져 있다.도2 여기에 나오는 자연 경물景物의 상징성에 대해 여러 해석이 있지만《시경詩經》의〈천보天保〉라는 시의 내용을 그린 것으로 보인다.(이성미,《어진의궤와 미술사》, 소와당, 2012)

> 하늘이 당신을 보호하고 안정시키사/ 매우 굳건히 하셨네/ … 높은 산과도 같고 큰 땅덩이 같으며/ 강물이 흐르듯/ … 달이 점점 차오르듯/ 해가 떠오르듯/ … 결코 무너지지 않으리/ 소나무와 잣나무의 무성함과 같이/ 당신의 후계에 끊임이 없으리

2 창덕궁 인정전 일월오봉도(4곡 연결병풍), 19세기, 비단에 채색, 230.0×422.9cm, 창덕궁

즉, 일월오봉도는 하늘로부터 부여받은 왕의 권위를 상징하고 있다. 유교儒敎 경전인 《주례周禮》에 기초하여 경복궁을 창건했듯이 《시경》에 입각하여 이와 같이 아름답고 장엄한 일월오봉도를 만들어낸 것이다. 내용도 내용이지만 진채眞彩를 사용한 장식 도안이 화려하면서도 품위 있어 임금의 권위를 한껏 받쳐준다. 일월오봉도 병풍은 현재 약 20점 정도가 남아 있다.

십장생도

십장생十長生이란 불로장생을 상징하는 열 가지 자연 경물과 동·식물을 말한다. 자연에서는 해[日]·달[月]·산山·내[川], 식물로는 대나무[竹]·소나무[松]·영지靈芝(불로초), 동물로는 거북[龜]·학鶴·사슴[鹿] 등이 꼽힌다. 때로는 돌[石]·물[水]·구름[雲]을 거론하기도 하고 신선이 먹는다는 복숭아인 반도蟠桃를 그려넣기도 한다. 십장생은 우리 조상들이 신선 사상과 민간신앙을 결합하여 만들어낸 독특한 도상이자 관념체계이다. 중국과 일본에는 십장생 그림이 거의 없을 뿐만 아니라 장

3 십장생도(10곡 연결병풍), 18세기 후반, 비단에 채색, 210.0×552.3cm, 개인 소장

생은 있어도 십장생이라는 개념은 없었던 것으로 알려져 있다.

십장생도의 도상은 기본적으로 8곡 내지 10곡 병풍을 하나의 화면으로 삼는다. 험준하면서도 환상적인 산자락이 화면을 가득 메우고 아래쪽으로는 소나무와 반도가 줄지어 펼쳐지며 그 사이로는 냇물과 사슴, 거북, 영지가 점점이 배치되어 있다. 화면 위로는 해와 달이 떠 있고 학이 무리 지어 날고 있다. 불로장생의 상징 같기도 하고 신선 세계의 풍광 같기도 하다. 진채로 그려진 궁중의 십장생도 병풍은 장엄한 청록산수화이다.

십장생도 병풍 중에는 명품이 많아《한국미술사 강의》제3권에서는 국립고궁박물관과 미국 오리건대학교박물관의 소장품을 소개하였는데 〈십장생도〉(10곡 연결병풍)도3 또한 궁중 장식병풍으로 생각되는 대폭의 명작이다. 십장생도 병풍은 대개 비슷한 구도이지만 이 〈십장생도〉는 세로 2.1미터, 가로 5.5미터의 대작으로 다른 십장생도 병풍과 비교할 때 소나무의 표현에 변화가 있고 학과 사슴이 사실적으로 표현되어 있으며 반도와 영지가 화면에 공간감을 살려내고 있어 대단히 웅장한 느낌을 자아낸다.

십장생도는 사서士庶가 모두 좋아하는 주제여서 병풍으로 많이 제작되었을 뿐만 아니라 십장생의 낱낱 도상이 담장, 병풍, 필통, 함, 장롱, 술병, 베갯모, 수저보 등에 그려지며 생활 속에 깊숙이 자리 잡았다.

4 정묘조왕세자책례계병(8곡 연결병풍, 부분), 1800년, 비단에 채색, 각 폭 145×54cm, 국립중앙박물관 소장

요지연도

요지연도瑤池宴圖는 반도蟠桃라는 복숭아의 전설에서 나온 그림이다. 이 복숭아는 열리는 나무의 줄기가 똬리를 틀고 앉아 있는 반룡蟠龍처럼 구불구불하여 반도라 부르며, 장수를 상징하는 인물인 한나라 때 동박삭東方朔은 몰래 반도 열 개를 훔쳐 먹고 삼천갑자(18만 년)를 살았다고 한다. 반도는 천도天桃라고도 부르는데 서왕모西王母의 거처인 곤륜산崑崙山의 요지瑤池 주변의 반도는 나무가 자라는 데 3000년, 꽃이 피는 데 3000년, 열매가 익는 데 3000년이 걸린다고 한다. 서왕모는 요지의 반도가 익을 때면 주나라 목왕穆王과 여러 신선들을 초대해서 잔치를 벌였다고 한다. 이를 그린 그림이 요지연도이다.

〈정묘조왕세자책례계병正廟朝王世子冊禮契屛〉(8곡 연결병풍)도4은 1800년(정조 24) 왕세자 책봉을 기념하여 국왕을 호위하는 선전관宣傳官이 만든 8폭 일지병풍으로, 그중 여섯 폭에 〈요지연도〉가 그려져 있고 두 폭에는 그림의 내력을 밝힌 기문記文과 참석 인원을 나열한 좌목座目이 쓰여 있다.

화면을 크게 둘로 나누어 오른쪽에는 서왕모가 주목왕을 초대하여 잔치를 베푸는 광경을 그렸고 왼쪽에는 신선들이 연회에 참석하기 위하여 파도를 타고 바다를 건너오는 모습을 그렸다. 연회를 주재하는 서왕모와 초대받은 주목왕의 잔칫상을 중심으로 시녀들이 시중드는 모습이 아주 실감 나게 표현되어 있으며

5 요지연도(8곡 연결병풍), 19세기, 비단에 채색, 156×504cm, 국립고궁박물관 소장

신선들은 저마다의 복식을 하고 물결무늬로 나타낸 파도를 타고 유유히 건너오고 있다.

〈요지연도〉(8곡 연결병풍)도5는 전형적인 채색 청록산수인물화 형식으로 준수한 산봉우리들을 진초록으로 나타내면서 노송과 함께 천도복숭아가 늙은 줄기에 주렁주렁 열려 있는 것을 그렸다. 신선과 인물들이 아주 사실적으로 묘사되어 있어 뛰어난 화원이 그린 것으로 생각된다.

요지연도는 인기 있는 장르여서 1812년(순조 12) 효명세자孝明世子(1809~1830)의 왕세자 책봉을 기념하여 세자가 태어날 당시 산실청産室廳에 소속된 신하들이 만든 〈왕세자탄강계병王世子誕降契屛〉도 요지연도로 되어 있다.

요지연도의 내용은 부귀영화와 장수에의 희망을 담은 것으로 잔치의 한 이상으로 삼은 것인데 그 내용이 중국 전설에서 나왔다는 사실이 오늘날의 민족주의의 관점에서 볼 때는 마음에 걸리기도 한다. 그러나 당시로서는 동아시아의 문

화를 공유한다는 마음에서 거부감 없이 받아들였던 것이다. 이는 그리스·로마 신화를 유럽인들이 공유했던 것과 마찬가지이다. 그래서 그 내용이 조선의 장식병풍으로 그려지면서 인물이 우리들의 얼굴로 바뀌고 조선화되었음을 볼 수 있다. 요지연도는 인물 묘사가 복잡하기 때문에 민화로는 그려진 예가 드물고 현재 전하는 병풍들은 한결같이 전문 화가의 작품으로 생각되고 있다.

해학반도도

해학반도도海鶴蟠桃圖는 서왕모의 요지연 전설에서 장생의 상징물 중 바다·학·영지·반도 부분만 따로 떼어 구성한 그림이다. 노송이 서 있는 바닷가에 붉은 해가 떠 있고 수십 마리의 학이 나는 가운데 반도가 구불구불한 줄기에 가득 매달린 이상향을 그린 것이다.

6 해학반도도(10곡 연결병풍), 19세기 말, 비단에 채색, 166×416cm, 이화여자대학교박물관 소장

7 해학반도도(12곡 연결병풍), 1902년, 비단에 채색, 각 폭 228.6×59.1cm, 미국 호놀룰루미술관 소장

8 해학반도도(12곡 연결병풍, 부분), 19세기 말, 비단에 채색, 210.4×720.5cm, 미국 데이턴미술관 소장

〈해학반도도〉(10곡 연결병풍)도6는 산과 바다, 학과 반도로 이루어진 전형적인 해학반도도인데 도상의 유래는 요지연도에 있지만 화면의 전개는 십장생도에서 학과 반도를 압축한 형태로 나타났다. 흐드러진 줄기에 요염한 모양의 반도가 주렁주렁 달려 있고 수십 마리의 학이 저마다의 몸짓으로 날거나 앉아 있는 모습에서 상서로운 분위기가 한껏 살아난다.

〈해학반도도〉(12곡 연결병풍)도7는 12폭 대병으로 열 마리의 학과 구름으로 주제를 압축하고 금박까지 사용하여 대단히 웅장한 분위기를 보여주는데 금분으로 "군선공수 임인하제羣僊拱壽 壬寅夏題"라는 제발이 쓰여 있어서 임인년(1902) 여름 황실에 바쳐진 병풍임을 알려준다. 이해 여름에는 고종의 기로소耆老所 입소를 기념하는 진연이 열렸기에 그때 그려진 병풍으로 생각되고 있다. 이 병풍은 야마나카상회가 1927년 미국 하와이의 수집가 앤 쿡Anne Cooke에게 판 것으로 현재 미국 호놀룰루미술관에 소장되어 있다.

〈해학반도도〉(12곡 연결병풍)204쪽·도8는 2019년 미국 데이턴미술관이 개관 100주년을 맞으면서 국립고궁박물관에 작품 보수를 위탁하여 소개된 바 있는데 여섯 마리의 학과 소나무를 주제로 변형하여 웅장한 송학도松鶴圖 대작으로 되었다.

이처럼 궁중 장식병풍은 대한제국의 멸망과 함께 관리가 소홀해지자 궁궐 밖으로 많이 반출되었고, 이 병풍들은 당시 조선을 방문한 외국인들이 선호하여 해외 박물관에 다수가 소장되어 있다.

곽분양행락도

곽분양행락도郭汾陽行樂圖는 부귀영화와 자손 번영의 상징으로 당나라 안녹산의 난 때 공을 세워 분양군왕汾陽郡王에 봉해진 곽자의郭子儀(697~781)가 85세로 죽기 전까지 아들 여덟 명, 사위 일곱 명이 모두 높은 벼슬에 오르고 손자들이 많아 문안을 올리면 일일이 알아보지 못하고 턱만 끄덕일 정도였다는 내용을 그린 것이다.

곽분양행락도는 17세기에 이미 궁중에도 널리 알려져《열성어제列聖御製》'숙종'편에는 곽분양행락도에 붙인 제시가 실려 있으며, 계병契屛(나라의 행사를 기념

9 곽자의팔자칠서(부분), 전 김홍도, 19세기 초, 종이에 담채, 68.1×309.7cm 국립중앙박물관 소장(이홍근 기증품)

하기 위해 그 광경을 그린 병풍) 등으로도 제작되었다. 곽분양행락도는 민간에서도 인기가 있어서 혼례용 병풍으로 많이 사용되었고 19세기 초에는 곽분양을 주인공으로 한 한글 소설인《곽분양전》이 나왔고〈한양가漢陽歌〉에는 광통교 인근의 그림 가게에 요지연도와 함께 곽분양행락도가 걸려 있다는 가사가 나온다.

곽분양행락도는 묘사 대상이 복잡하고 등장인물이 많아 전문 화가가 아니면 그리기 힘들었으리라 생각되는데 숭실대학교박물관 소장본, 미국 필라델피아미술관 소장본에 긍재兢齋 김득신金得臣(1754~1822)의 관서가 남아 있다. 모두 후낙관으로 보이지만 화원들이 제작했다는 정황만은 엿볼 수 있다.

조선시대 곽분양행락도는 기본 도상은 중국의 곽자의축수도郭子儀祝壽圖를 차용해 그렸으나 구도와 인물 묘사가 중국 것과 다른 특징이 있다. 당시 중국에서 전래된 곽자의축수도의 도상이 어떤 것이었는지에 대해서는 아직 확실하게 알려지지는 않았지만 국립중앙박물관에 소장된 장폭의〈곽자의팔자칠서郭子儀八子七壻〉도9가 그 범본의 하나로 생각되며 이것이 조선적으로 변형되어 정형화된 것이 조선 후기에 크게 유행한 곽분양행락도의 도상이 아닌가 생각게 한다. 이 그림에는 "홍도弘道"라는 주문방인朱文方印과 화사 김홍도가 경술년庚戌年에 출초出草했다는 관서款署가 있는데 후낙관이어서 믿기는 어렵다.

10 곽분양행락도(8곡 연결병풍), 19세기 후반, 비단에 채색, 156.5×427.6cm, 미국 시카고미술관 소장

곽분양행락도의 도상은 대개 다음과 같다. 왼쪽은 연못가에 누각이 있는 정원인데 축하객이 들어오고 있으며, 가운데에는 손자를 데리고 노는 곽자의 앞에 악대와 무희 등이 그려져 있다. 오른쪽은 여성의 공간으로 치장하는 여성, 자수 놓는 여성 등이 그려져 있다. 과연 자손 많은 집의 성대한 잔치 모습이다.

현재 파악된 국내외 곽분양행락도는 자수도를 포함해 50여 점으로 그중 국외에 10여 점이 있는 것으로 파악되고 있다(미국 8점, 독일 2점, 프랑스 1점 등).

미국 시카고미술관 소장 〈곽분양행락도〉(8곡 연결병풍)도10는 국립중앙박물관 소장본, 국립고궁박물관 소장본 등과 구성과 배치가 비슷한 곽분양행락도의 전형이다. 여덟 폭 중 왼쪽부터 두 폭에는 연못이 있는 정원, 다음 두 폭에는 곽자의와 그 주변의 사람들, 마지막 네 폭에는 여성들의 공간이 그려져 있다. 인물 묘사가 사실적이고 필치가 매우 우수하며, 색채도 화사하게 구사되어 있다. 화격으로 보아 왕실에서 사용된 것으로 생각된다.

이 작품은 중국에서 특사로 근무했던 변호사 윌리엄 캘훈William Calhoun (1848~1916)의 유족이 1940년에 시카고미술관에 기증하였으나 한 번도 일반에게 공개되지 못하고 수장고에 보관되어 있었는데 지연수 시카고미술관 한국미술 큐레이터가 소장품을 조사하는 과정에 발견되었고, 국외소재문화재재단의 지원으

11 곽분양행락도(10곡 연결병풍), 19세기 중엽, 비단에 채색, 각 폭 109.9×32.5cm, 독일 로텐바움세계문화예술박물관 소장

12 한궁도(6곡 연결병풍), 19세기, 비단에 채색, 78.0×267.6cm, 국립고궁박물관 소장

13 한궁도(6곡 연결병풍), 19세기, 비단에 채색, 71×288cm, 국립고궁박물관 소장

로 국내에서 보존 처리가 이뤄지면서 알려지게 되었다.

〈곽분양행락도〉(10곡 연결병풍)도11는 다른 곽분양행락도와 도상이 많이 다르다. 건물 배치가 분산되어 있고 전각의 표현에 중국풍이 완연하다. 때문에 입체감이 강한 가운데 이국 취향이 많이 반영되었다는 인상을 준다.

한궁도

궁궐 장식병풍 중에는 중국의 궁궐을 그린 한궁도漢宮圖라는 화목畵目이 있다. 구체적인 예로 1809년(순조 9) 혜경궁 홍씨의 관례 주갑周甲을 기념한《기사진표리진찬의궤己巳進表裏進饌儀軌》에서 혜경궁 홍씨의 보좌寶座(의자)는 한궁도를 배경으로 하고 있다.(박정혜, 〈궁중 장식화의 세계〉, 《조선 궁궐의 그림》, 돌베개, 2012) 또 19세기 규장각奎章閣 차비대령화원差備待令畵員의 정기 시험인 녹취재祿取才 문제로 '한나라 장락궁[漢長樂宮城]', '당나라 구성궁[唐九成宮圖]', '구중궁궐 봄날에 복사꽃에 취하다[九重春色醉仙桃]' 같은 화제가 있었다. 이는 중국 문명에 대한 동경의 하나로, 비유하자면 우리나라 근현대미술에서 유럽 풍경화를 그린 것과 비슷한 셈이다.

〈한궁도〉(6곡 연결병풍)도12는 중국 궁궐의 웅장하고 이색적인 모습을 그린 것으로 건물의 형태뿐만 아니라 채색이 화려하다. 특히 붉은 기둥과 흰 창호의 색채 대비가 강렬하고 수목의 표현이 도안화된 것이 눈에 두드러지는데 정원에 놓인 수많은 괴석이 강조되어 있다.

〈한궁도〉(6곡 연결병풍)도13는 중국의 궁궐을 그렸다기보다는 중국풍의 장대한 청록산수도 같은 인상을 준다. 안개 속의 산세가 장대한 파노라마로 전개되어 있으며 강변에 자리 잡은 반듯한 저택들에서 여유롭고 부유하게 살고 있는 사람들의 모습을 그렸다. 마치 구중궁궐에 갇혀 사는 왕가 사람들의 이국에 대한 동경을 보여주는 것 같다.

백자도

백자도百子圖는 수많은 어린아이들이 뛰노는 모습을 그린 그림으로 백동자도百童

14 백자도(6곡 연결병풍), 19세기, 비단에 채색, 74.3×291.2cm, 국립고궁박물관 소장

子圖라고도 한다. 꼭 백 명을 그렸다는 것이 아니라 많은 동자가 있다는 뜻이다. 백자도의 연원은 주나라 문왕文王이 24명의 부인에게서 99명의 아들을 얻었는데 여기에 주워온 아이 한 명을 더하여 아들 백 명을 두었다는 이야기로, 이를 그림으로 그린 것이 '문왕백자도文王百子圖'이다.

중국에서는 송나라 때부터 어린아이들이 뛰노는 모습을 그린 영희도嬰戲圖가 유행하였는데 이것이 명·청 대에 와서는 백자도와 결합하여 새해맞이 그림인 세화歲畫로도 많이 그려졌다. 한편 백자도는 곽분양행락도에서 파생되었다는 설도 있는데 1873년(고종 10) 4월 규장각의 차비대령화원들의 녹취재 시험문제로 '곽분양백자도'가 출제된 바 있다.

궁중에서 백자도 병풍은 가례 때 혼병婚屛으로 사용되었다. 왕비 후보가 별궁에서 궁중의 법도를 배우는 동안에는 윗목에 항상 백자도 병풍을 쳐놓았다고 한다. 유득공의 《경도잡지》에서도 민간 혼례 때는 곽분양행락도와 백자도 병풍이

사용되었다고 했다. 백자도는 다남多男을 염원하는 그림으로 남아선호사상 때문에 모두 사내아이만 그려졌다. 조선시대 백자도 도상은 중국에서 유래하여 아이들이 중국식 머리 모양과 복장을 하고 있는데 제기차기, 연날리기, 장군놀이, 닭싸움, 술래잡기 등을 하면서 즐겁게 노는 모습으로 묘사되었다.

〈백자도〉(6곡 연결병풍)도14는 앞서 본 한궁도에 묘사된 것과 비슷한 중국풍의 누각과 전각 아래서 여러 놀이를 하면서 즐겁게 노니는 어린 동자들이 그려져 있다. 백자도가 이처럼 연결병풍으로 제작된 예는 아주 드물고 대개 낱폭으로 꾸며져 있다.

〈백자도〉(10곡 병풍)도15는 장식병풍으로는 드물게 화가의 이름이 밝혀진 작품이다. 2014년 크리스티 경매에 출품된 작품인데 마지막 폭에 "서원희인徐元熙印"이라는 도장이 찍혀 있는 것이 확인되었다.(윤진영, 《민화의 시대》, 디자인밈, 2021) 서원희徐元熙(1862~?)는 1880년(고종 17) 규장각 차비대령화원으로 일했고 갑오개혁

15 백자도(10곡 병풍), 서원희, 1910년대, 비단에 채색, 각 폭 94.0×32.1cm, 개인 소장

이후 1900년 8월 궁내부宮內府 도화주사圖畵主事를 역임한 바 있는 직업 화가이다. 아이들이 연날리기, 장군놀이, 귀뚜라미 잡기 등을 하며 놀고 있는데 전각 주위에는 파초, 버드나무, 소나무, 매화 등 나무가 곁들여져 각 폭마다 한 폭의 회화로서 완성도를 높이고 있다.

책가도

책가도冊架圖는 책거리 그림이라고도 하며 서가에 책과 진귀한 물품이 가득 놓인 모습을 그린 것이다. 책가도에 놓여 있는 기물들을 보면 표갑에 싸여 있는 책 이외에 산호로 만든 붓걸이를 비롯하여 옥필통·옥도장·찻잔·자명종 등 귀한 문방구와 진귀한 장식품들로 가득 차 있다. 책가도의 유래는 불분명하지만 청나라에서 진귀한 물품을 진열해 놓은 가구인 다보격多寶格에서 유래한 것으로 보는 견해가 유력하다. 이탈리아 출신의 예수회 선교사로 청나라에 서양화법을 본격적으로 소개한 낭세녕郎世寧(1688~1766)이 그린 것으로 전하는 〈다보각경도多寶閣景圖, 多寶各景圖〉참고1 또한 책가도의 유래를 말해주고 있다.

책가도는 정조 이래로 궁궐과 양반사회에서 크게 유행한 것을 여러 기록으로 알 수 있다. 정조는 임금이 된 뒤 책을 멀리하게 되자 책가도를 펴놓고 스스로 경계했다고 하였으며, 정조 때 이규상李圭象(1727~1799)은 《일몽고一夢稿》에서 김홍도에 대해 증언하면서 다음과 같이 말하였다.(유홍준, 《화인열전》, 역사비평사, 2001)

> 당시 화원의 그림은 새로이 서양 나라의 사면척량화법四面尺量畵法을 본받았는데 그림이 완성되었을 때 한쪽 눈을 감고 바라보면 그려진 기물들이 반듯하게 정돈

참고1 다보각경도, 전 낭세녕, 18세기, 종이에 채색, 123.4×237.6cm, 개인 소장

16 책가도(10곡 병풍), 19세기, 비단에 채색, 각 폭 161.7×39.5cm, 국립고궁박물관 소장

되어 우뚝 서지 아니함이 없다. 세속에서는 이를 가리켜 책가冊架라고 한다. 반드시 채색을 했는데 한 시대 귀인으로 이런 그림을 장식하지 않은 사람이 없었다. 김홍도는 이런 재주에도 매우 뛰어났다.

책가도에 나오는 진귀한 물품들은 실학자들의 고동古董취미의 분위기와도 연결된다. 연암 박지원, 초정 박제가 등 북학파 학자들과 이재 권돈인, 자하 신위 등 청나라 문물에 밝은 학자들은 이러한 골동품을 상당히 애호하였다. 윤진영은 1907년(순종 즉위년) 경운궁慶運宮(덕수궁) 내 아홉 창고들의 물품 이름을 기록한 《각고물품성책各庫物品成冊》과 책가도에 나오는 물품을 대조하였는데 상당수가 일

치하는 것을 확인하였다.(윤진영, 《민화의 시대》, 디자인밈, 2021)

책가도는 정밀 묘사를 요구하기 때문에 규장각 차비대령화원들의 녹취재 시험문제로 출제되기도 하였다. 1788년(정조 12) 9월 18일 정조는 차비대령화원인 신한평申漢枰(1726~1809 이후)과 이종현李宗賢에게 그림을 그리게 하였는데, 책가도가 아닌 다른 그림을 그렸다는 이유로 '해괴하다'고 비난하며 두 사람을 먼 곳으로 귀양을 보냈다. 신한평은 풍속화로 유명한 혜원蕙園 신윤복申潤福(1758~1823 이후)의 아버지이고, 이종현은 책가도의 명수인 이형록李亨祿(1808~1883 이후)의 할아버지다.

책가도 중에는 화가가 숨은 그림 찾기 식으로 그림 속 도장에 자기 이름을 넣어둔 작품들이 있다. 가장 대표적인 예가 순조 때의 화원 옥산玉山 장한종張漢宗

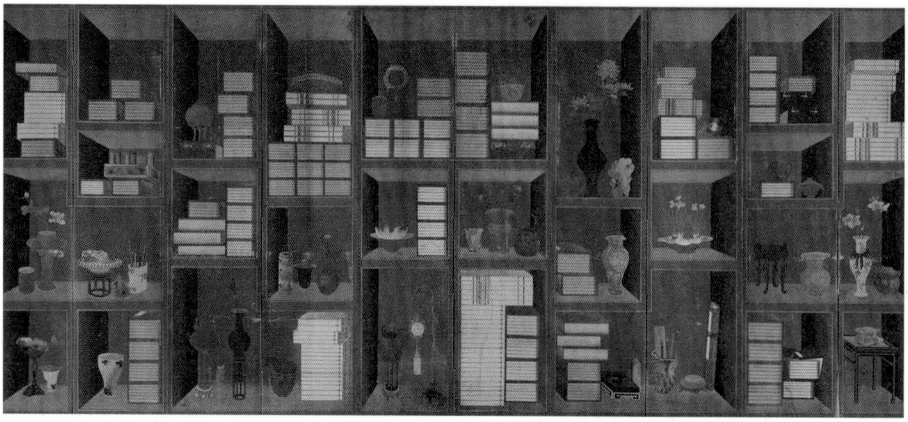

17 책가도(10곡 연결병풍), 이형록, 19세기, 비단에 채색, 153×352cm, 국립중앙박물관 소장

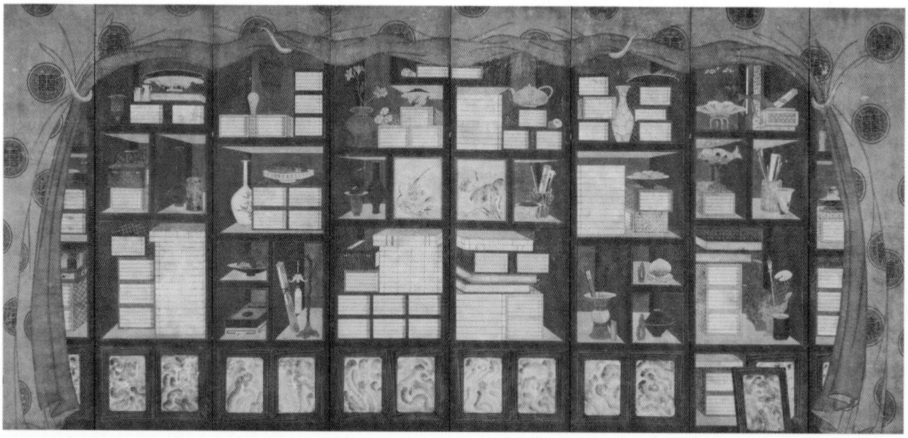

18 책가도(8곡 연결병풍), 장한종, 19세기 초, 종이에 채색, 195×361cm, 경기도박물관 소장

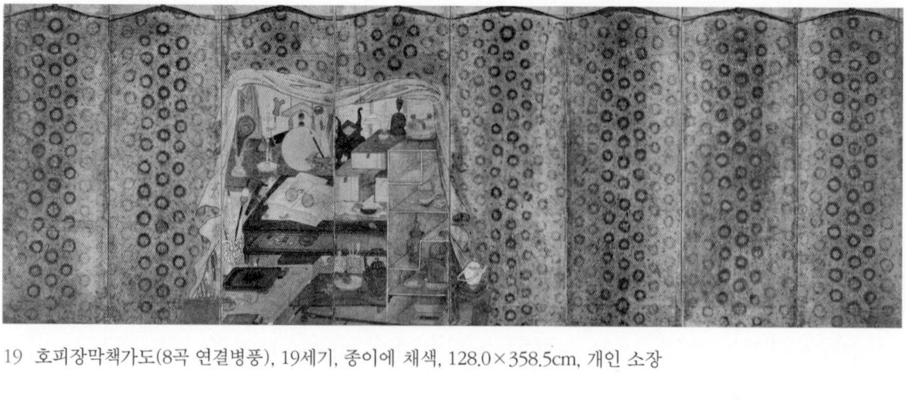

19 호피장막책가도(8곡 연결병풍), 19세기, 종이에 채색, 128.0×358.5cm, 개인 소장

(1768~1815)과 철종哲宗(재위 1849~1864) 때 화원 이형록이며 강달수姜達秀, 한응숙韓應淑 등의 이름도 확인되었다.

〈책가도〉(10곡 병풍)도16는 서가에 책만 가득 꽂혀 있는 그림으로 대단히 엄정한 분위기를 자아낸다. 잡다한 기물 없이 책으로만 장식한 것이 오히려 조형적 박진감을 느끼게 한다.

〈책가도〉(10곡 연결병풍)도17는 중앙의 두 폭은 정면정관으로 하고 좌우 각 네 폭은 중앙을 향하고 있어 투시도법을 사용하고 있음을 볼 수 있다. 폭마다 단이 서로 어긋나게 배치하여 다양한 모습을 연출하였고 책과 기물이 적절히 배치되어 책가도로서 높은 품격을 보여주고 있다.

참고2 도17 중 이응록(이형록)의 이름이 새겨진 도장 부분

참고3 도18 중 장한종의 이름이 새겨진 도장 부분

이 병풍의 제9폭 중단에 그려진 도장에는 "이응록인李膺祿印"이라고 화가의 이름이 새겨져 있다.참고2 이응록은 이형록이 57세에 개명한 이름이고 그는 64세 때 또 이름을 이택균李宅均으로 바꾸었는데 통도사성보박물관에는 이택균의 이름이 새겨진 도장이 그려져 있는 〈책가도〉(10곡 병풍)도20가 소장되어 있다. 이형록이 그린 정통 책가도는 미국 샌프란시스코 동양미술관에도 소장되어 있다.(《한국미술사 강의》 제3권 45쪽 참조)

〈책가도〉(8곡 연결병풍)도18는 책가에 휘장이 둘러 있는 기발한 병풍이다. 책가 아래에는 나뭇결이 아름다운 문갑이 설치되었으며, 책가에 놓여 있는 기물들은 정통 책가도에서와 마찬가지로 가지런하고 정교하게 그려져 있다.

전형을 유지하면서 창의적인 변화를 가하는 것은 대가가 아니면 불가능한데 제8폭의 도장에 "장한종인張漢宗印"이라 새겨 화가가 자신의 이름을 밝혀놓았다.참고3 장한종은 정조 대의 화원으로 어해도魚蟹圖에서 일가를 이룬 화가이다. 책가도에 이와 같은 변형이 나타났다는 것은 이미 양식적 전형이 이루어져 있었다는 것을 말해준다.

20 책가도(10곡 병풍, 부분), 이형록, 1871년 이후~1883년 이전, 비단에 채색, 각 폭 150×37cm, 통도사성보박물관 소장

〈호피장막책가도〉(8곡 연결병풍)도19는 호피도虎皮圖와 책가도가 결합된 형태로 마치 호피 장막 안으로 선비의 사랑방이 들여다보이는 듯한 모습으로 그려져 있다. 엄밀히는 호랑이 가죽이 아닌 표범 가죽이 그려져 있으나, 과거에는 '호랑이[虎]'라는 말이 표범까지 통칭하였기에 '호피'라는 명칭이 쓰였다. 각 폭마다 고리에 걸려 있는 표범 가죽이 매우 사실적으로 묘사되어 있고, 네 폭에 걸쳐 나오는 기물들의 종류가 다양할 뿐만 아니라 매우 입체적으로 그려져 대단히 호화로운 분위기를 연출하고 있다. 이는 조선 후기 장식화가 다양한 형태로 발전하고 있음을 보여주는 것인데 이처럼 도상을 능숙히 변형한 작품은 드문 편이어서 그 절정과 한계를 동시에 말해준다.

특히 이 그림에서 돋보기 아래 놓여 있는 책에 쓰여 있는 시는 "산정대작 차운진정국사山亭對酌次韻眞靜國師(산정에서 대작하며 진정국사의 시에 차운하다)"와 "산정대화 우차진정운山亭對花又次眞靜韻(산정에서 꽃을 보다가 또 진정국사의 시에 차운하다)"이라는 제목의 시인데 정민 교수는 다산茶山 정약용丁若鏞(1762~1836)의 시로 추정하였다.(정민, 〈리움미술관 소장 표피장막책가도 속의 다산 친필시첩〉, 《문헌과 해석》 77호, 2016)

〈책가도〉(10곡 병풍)도20는 이택균으로 개명한 이형록의 작품으로 연결병풍이

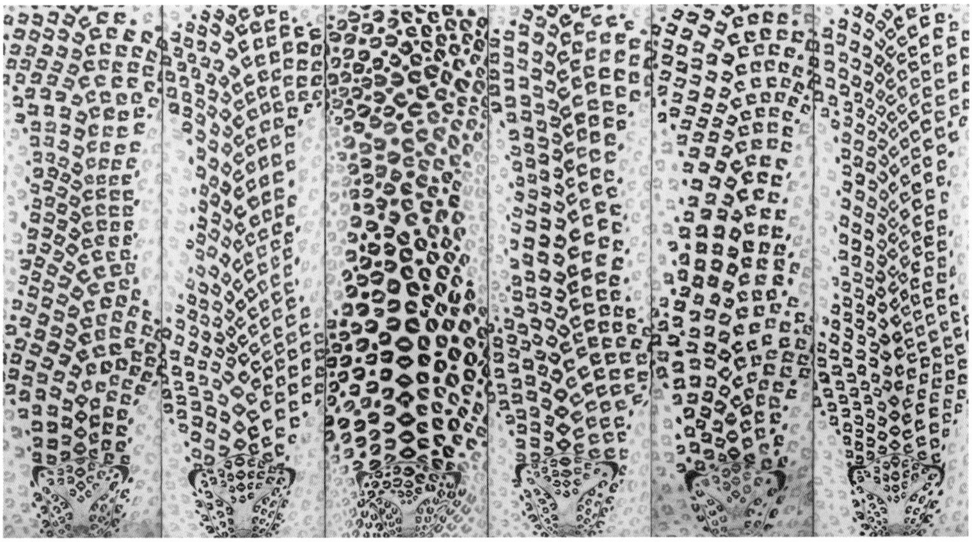

21 호피도(7곡 연결병풍, 부분), 19세기, 종이에 담채, 각 폭 176×51cm, 개인 소장

아니라 낱폭으로 구성되어 있으며 기물들이 책가를 벗어나 바닥에 쌓여 있는 모습을 그렸다. 책들이 쌓여 있는 가운데 기물들이 위아래로 어지러이 널려 있는데 그 종류가 기존의 책가도보다 다양하다. 이런 낱폭 형식의 책거리 병풍은 민화에서 많이 찾아볼 수 있다.

호피도

호피도는 호랑이나 표범의 가죽을 사실적으로 섬세하게 묘사한 그림으로 한 폭으로 된 것도 있으나 대개 8곡 병풍으로 꾸며져 있다. 주로 가죽을 실감 나게 보이기 위하여 황색으로 되어 있지만 수묵화로 그려진 것도 있다. 호피도는 장식 효과도 있지만 벽사의 의미도 지니고 있다. 옛날 혼례식 때 신부의 가마뚜껑으로 호피무늬 담요를 사용한 것도 그 한 예이다.

〈호피도〉(7곡 연결병풍)도21는 표범 무늬를 한 점씩 정성 들여 나타내 사실감이 드러나고, 이를 반복적으로 그린 결과 장식 효과도 곁들여져 현대미술 같은 구성미를 보여준다.

22 호렵도(8곡 병풍), 19세기 전반, 비단에 채색, 각 폭 96.7×44.3(제1폭 49.0)cm, 국립고궁박물관 소장

호렵도

호렵도胡獵圖는 조선 후기 장식병풍의 인기 있는 장르 중 하나였다. 본래 수렵도는 하나의 장르로 고려 공민왕恭愍王(재위 1351~1374)의 작품으로 알려진 〈음산대렵도陰山大獵圖〉와 〈천산대렵도天山大獵圖〉가 전하고 있다.(《한국미술사 강의》 제2권 534쪽 참조) 이것이 정조 대에 와 청나라 황제가 하북성 열하熱河의 목란위장木蘭圍場에서 사냥하는 장면을 그린 것이 전래되면서 크게 유행한 것으로 보인다. 강희제康熙帝(재위 1661~1722)는 가을이면 이곳에서 정예군인 팔기군八旗軍 3000여 명을 비롯하여 1만 명의 군사들을 동원하여 사냥을 즐겼으며 이를 목란추선木蘭秋獮, 즉 '목란의 가을 사냥'이라고 하였다. 정조의 《홍재전서弘齋全書》 중 〈춘저록春邸錄〉에는 왕세자 때 〈음산대렵도〉를 보고 읊은 시가 실려 있다.

넓은 사막의 남쪽에서는 오랑캐의 조정 멀기도 한데　　大漠之南曠虜庭
한나라 천자가 위세와 명성 크게 떨쳤네　　漢家天子振威聲

백등의 남은 치욕은 갚기가 용이했으나 白登餘恥酬容易
무력을 남용한 일이 천고에 전하리 千古應辭黷武名

'백등의 남은 치욕'은 한나라를 세운 유방劉邦(?~기원전 195)이 백등산 전투에서 흉노에게 크게 패한 수모를 말하는 것이며, 복수를 위해 후대에 한나라가 흉노를 정벌했으나 국력을 크게 소진했음을 말하고 있다. 그런데 서유구의《임원경제지》에는 다음과 같은 글이 실려 있다.

우리 집에는 김홍도가 그린 〈음산대렵도〉가 오래전부터 있다. 비단 바탕에 여덟 폭 일지병풍으로 되어 있다. 거칠고 누런 광야에서 활시위를 울리며 짐승을 쫓는 모습이 혁혁하여 마치 살아 있는 듯 생동감이 넘쳤다. 김홍도는 스스로 말하기를 "내 평생의 득의작이니 다른 사람이 이것을 흉내 내어 그린 것이 있다면 밤의 어두움 속의 물고기 눈이라도 한눈에 구별할 수 있다"라고 하였다.

김홍도의 사냥 그림은 당시에 꽤나 유명하였던 듯 조재삼趙在三(1808~1866)의 《송남잡지松南雜誌》에서는 "우리나라에서는 김홍도가 처음으로 이러한 그림을 그렸다"라고 하였다.

기록상 '호렵도'라는 명칭이 처음 확인되는 것은 1804년(순조 4) 동지사冬至使의 서장관으로 청나라에 다녀온 원재명元在明(1763~1817)이 쓴 《지정연기芝汀燕記》에 보인다. 원재명의 수행원 중 한 명이었던 이의성李義聲(1775~1833)이 1805년(순조 5) 북경의 유리창琉璃廠에 있는 채봉蔡封이란 사람의 집을 방문하니 "좌우에 서화와 도자기, 골동품들이 많고, 벽에는 호렵도가 있었다"라고 한 것이다. 그리고 1812년(순조 12) 차비대령화원의 녹취재와 관련한 다음과 같은 기록이 있다.

> 이번 봄의 녹취재 재차(2차) 시험은 인물과 호렵도로 하였고 성적은 삼중일三中一에 이효빈李孝彬, 삼중이三中二에 김득신金得臣, 삼중삼三中三에 이인문李寅文, 삼중사三中四에 허용許容, 삼하일三下一에 김건종金建鍾, 삼하이三下二에 김명원金命遠이었다.(《내각일력》 순조 12년(1812) 1월 26일)

호렵도는 조선에서 널리 유행하였던 듯 이유준李有駿(1801~?)이 동지사 수행원으로 연행을 다녀오며 쓴 연행기인 《몽유연행록夢遊燕行錄》에도 관련한 내용이 나와, 연행사들이 압록강을 건너기 전 1848년(헌종 14) 11월 17일 의주부 백일원에서 군사들이 여러 기생들과 말 타는 장면을 보면서 "그 경쾌하고 매서운 모습은 완연한 한 폭의 호렵도였다"라고 하였다.

〈호렵도〉(8곡 병풍)도22는 국외소재문화재재단이 2020년 9월 미국 뉴욕 크리스티 경매에서 93만 달러(당시 환율 기준 약 11억 원)에 매입한 것으로 한국에서 선교사로 활동하고 이화여자대학교 교수로 재직한 캐슬린 크레인Kathleen Crane 박사가 소장했던 것으로 전한다. 이 작품은 험준한 산세를 웅장하게 그리면서 사냥하는 장면을 실감 나게 그렸는데 인물의 묘사와 수목의 표현에 김홍도의 화풍이 역력히 나타나 있다.

호렵도는 주로 무관들의 저택이나 군 시설의 장식병풍으로 사용했던 것으로 짐작된다. 대단히 인기 있는 장르였던 듯 장식병풍과 민화로 많은 작품이 전하고

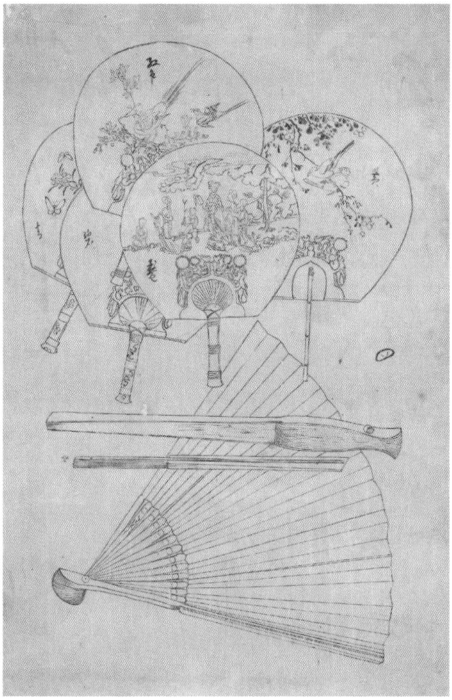

23 백선도 초본(7폭, 부분), 19세기 말, 종이에 수묵, 각 폭 65×43cm, 국립중앙박물관 소장

24 백선도(6곡 병풍, 부분), 19세기 말, 종이에 채색, 각 폭 138.2×54.4cm, 독일 로텐바움세계문화예술박물관 소장

있다. 간혹 인물 표현에 한국화된 모습이 나타나기도 하지만 복식은 여전히 청나라풍이어서 이국 취향을 그대로 나타내고 있다.

이와 연관하여 책가도, 호렵도의 유행에 정조 대의 이국 취향과 단원 김홍도의 활약이 깊이 개입되어 있는 것은 북학파들의 고동취미와 함께 자세한 규명이 요구되는 회화사적, 문화사적 과제로 남아 있다.

백선도

장식병풍의 독특한 사례로 백선도百扇圖 병풍이 있다. 백선도는 갖가지 부채를 그린 그림으로 현재 전하는 그림들은 형식이 일정하고, 국립중앙박물관에는 백선도 병풍의 초본도23이 남아 있다. 이는 2016년 국립중앙박물관에서 개최된 〈미술 속 도시, 도시 속 미술〉 전시에서 소개된 바 있는데 이 초본을 활용한 것이 분명

25 백선도(8곡 병풍, 부분), 19세기, 종이에 채색, 각 폭 93.2×35.1cm, 개인 소장

한 작품이 독일 로텐바움세계문화예술박물관과 온양민속박물관에 소장되어 있다.도24

이 백선도 병풍은 조선 말기 화원인 운초雲樵 박기준朴基駿의 작품으로 생각되고 있다. 박기준은 생몰년이 알려져 있지는 않으나 1872년에 제작된 〈태조 어진〉을 제작한 8인에 조중묵趙重默(1820~?), 백은배白殷培(1820~?) 등과 함께 포함되어 있다. 오세창의 《근역서화징槿域書畫徵》에서는 산수를 잘 그렸고 필치가 정교하였는데 부채 그림 그리기를 좋아하여 둥글부채와 접이부채를 한 폭 안에 섞어

그리고 그 부채에다가 글씨도 쓰고 그림도 그렸으니, 공교롭고 전아함이 특별히 뛰어났다고 언급하고 있다.

〈백선도百扇圖〉(8곡 병풍)도25는 여덟 폭 각각에 부채를 그려놓고 그 속에 다시 그림을 그렸으며, 매우 사실적이어서 마치 실물을 붙여놓은 것 같기도 하다. 한 화면에 6개에서 9개, 총 64개의 다양한 부채를 그렸다.

부채에 그려진 그림의 내용은 산수, 화조, 시·서, 사군자 등 다양한데 겸재 정선, 현재玄齋 심사정沈師正(1707~1769), 단원 김홍도, 고송유수관도인古松流水館

26 백선군접도(8곡 병풍, 부분), 남계우·박기준, 19세기, 비단에 채색, 각 폭 143.9×34.5cm, 국립중앙박물관 소장

道人 이인문李寅文(1745~1821), 우봉又峰 조희룡趙熙龍(1789~1866) 등 대가들의 그림을 방작하여 화격을 높이고 있다.

〈백선군접도百扇群蝶圖〉(8곡 병풍)도26는 박기준의 백선도 네 폭과 일호一濠 남계우南啓宇(1811~1888)의 작품으로 전하는 화접도 네 폭이 교대로 배치된 8폭 병풍이다. 화려하고 장식적인 성격이 강한 두 주제의 그림으로 이루어진 이색적인 병풍인데 여기에서 조선 말기에 장식병풍이 다양한 형태로 발전하였음을 엿볼 수 있다.

모란대병

조선왕실에서는 대폭의 모란 병풍을 만들어 왕실의 가례와 종묘제례 같은 길례

27 모란대병(4곡 병풍), 19세기 말, 비단에 채색, 각 폭 212.5×75.0cm, 국립고궁박물관 소장

吉禮 때 사용했다. 이런 모란 병풍은 워낙에 대작이어서 모란대병[牡丹大屛]이라 불리고, 특히 궁궐에서 쓰인 것은 궁모란대병[宮牡丹大屛]이라 불리고 있다. 이를 본받아 민가에서도 혼례 때 모란 병풍을 장식용으로 썼다. 모란은 예로부터 부귀를 상징하는 꽃으로 '꽃의 왕[花王]'이라 불리며 왕실에서부터 민간에까지 널리 사랑받았기에 장식병풍의 소재로 되었다.

모란대병은 혼례 때만 쓰이는 데 그치지 않고 잔치에서도 거의 필수적으로 쓰였기에 의궤 중에는 행사에 사용할 30틀의 모란대병을 도화서에 요청하였다는 기록도 남아 있다. 현재 국립고궁박물관에 가장 많이 남아 있는 장식병풍도 모란대병이다.

모란대병은 거의 정형화된 도상을 갖고 있다. 각 폭마다 곧게 뻗어 올라간 서너 개의 줄기에 활짝 핀 모란꽃 10여 송이와 꽃봉오리들이 맺혀 있으며 꽃송이

28 모란대병(8곡 병풍), 19세기 말, 비단에 채색, 233.4×456.8cm, 서울역사박물관 소장(운현궁 기증품)

는 빨강·하양·노랑·분홍이고, 줄기는 갈색, 잎은 초록색이어서 오색이 현란하다. 대개 바닥에는 괴석이 놓여 있지만 없는 것도 있다. 모란대병은 6곡 병풍, 8곡 병풍이 많고 10곡, 12곡 병풍은 거의 없는 반면에 4곡 병풍이 있다. 이는 병풍의 무게 때문에 분리 제작한 뒤 사용할 때는 연결했기 때문이다.

〈모란대병〉(4곡 병풍)도27은 괴석 없이 노지에 각 폭마다 모란이 다섯 줄기로

시원하게 뻗어 올라갔고 모란꽃 빛깔이 약간 엷어서 화사하면서도 청초한 분위기를 자아낸다.

〈모란대병〉(8곡 병풍)도28은 화폭이 세로로 2.3미터가 넘는 대작이다. 괴석의 빛깔이 남색과 갈색으로 교차하고 있으며 모란꽃의 빛깔이 유난히 짙어서 더없이 화려한 분위기를 연출하고 있다.

29 화훼도(4곡 병풍), 20세기 초, 비단에 채색, 각 폭 166.5×52.8cm, 국립고궁박물관 소장

화훼도

궁궐 실내의 장식병풍으로는 화조도와 화훼도花卉圖가 그려진 것도 많았는데, 국립고궁박물관에는 아름다운 4폭 병풍 두 틀이 전하고 있다.

〈화훼도〉(4곡 병풍)도29는 폭마다 괴석, 매화, 모란이 그려져 있는데 화면 전체에 고고한 분위기가 짙게 풍기고 있어 회화성과 장식성이 동시에 느껴진다. 아주 능숙한 화원의 세련된 필치를 엿볼 수 있다.

〈모란도〉(4곡 연결병풍)도30는 화사하면서도 청초한 멋을 풍기는 아름다운 꽃그림으로 왕실의 품위가 한눈에 느껴진다. 폭마다 괴석과 모란이 그려져 있는데 낱폭으로도 자기 구도를 갖추고 있으면서 동시에 네 폭 전체가 하나의 화면을 이루는 일지병풍이다.

30 모란도(4곡 연결병풍), 19세기 말, 비단에 채색, 160.0×255.3cm, 국립고궁박물관 소장

궁궐의 붙박이 그림

궁궐에는 장식병풍 외에도 벽에 바른 부벽화와 장지문에 바른 창호 그림 등 붙박이 그림들이 있었다. 그중 궁중의 부벽화들은 건물을 유지 보수하는 과정에 사라지곤 하여 현재 전하는 것이 아주 드물다.

궁궐의 붙박이 그림으로 현재 건물에 그대로 전하는 것은 1920년에 건립된 창덕궁 신선원전新璿源殿 감실의 〈일월오봉도〉와 〈모란도〉, 그리고 1923년 창덕궁 희정당, 대조전, 경훈각景薰閣을 재건할 때 그린 해강海岡 김규진金奎鎭(1868~1933)의 〈총석정절경도叢石亭絶景圖〉와 〈금강산만물초승경도金剛山萬物肖勝景圖〉, 이상범李象範(1897~1972)·김은호金殷鎬(1892~1979)·이용우李用雨(1904~1952)·노수현盧壽鉉(1899~1978)·오영일吳一英(1890~1960) 등의 합작인 〈봉황도鳳凰圖〉, 〈백학도白鶴圖〉, 〈조일선관도朝日仙觀圖〉, 〈삼선관파도三仙觀波圖〉도31 등이 있다. 이 그림들은 우리 초기 근대미술사의 명작으로 조선왕조의 궁궐 장식화의 전통을 말해준다.

31 창덕궁 경훈각의 〈삼선관파도〉

한편 경복궁의 왕비의 공간인 교태전交泰殿에 장식되었던 부벽화인 〈파상반도도波上蟠桃圖〉, 〈쌍조유희도雙鳥遊戱圖〉, 〈원후반도도猿猴蟠桃圖〉 등은 현재 국립중앙박물관에 전하고 있다.

경복궁 교태전은 1865년(고종 2) 경복궁 중건 때 세워졌으나 이후 화재로 불타 1888년(고종 25)에 재건되었으며 많은 장식화들이 벽화로 부착되었다. 그런데 1917년에 화재를 입은 창덕궁 대조전의 복원을 위하여 1918년 경복궁 교태전 건물을 해체하여 그대로 옮길 때 조선총독부박물관이 교태전에 있던 부벽화를 떼어내어 박물관 진열품으로 소장하게 된 것이다.(국립중앙박물관 특별전 〈빛의 과학, 문화재의 비밀을 밝히다〉, 2020) 이 부벽화들을 과학적으로 분석한 결과 석간주, 청석 등

32 파상반도도, 19세기 후반, 비단에 채색, 244×247cm, 국립중앙박물관 소장

광물질 안료인 석채石彩를 사용했으며, 금분金粉은 금가루가 아닌 구리와 아연을 주성분으로 한 금빛 안료였다고 한다.

이 그림들은 모두 장식성이 강한 화려한 청록진채靑綠眞彩 그림이다. 〈파상반도도〉도32는 궁중 장식화로 많이 그려진 해학반도도 중 파도 위의 반도만을 그린 것이며, 〈쌍조유희도〉도33는 아름답고 진귀한 새들이 꽃이 만개한 노목에 쌍쌍이 날아들어 앉아 있는 그림이고, 〈원후반도도〉는 흐드러진 자태의 노송이 있는 그윽한 골짜기에서 원숭이들이 반도를 따먹으며 노니는 이국 취향의 그림이다.

이와 같이 궁궐 건물을 해체하거나 새로 도배할 때 이를 오려서 족자나 액자로 장황했음은 능히 상상할 수 있는데 미국 필라델피아미술관에 소장된 〈공작도

33 쌍조유희도, 19세기 후반, 종이에 채색, 134×263cm, 국립중앙박물관 소장

孔雀圖〉와 〈봉황도〉 쌍폭이 그런 예의 하나로 생각된다.도34 이 채색 화조도는 전형적인 궁궐 장식화로, 특히 〈봉황도〉는 아침 햇살이 비치는 오동나무 아래서 한 쌍의 봉황이 아홉 마리의 새끼를 품고 있는 구추봉도九雛鳳圖이다. 이는 전통적으로 왕과 왕비의 침전을 장식하는 도상이었다.(우현수, 〈미국 필라델피아미술관 소장 〈봉황 공작도〉 쌍폭에 대하여〉, 2009)

왕가의 저택에 장식되었던 붙박이 그림으로는 흥선대원군의 운현궁 안채인 노락당老樂堂을 수리할 때 벽에서 발견된 쌍폭의 〈화훼괴석도花卉怪石圖〉도35가 있다. 노락당은 19세기 중엽에 건립될 당시 흙벽을 종이로 도배하고 그 위에 그림을 붙여두었는데 수리할 때마다 그 위에 그림이나 글씨를 덧붙였다. 그 결과 벽지가 모두 32겹으로 두께가 2.4센티미터에 달하였으며 그 속에서 그림 15점과 글씨 15점이 수습되었다. 〈화훼괴석도〉는 그중 하나로 괴석 사이에서 피어난 찔레꽃과 모란꽃을 화사하게 그린 우아하면서 문기 있는 그림인데 어딘지 당시 화조도에 능했던 신명연申命衍(1808~1886)의 화풍이 느껴지기도 한다.

이런 붙박이 그림은 왕가뿐만 아니라 양반집에도 장식되었다. 특히 양반 저

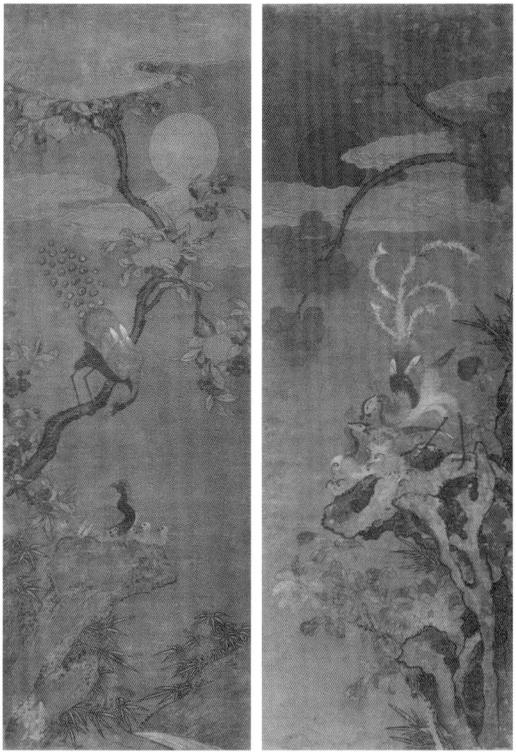

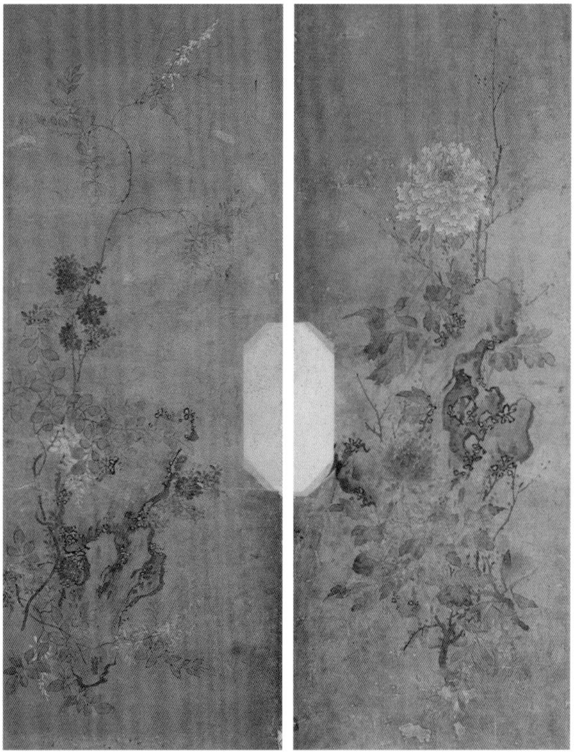

34 공작도·봉황도, 19세기, 종이에 채색, 각 폭 156.8×55.2cm, 미국 필라델피아미술관 소장

35 화훼괴석도, 19세기, 종이에 채색, 123×46cm, 서울역사박물관 소장 (운현궁 기증품)

택의 안방 두껍닫이에는 화려한 채색 화조도가 부착되었을 것으로 생각되며, 현재 족자와 액자로 전하는 쌍폭의 화조도 중에는 붙박이 그림을 떼어 장황한 것도 많을 것으로 보이는데 대갓집의 사랑방에는 채색 화조도가 아니라 수묵 산수화 같은 감상화가 붙박이 그림으로 장식되기도 했다. 그 대표적인 예로 관아재觀我齋 조영석趙榮祏(1686~1761)은 지방관 근무를 마치고 서울 집으로 돌아와 보니 겸재 정선이 장지문에 그린 〈절강추도도浙江秋濤圖〉를 누군가가 도려 가 없어져 서운했다고 한 바 있다.(유홍준, 《화인열전》, 역사비평사, 2001)

국립고궁박물관에는 궁궐 전각에서 창호 그림을 떼어내어 병풍으로 보관하고 있는 유물이 여러 점 있다. 궁궐의 침전은 왕과 왕비의 방을 가운데 두고 사방으로 방이 붙어 있는 우물 정井 자 구조로 되어 있고 방과 방 사이에는 불발기창으로 원창 또는 팔각창이 나 있는 장지문이 설치되어 있었다. 이 장지문에 창호 그림으로

36 십장생도(4곡 연결병풍), 19세기 말, 비단에 채색, 118.0×230.5cm, 국립고궁박물관 소장

그려져 있던 십장생도도36와 일월오봉도는 독특한 아름다움을 보여준다.(박윤희, 〈궁궐 전각의 장식그림: 창호그림과 부벽화〉, 《궁궐의 장식그림》, 국립고궁박물관, 2009)

동관왕묘의 삼국지연의도

조선시대 붙박이 그림의 특수한 예로 서울 동관왕묘東關王廟의 〈삼국지연의도三國志演義圖〉도37가 있다. 이 그림은 안드레아스 에카르트Andreas Eckardt(1884~1974)의 《조선미술사》(1929)에 사진이 실려 있어 동관왕묘에 진설되었던 것으로 확인되었다. 현재 서울역사박물관과 국립민속박물관에 각각 아홉 폭, 일곱 폭이 나뉘어 소장되어 있다.

조선왕조는 문文을 숭상하여 공자를 모신 문묘文廟는 성균관과 전국의 향교에 세웠지만 무묘武廟는 세우지 않았다. 그러다 임진왜란 때 조선에 파병된 명나라 장수들이 전란 중 관우關羽(?~219)의 사당을 세운 것이 계기가 되었다. 전란이 끝난 뒤 명나라는 조선에 무묘를 제대로 세울 것을 요구했고, 명나라 만력제萬曆帝(재위 1572~1620)가 친필 현판과 건축 자금을 하사하여 1601년(선조 34)에 동

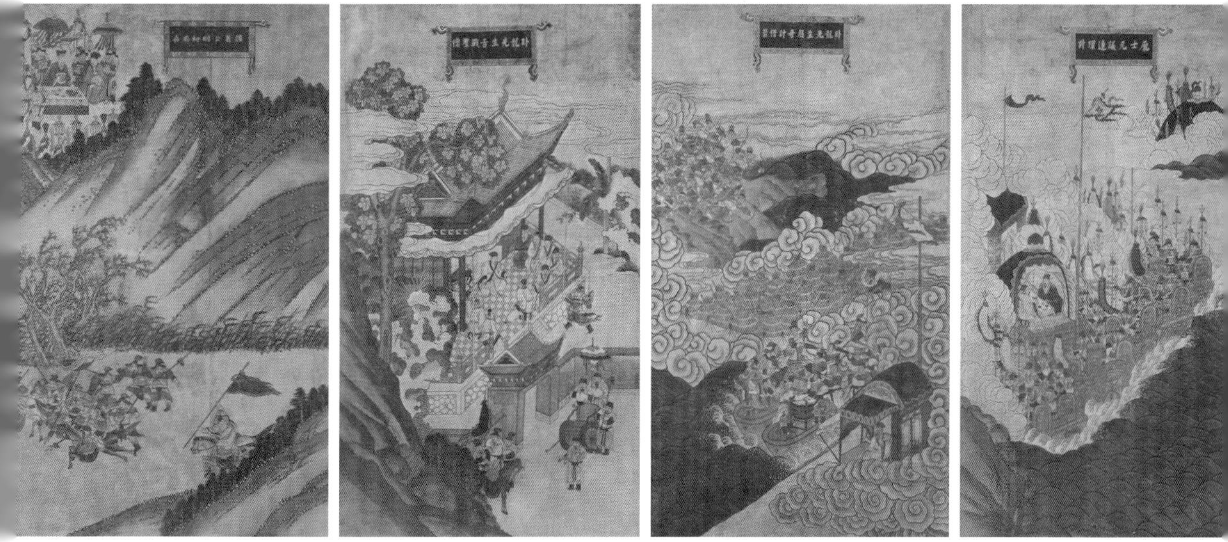

37 삼국지연의도(9폭, 부분), 19세기 말, 종이에 채색, 각 폭 230.0×139~170.5cm, 서울역사박물관 소장

관왕묘가 현재 남아 있는 것과 같은 규모와 격식으로 건립되고 관우상이 봉안되었다.

이후 조선은 동관왕묘를 무묘로서 관리하며 때에 맞추어 제사를 올렸다. 여기에 더해 동관왕묘보다 이른 시기인 1598년(선조 31)에 건립된 남관왕묘가 있었고, 1883년(고종 20)에는 북관왕묘가 세워졌으며, 1903년에는 돈의문敦義門 바깥에 유비劉備(161~223)와 함께 관우 등을 배향한 숭의묘崇義廟까지 건립되어 서울의 동서남북에 관우를 모신 사당이 자리 잡게 되었다. 그러다 1908년(순종 2) 향사享祀를 철폐할 때 다른 관왕묘들에 있던 그림과 조각상을 동관왕묘로 옮기게 하였고, 이 그림들이 일제강점기를 거치면서 동관왕묘가 허술하게 관리될 때 외부로 흘러나온 것으로 추측된다.

관왕묘는 국가적 위상이 높았기 때문에 여기에 장식되었던 그림들은 전문 화가의 솜씨로 여타의 민화풍 삼국지연의도와는 격을 달리하고 있다. 현재 전하는 삼국지연의도 병풍 중에는 관왕묘에서 나온 다른 작품도 있을 것인데 이 그림들도 다른 민화풍의 그림들과는 전혀 다른 정통 화풍을 지니고 있을 것으로 생각된다.

동관왕묘에 진설되었던 〈삼국지연의도〉는 틀에 발라 벽에 부착했던 것으로 보이며 각 폭의 높이가 2.3미터에 달하는 대작이다. 너비는 1.4미터에서 1.7미터로 제각기 다른데, 이는 본래 서로 다른 관왕묘에 진설되어 있던 작품이기 때문에 나타난 차이로 보인다.

〈삼국지연의도〉는《삼국지연의》의 주요 장면을 그리면서 각 폭마다 그림 상단에 "제갈공명이 처음으로 병사를 운용하다[諸葛公明初用兵]", "장 장군이 익주성을 지키다[張將軍守益州城]" 등 그림의 주제를 편액이 걸린 모습으로 써넣었다. 각 화면은 청록산수의 진채로 배경을 나타내고 주제가 서사적으로 전개되도록 그렸다. 전투 장면은 대각선 구도로 하고, 성채 안의 일은 누각산수도풍으로 그리면서 인물 묘사를 비교적 정확하게 하였다. 파도치는 모습이나 산세를 다소 도식적으로 나타낸 것 등에 조선 후기의 화풍이 엿보인다.

궁궐 대문의 문배도

벽사화辟邪畵는 액厄을 막기 위해 붙인다고 해서 액막이 그림, 귀신을 쫓는다고 해서 방매귀放枚鬼 그림이라고도 하며, 대문에 붙인다고 해서 문배도門排圖, 설날에 붙인다고 해서 세화歲畵라고도 불렀다. 중암重菴 강이천姜彛天(1768~1801)은 〈한경사漢京詞〉에서 세화를 이렇게 노래했다.

문마다 벽마다 신령을 그렸는데	門門壁壁畵神靈
새해에 근심 없이 가내 평안하라	新歲無憂閤內寧

세화는 오늘날 전통이 거의 끊어져 지방의 대갓집 대문에 용龍·호虎 두 글자나 입춘대길立春大吉, 건양다경建陽多慶을 써서 붙이는 정도만 남아 있다. 그러나 중국에는 여전히 연화年畵라고 하여 춘절春節(음력 설날)의 풍속으로 남아 있는데 오늘날에는 주로 관우 그림을 붙이곤 한다.

세화는 세배, 세비음歲庇陰(설빔)처럼 설날 궁궐에서 민가에 이르기까지 퍼져 있는 세시풍속의 하나였다. 세화는 도화서 화원들의 중요한 일 중 하나여서

38 금갑장군 문배도(2폭), 20세기 초, 종이에 채색, 각 폭 168×77cm, 풍산 류씨 종택 소장

1867년에 펴낸 《육전조례六典條例》에는 "차비대령화원(26명)은 각 30장, 도화서 화원(30명)은 각 20장을 섣달 스무날까지 그려 바쳐야 한다"라는 규정이 있을 정도이다.

세화의 내용에 대해서는 홍석모洪錫謨(1781~1857)의 《동국세시기東國歲時記》에 다음과 같이 나와 있다.

> 도화서에서는 수성壽星, 선녀仙女, 직일장군直日將軍의 그림을 그려 임금께 드리고 또 서로 선물하는 것을 이름하여 세화라 한다. … 그러므로 여러 관가와 임금의 친척집 문짝에도 모두 이것을 붙인다. 여염집에서도 이를 본뜬다.

홍석모가 세화의 주제로 말한 '수성'은 인간의 수명을 관장하는 별자리인 남극성을 주재하는 신선이고, '선녀'는 옥황상제玉皇上帝와 살고 있는 천상의 여신이고, '직일장군'은 그날 하루를 맡는 신으로 모두 도교道教의 신상이다.

그런데 세화의 내용은 문헌마다 조금씩 다르게 나와 있다. 역시 19세기의 기록인 김매순金邁淳(1776~1840)의 《열양세시기洌陽歲時記》에서는 "금金장군, 갑甲장군을 그린 것을 궁궐의 대문에 붙인다"라고 했다. 금장군, 갑장군이란 당나라 태종을 호위했던 진경秦瓊(?~638)과 울지공尉遲恭(585~658)의 고사에서 유래한 대문大門의 신이다. 전설에 따르면 태종이 잠잘 때 문 밖에서 귀신들이 떠드는 소리가 들려 잘 수 없다고 했는데, 진경과 울지공이 완전무장을 하고 문을 지키자 무사히 잠을 잘 수 있었다고 한다. 이후 이들은 대문을 지키는 신상이 되었다는 것이다. 울지공은 '위지공' 혹은 '울지경덕尉遲敬德'이라고 불리기도 하였는데 이것이 와전되어 〈성조가成造歌〉에서는 '을지문덕'으로 불리기도 했다.

2015년 국외소재문화재재단이 주미대한제국공사관을 복원하는 과정에 미국의회도서관에서 19세기 말(1881~1882)에 광화문을 촬영한 흑백사진을 찾아냈는데 여기에 금갑장군 문배도가 붙어 있는 것을 확인할 수 있었다. 그런데 홍석모가 여염집에서도 이를 본떴다고 한 바, 안동 하회마을 풍산 류씨 화경당和敬堂에 금갑장군 문배도 채색본 한 쌍이 전하고 있어도38 문화재청은 2021년 설날 경복궁 광화문 대문에 이 문배도를 재현하였다.

63장
민화

파격의 미와 일탈의 즐거움

민속미술로서의 민화
민화의 재발견
민화에 대한 기록
조선 후기 생활·장식화의 유행
〈성조가〉와 〈한양가〉
문인들이 본 광통교 그림
민화의 화가들
민화의 세계
벽사화 1: 계견사호도
벽사화 2: 호작도
부적판
민화 화조도
모란 병풍
민화 산수화 1: 진경산수
민화 산수화 2: 정형산수도
민화 고사인물도
민화 시의도
소설 민화 1: 삼국지연의도
소설 민화 2: 춘향전도
소설 민화 3: 구운몽도
민화 책가도
문자도
조선시대 회화사에서 민화의 위상

민속미술로서의 민화

미술사는 미술품 자체의 역사뿐만 아니라 그것에 대한 해석의 역사까지 포함한다. 그 결과 기존 미술사에서 전혀 주목받지 못하거나 낮게 평가되던 예술이 세월의 흐름 속에 새롭게 조명되는 일이 종종 일어나곤 한다. 서양미술사에서 고트족의 야만스러운 미술이라고 폄하되던 고딕미술이 '고딕상징주의'로 재평가받은 것이나 19세기 인상주의 회화의 등장 과정이 그 대표적인 예이다.

한국미술사에서도 통일신라에 비해 열등한 것으로 평가되던 고려시대 불상이 근래에 들어와서 파워풀한 이미지를 갖고 있는 개성적인 조각상으로 재해석되고 있고, 고려시대에 비해 기법이 떨어지는 것으로 생각되던 조선시대 불화가 서사적 전개라는 시각에서 새롭게 주목받고 있다.

그런 중 아직 한국미술사에서 정식으로, 혹은 본격적으로 다루어지지 않고 있지만 연구논문과 저술, 미술 관련 학회, 박물관의 전시회를 통해 그 미적 가치가 인정되고 묵시적으로 미술사적 지위를 얻고 있는 장르로 민화가 있다.

한동안 민화는 전문 화가의 예술성을 갖춘 미술작품이 아니라 무명 화가가 그린 수준 낮은 그림으로 치부되어 왔다. 그러나 조선 후기에 발달한 민화는 지배층의 정통 미술에서는 전혀 볼 수 없는 '민속미술'만의 특징과 아름다움이 있다. 서양미술사에서는 이를 포크 아트folk art, 또는 나이브 아트naive art라 부른다.

민속미술의 미적 특질은 기본적으로 정교한 예술적 기교보다 삶의 정서가 짙게 배어 있는 소박한 아름다움이 바탕을 이룬다. 민화에 어려 있는 이 순박한 정서는 우리가 민요民窯 도자기에서 느끼는 삶의 체취와 친숙함 같은 것이다. 그리고 민화에는 제도권 미술의 엄격한 예술적 규범에서 벗어나 조형적 자유를 누리는 일탈의 즐거움이 있다.

민화가 미술사에서 본격적으로 다루어지지 않는 이유 중 하나는 낱낱 작품의 개성이 뚜렷하지 않고 창작자가 밝혀져 있지 않다는 익명성匿名性 때문이기도 하다. 그러나 익명성이라는 것이 몰개성을 의미하는 것은 아니다. 민속미술에서

호작도, 19세기, 종이에 담채, 91.7×54.8cm, 개인 소장

예술적 개성이란 집단적 개성이라고 할 수 있다. 원시미술로 분류되는 아프리카 조각이 익명성 때문에 그 예술성이 부정되지는 않는다. 이 점은 조선 후기 장승도 마찬가지다.

민화의 재발견

민화가 그동안 한국미술사의 한 장르로 다루어지지 않은 이유에 대해서 안휘준 교수는 "민화의 가치를 모르거나 인정하지 않기 때문에 그것을 미술사에서 다루지 않는 것이 아니라 … 미술사료美術史料로서의 요건을 충분히 갖추고 있지 못하기 때문이다"라고 하였다. 실제로 민화는 미술사적으로 체계화되어 있지 않아 그 개념과 범주가 사용하는 사람마다 다를 정도로 혼란스럽다.

민화라는 용어를 처음 사용하면서 그 아름다움에 주목한 이는 일본인 민예학자 야나기 무네요시였다. 그는 1959년에 《민예民藝》지에 〈불가사의한 조선민화〉를 발표하면서 "한국의 국민 자신도 이 분야(민화)를 연구한 사람이 없고, 따라서 문헌도 없고 하물며 정리된 한 권의 서적도 간행되지 않은 것이 실상이다"라며 안타까움을 밝혔다.

이러한 민화를 크게 부각한 것은 조자용, 김철순, 김호연 등 민화 연구가들이었다. 이들은 1970년대 들어 적극적으로 민화를 수집하고 민화의 아름다움에 대한 글과 저술을 열정적으로 발표하였다. 특히 조자용은 민화 전문 미술관인 에밀레미술관을 세웠고《한국 민화의 멋》(브리태니커, 1972)이라는 책을 간행하였다.

이것이 기폭제가 되어 수많은 민화 전시회가 열렸고 도록도 여럿 발간되었다. 1975년 국립중앙박물관에서 개최된 〈민예미술 대전〉, 김호연의《한국 민화》(경미문화사, 1980), 조자용과 이우환이 편집고문으로 참여한 일본어판 도록《이조의 민화李朝の民畵》(상·하, 강담사, 1982),《계간 미술》에서 간행한 김철순 감수《민화》(한국의 미 8)(중앙일보사, 1982), 호암미술관 개관 1주년 기념전으로 열린 〈민화 걸작전〉(1983) 등이 이어지면서 그야말로 '민화 붐'이 일어났다. 특히 이우환, 김기창, 권옥연, 변종하 등 많은 화가들이 민화 수집에 열을 올리면서 인기를 더해갔다.

그러는 사이 민화는 그 개념과 범주가 명확하지 않아 많은 혼란을 야기하게 되었다. 특히 민화의 범위를 너무 넓게 잡아 기존 회화사에서 잘 다루지 않은 장식화들까지 민화로 부르는 경향을 낳아 일월오봉도, 해학반도도 같은 명백한 궁중 장식화까지 민화의 범주에 포함시키는 문제가 있었다. 이런 현상은 기존의 회화사가 순수 감상화에 치중하고 궁중과 양반사회의 장식화의 세계를 누락시킨 데서 비롯한 것이었다. 그 결과 민화의 본질과 성격이 오히려 흐려지게 되었다.

그러나 근래에 들어 회화사를 전공한 미술사가들이 장식화와 분리하여 민화의 세계를 집중 조명하면서 비로소 민화는 나름의 예술적 특징과 가치를 명확히 드러내고 있다. 박정혜·서윤정 등은 왕실과 양반 사회의 장식화를 하나의 장르로 명확히 규명하는 논문과 저서를 발표하였고, 윤열수·김호근·정병모·윤진영 등은 민화에 대한 체계적이고 심도 깊은 저서와 방대한 도록을 펴내었다. 그리고 정기 간행물로《월간 민화》가 발간되고 있다. 이제 민화는 조선시대 회화사의 한 장르로 당당히 자리매김해 가고 있다.

민화에 대한 기록

민화를 학문적(미술사적)으로 체계화하기 위해서는 먼저 그 범위와 종류를 명확히 해야 한다. 이를 위해서는 민화, 즉 서민들의 생활·장식미술에 대해 증언해 주는 문헌자료의 뒷받침이 절대적으로 필요한데 이에 대해서는 다음과 같은 당대의 증언들이 있다.

- 성현成俔(1439~1504)의《용재총화慵齋叢話》
- 유득공柳得恭(1749~1807)의《경도잡지京都雜誌》
- 강이천姜彝天(1768~1801)의〈한경사漢京詞〉
- 김매순金邁淳(1776~1840)의《열양세시기洌陽歲時記》
- 홍석모洪錫謨(1781~1857)의《동국세시기東國歲時記》
- 이규경李圭景(1788~1856)의《오주연문장전산고五洲衍文長箋散稿》
- 지규식池圭植(1851~?)의《하재일기荷齋日記》
- 한산거사漢山居士의〈한양가漢陽歌〉

• 경기도 지방 무가巫歌인 〈성조가成造歌〉

이중 성현의 《용재총화》를 제외하면 모두 조선 후기, 특히 19세기에 유행한 생활·장식화에 대해 증언이다.

조선 후기 생활·장식화의 유행

조선 후기에 서민들의 생활문화 속에서 민화가 발달하게 된 것은 당시의 사회경제적 성장에 따른 것이었다. 조선 후기는 농업 생산력의 증가, 상공업의 발전, 시장경제의 진전으로 삶의 질이 향상되고 신분 질서에도 큰 변화가 일어났다. 역사학자 김용섭, 정석종 등이 대구, 울산 등의 호적 대장을 조사한 결과를 보면 비록 자료의 한계는 있지만 18세기 초 숙종 말년 양반의 수가 전체 인구의 10퍼센트 남짓했던 것이 18세기 말 정조 연간에는 그 두 배로 늘어났고 19세기 중엽 철종 연간에 이르면 기하급수적으로 늘어났다.

상공업의 발달과 함께 부상한 신흥 부유층을 요호부민饒戶富民이라 일컬었다. 요호부민들은 그동안 지배층인 왕실과 양반사회에서 유행하던 장식화를 향유하기 시작하였고 사회경제의 발전과 함께 급기야 서민사회에도 번져나가며 생활·장식화, 즉 민화가 급속히 발전하였다.

민화는 한옥의 구조와 밀접한 연관을 갖고 있다. 한옥의 기본은 온돌과 마루인데 일一자 집이 ㄱ자 집으로, 다시 ㄷ자 집으로 확대되었고 마침내는 터진 ㅁ자 집으로 확장되었다. 터진 ㅁ자집은 마당을 가운데 두고 부엌·안방·대청·건넛방이 ㄱ자를 이루고 헛간·광·대문·사랑채가 ㄴ자를 이루는 형태이다.

여기서 그림 치장이 뒤따르는 공간은 두껍닫이, 장지문, 다락문, 벽장문이 있다.도1 안방과 사랑방에는 미닫이문을 보호하는 두껍닫이, 다락과 벽장의 문이 있다. 그리고 안방과 뒷방을 나누는 장지문이 있다. 안방에는 대개 화조도, 사랑방에는 사군자도·산수도 또는 글씨 대련이 장식되었다. 곳간에는 풍요를 비는 닭과 이를 지키는 개, 그리고 대문과 중문에는 벽사화인 호랑이 그림과 장수를 상징하는 거북 그림이 붙여지곤 하였다.

1 장식용 그림이 문과 벽에 붙어 있는 한옥 풍경
(엘리자베스 키스, 《Old Korea》, 1946)

2 산수도 병풍 앞에서 장기를 두는 노인들
(조지프 롱포드, 《The Story of Korea》, 1911)

3 화조도 병풍을 바라보는 아이들과 엄마
(제임스 게일, 《Korean Sketches》, 1898)

4 병풍 앞에서 식사하는 외국인 신부들
(노르베르트 베버, 《Im Lande der Morgenstille》, 1915)

한옥은 온돌이라는 난방 구조 탓에 실내 공간이 좁기 때문에 필요에 따라 옮길 수 있는 장식병풍으로 실내를 꾸미곤 하였다.도2·3 또한 잔치나 관혼상제冠婚喪祭를 옥외에서 치르곤 하였는데, 이를 위해서도 병풍이 필요하였다.도4 병풍은 행사에 따라 각기 거기에 맞는 그림의 종류가 달랐기 때문에 크게 발전하여 많은 수량이 제작되었고 그 내용도 아주 다양하게 전개되었다. 이것이 조선 후기에 유행한 민화의 실체이다.

〈성조가〉와 〈한양가〉

주택을 장식했던 그림의 양상은 경기도 지방 무가인 〈성조가〉에서 성주님을 새

5 태평성시도(8곡 병풍) 중 종이 가게(왼쪽)와 그림 가게(오른쪽) 부분, 19세기 초, 비단에 채색, 각 폭 113.6×49.1cm, 국립중앙박물관 소장

로 모시면서 부르는 '황제풀이'에 잘 나타나 있다. 가사에 후렴으로 나오는 '둥두우지 부쳤구나, 역역이(역력히)도 부쳤구나'를 생략하면 다음과 같다.

> 도배치장 볼작시면/ 안방 문을 쳐다보니 부모님께 만년수萬年壽라/ 건넛방 문 쳐다보니 자손에게 만년수라/ 동편 벽을 바라보니 한漢 충신 유현덕劉玄德(유비)은 추강에 배를 띄워 적토마를 뚜벅뚜벅 바삐 몰아 남양 초당 풍설 중에 와룡선생臥龍先生(제갈량諸葛亮) 보러 가는 형상/ 도연명陶淵明 전초사는 평태양을 마다하고 추강에 배를 띄우고 청풍명월 흘러가는 형상/ 상산사호商山四皓 네 노인이 바둑 장기 두는 형상/ 육관대사 성진이가 팔선녀 다리 희롱하는 형상 … 대문에는 울지문덕(울지공의 오기)/ 중문에는 진숙불(진경)/ 도배장 그만하고 그림치장 그만할 제 … 병풍치장 볼작시면 모란병, 백동자병, 대병풍, 소병풍, 머릿병풍을 거두었고….

그림에 대한 수요가 일어나면서 한양 광통교廣通橋 일대에는 서화를 전문으로 매매하는 상점이 등장하였다. 처음에는 종이 가게인 지전紙廛이 있어 여기서

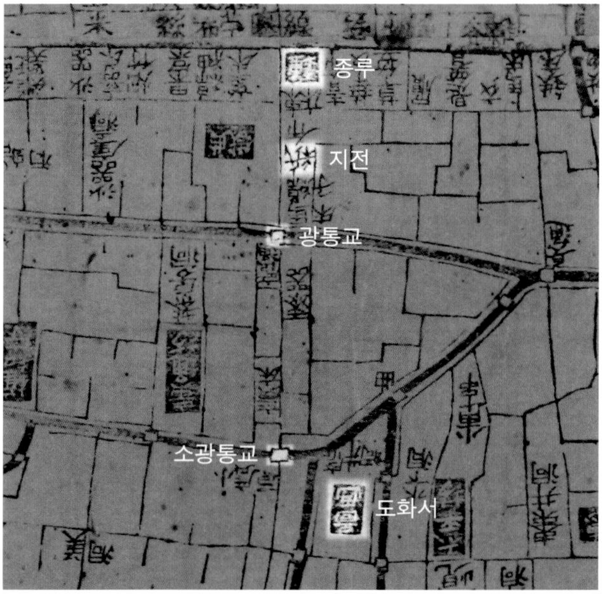

6 조선 말기 광통교 일대 지도
(〈수선총도〉(부분), 19세기 중엽,
목판본, 89.0×81.2cm,
서울역사박물관 소장)

그림을 팔다가 나중에는 서화포書畵鋪, 서화사書畵肆가 생겨났다. 광통교의 그림 시장은 제법 활성화되어 1803년(순조3) 차비대령화원이 매달 치르는 녹취재 시험문제로는 광통교에서 그림 사고파는 풍경을 그리라는 '광통교 매화廣通橋賣畵' 라는 화제가 출제되었을 정도였다. 19세기 초의 그림으로 추정되는 〈태평성시도太平城市圖〉도5에서 사람들의 의복과 건물들은 중국풍으로 묘사되었지만 생활상은 당대 조선의 것을 보여주는데 종이 가게와 그림 가게도 그려져 있다.

19세기 말의 한양 지도를 보면 지전은 광통교(대광통교) 북쪽에 있었고, 광통교의 남쪽으로 가면 도화서圖畵署가 있었다.도6 서화포는 대개 광통교의 서쪽 청계천 남쪽 천변에 있었던 것으로 전한다. 당시에 서화포는 자못 번성하였는데, 무관 벼슬을 제수받기도 한 주인섭朱寅燮(1839~?)은 1890년(고종 27)에 가게를 열어 거상으로 성장하여 손자까지 가업을 이어가기도 했다.(윤진영, 〈조선 말기 궁중양식 장식화의 유통과 확산〉,《조선 궁궐의 그림》, 돌베개, 2012)

이 광통교 일대에서 매매되는 그림의 종류는 1844년(헌종 10)에 한산거사가 지은 것으로 알려져 있는 〈한양가〉에 구체적으로 나와 있다.

광통교 아래 가게에 갖은 그림 걸렸구나/ 보기 좋은 병풍차의 백자도, 요지연도, 곽분양행락도며/ 강남 금릉金陵(중국 남경)의 경직도耕織圖며/ 한가한 소상팔경瀟湘八景 산수도 기이하다/ 다락벽 계견사호鷄犬獅虎(닭, 개, 사자, 호랑이)/ 장자문 어약용문魚躍龍門, 해학반도, 십장생과/ 벽장문에 매죽난국 …

〈한양가〉는 이어 두루마리 그림으로 《구운몽九雲夢》, 낚시하는 강태공姜太公, 바둑 두는 상산사호, 유비가 제갈량 찾아가는 삼고초려三顧草廬, 도연명의 귀거래歸去來, 술 취한 이태백李太白 등을 노래하고 또 대문에 붙이는 신장神將상과 모자를 쓴 문신門神들을 진채 먹여 그린 것이 있다고 늘어놓으면서 "화려하기 측량없다…"를 연발하고 있다.

이것이 조선 후기 유행한 서민의 생활·장식화인 민화의 구체적인 내용이다.

문인들이 본 광통교 그림

이렇게 광통교에서 매매되는 그림들을 당시에는 '속화俗畵'라고 지칭하기도 하였다. 여기서 말하는 속화는 풍속화라는 뜻이 아니라 정통 화법을 따르지 않은 속된 그림이라는 의미를 지니고 있는 것이다. 19세기의 실학자인 이규경이 지은 일종의 백과사전인 《오주연문장전산고》의 〈제병족속화변증설題屛簇俗畵辨證說〉에는 다음과 같은 기사가 나온다.

우리나라 여염집의 병풍, 족자 그리고 벽에는 속화가 붙여지는데 그런 그림에는 본래 뜻이 있건만 그리는 자들이 그 내용을 알지 못하고 있는 것 같다.

이처럼 광통교에서 거래되는 서민들의 생활·장식화들은 이규경이 말한 바와 같이 질이 낮아 속되게 보였던 것 같다. 그래서 다산 정약용도 이런 그림을 '완본頑本', 즉 수준 낮은 그림이라 칭하며 오사五沙 이정운李鼎運(1743~1800)에게 보낸 편지에서 이렇게 말했다.(《여유당전서與猶堂全書》권18, 〈답오사答五沙〉)

보내주신 신선 그림은 대릉大陵에 계시는 여러분들의 그림은 아닌 듯싶은데, 혹 광통교에서 사 오신 것이 아닙니까? 어떠한 미친 신선이기에 눈은 완연히 욕심에 불타고 얼굴은 순전히 육기肉氣뿐이란 말입니까.

광통교의 지물포는 20세기 중엽까지 있었다. 일제강점기에 조선총독부에서 펴낸 《한국지리풍속지총서》 '경제'편의 '지물서화포紙物書畵鋪'에서 지류와 집의 기둥이나 벽 등에 붙이는 서화를 판매하는 곳으로 소개하고 있다. 그리고 지전을 중심으로 그림 그리는 사람은 '지전 그림쟁이' 또는 '지전 사람'으로 불렸다.

지방의 큰 시장에서도 그림을 팔았다고 한다. 한 예로 프랑스 국립기메동양박물관에 소장된 문자도文字圖는 조선을 방문했던 프랑스 민속학자 샤를 바라 Charles Varat(1842~1893)가 1889년(고종 26) 경상남도 밀양을 여행할 때 우연히 들른 시장에서 산 것이라고 한다.(이상국, 〈국립기메동양박물관 소장 경상도 유교문자도를 중심으로 – 교화에서 출발해 회화에 다다른 문자도의 여정〉, 《월간 민화》 2018년 12월호)

이 광통교의 분위기는 2016년 서울역사박물관에서 열린 〈광통교 서화사〉 기획전에서 실감 나게 보여준 바 있다.

민화의 화가들

지전에 매물로 나온 그림의 공급자는 대개 세 부류였을 것으로 추정된다. 첫째는 사적으로 그림을 그려 내다 판 도화서 화원들이다. 당시 도화서는 견평방堅平坊에 있다가 광통교 가까이의 태평방太平坊으로 이전하여 있었기 때문에 그림 공급에 유리하였다. 도화서가 폐지된 이후에는 직업을 잃은 화가들이 시중에 그림을 팔면서 생계를 이어갔으리라고 생각된다.

대표적인 증언으로 중암 강이천은 한양 풍속을 106수로 읊은 〈한경사〉에서 광통교 그림 매매를 다음과 같이 노래했다.

한낮의 광통교 기둥에 그림이 걸렸는데	日中橋柱掛丹青
여러 폭 긴 비단 그림은 병풍으로 만들 만하네	累幅長絹可幛屛

가장 많은 것은 근래 도화서 화원의 그림이니　　　　　最有近來高院手
많이들 절묘한 속화를 탐내는구나　　　　　多耽俗畵妙如生

둘째는 '지전 환쟁이'들이다. 그림에 대한 수요가 증가하면서 자연히 지전에 납품하는 무명 화가들이 생겼다. 심지어는 오원吾園 장승업張承業(1843~1897)도 처음에는 이 지전 환쟁이였던 것으로 전한다.

셋째는 각 지방에 있는 민간 화가들이다. 향촌사회의 성장과 함께 일반 서민들도 생활 속의 미술을 누리게 되면서 자연히 지방 아마추어 화가들의 그림이 지전에 나오게 되었다. 그리하여 경기도 화조도, 전주 화조도, 제주도 문자도, 강원도 문자도 등 지역적 특성을 띠는 그림들이 나타났다.

민화의 세계

조선 후기에 민간에서 크게 유행한 그림을 우리는 오늘날 민화라고 부르고 있는데 그 종류는 대단히 다양하다. 감상화, 장식화, 벽사화 등 회화의 전 분야에 걸쳐 그려졌고 창호나 벽에 붙이는 그림 외에 병풍 그림도 많이 그려졌다.

실내를 장식한 민화로는 화조도, 산수도, 사군자도, 책가도 등이 특히 많았다. 이는 조선 말기와 근대기의 사진들이 잘 보여주고 있다. 이 그림들은 나중엔 석판화로 인쇄되어 지물포에서 판매될 정도로 유행하였다.

장식병풍은 화조도, 산수도, 사군자도 같은 감상화뿐만 아니라 용도에 따라 궁궐과 양반사회에서 유행한 도상들이 전 장르에 걸쳐 제작되었다. 혼례 때는 모란 병풍, 돌잔치에는 백자도, 회갑연 잔치에는 십장생도, 곽분양행락도, 평생도가 사용되었다. 사랑방에는 책가도, 신방에는 화조도 머릿병풍, 아이들 방에는 문자도가 장식되었다. 이외에도 무인의 기상을 담은 호렵도,《삼국지연의》·《춘향전》·《구운몽》 등 서사적 내용을 담은 소설을 그린 병풍도 제작되었다.

이중 도화서 화원들이 그려 사적으로 지전에 내다 판 그림들은 정통 장식화들과 크게 다르지 않았을 것이기 때문에 민화로 분류하기 힘들다. 그리고 이른바 '지전 환쟁이'들이 그린 그림들은 다산이 말한 '완본'으로 서툰 그림일 뿐 민화로서의 특징을 찾아보기 힘들다. 특히 사실적인 묘사가 요구되는 곽분양행락도, 평생도, 호렵도 등은 수준 낮은 그림에 머문 경우가 많다. 이런 작품들은 소비 행태는 민화이지만 고유한 멋이 있는 민화가 아닌 서툰 장식화로 생각하게 된다. 다만 소설 그림들은 묘사력과 관계없이 민화로서의 재미가 있다.

우리가 민화로서 주목하게 되는 것은 각 지방의 민간 화가들이 기법의 미숙을 감추지 않고 오히려 정통 미술의 엄격한 미술 규범으로부터 벗어나 조형상의 해방을 누리며 일탈의 즐거움을 구가한 그림들이다. 이들은 기법이 서툰 대신 자유롭게 서민들의 정서에 맞는 그림을 그렸다. 그중 벽사화로 사용된 계견사호도와 세화로 사용된 호작도의 경우는 정통 미술에서는 볼 수 없는 다채로운 세계가 전개되었고 부적화로 호랑이 그림이 크게 유행하였다.

벽사화 1: 계견사호도

벽사화로서 세화에 대한 가장 빠른 기록은 15세기 성현의 《용재총화》로 "설날 이른 새벽 대문간에 처용處容, 종규鍾馗, 닭, 호랑이 등을 붙인다"라고 했다. 처용은 《삼국유사三國遺事》에 역신疫神을 물리친 것으로 나오는 인물을 말하고, 종규는 중국 전설에서 잡귀를 물리치는 귀신이다. 이 두 신상은 현재 전하는 것이 없지만 닭과 호랑이는 후대까지 계속 세화로 그려졌다.

세화는 시대에 따라 유행을 달리하였다. 19세기의 김매순은 《열양세시기》에서 금갑장군을 그린 것은 궁궐의 대문에 붙이고 신선 그림이나 닭 그림, 호랑이 그림을 벽에다 마주 붙인다고 했는데 홍석모는 《동국세시기》에서 춘첩春帖으로는 닭 그림과 개 그림을 붙인다고 하면서 "닭 울음소리에 새해의 덕이 들어오고, 개 짖는 소리에 묵은해의 재앙이 나간다[鷄鳴新歲德 犬吠舊年災]"라고 했다.

또 개는 도둑을 지켜준다고 광문에 붙였고 닭은 새벽에 울음소리로 악귀를 쫓아낸다고 곳간 문에 붙였다고 한다. 이외에도 삼재三災가 든 해에는 특별히 매 그림[鷹圖]을 대문에 붙였다고 한다. 그런가 하면 한산거사의 〈한양가〉에서는 "다락벽에 계견사호"라며 닭, 개, 사자, 호랑이의 네 가지 그림을 말하고 있다.

중인 신분으로 분원 도자기 판매상이었던 지규식의 《하재일기》에는 한양 광

7 계견사호도(4폭), 19세기 말, 종이에 채색, 각 폭 32×30cm, 프랑스 국립기메동양박물관 소장

통교의 지물포에서 계견사호 그림을 팔았던 것을 말해주는 이야기가 나온다.《한국미술사 강의》 제5권의 '말기 백자'에서 자세히 소개한 바 있는 지규식은 분원分院에서 만든 각종 그릇을 관청에 납품하는 공인貢人이었다. 그가 서울에서 쓴 1891년 7월 자 일기에는 경기도 이천에 사는 친구가 두꺼운 장판지와 계견사호 그림을 서울에서 구하여 이천으로 보내달라고 부탁했다고 되어 있다.

실제로 광통교 지물포에서는 계견사호도를 팔았다. 1888년(고종 25) 민속품을 구하기 위하여 조선에 온 프랑스의 인류학자 샤를 바라가 광통교 인근에서 계견사호도 한 세트를 구입하여 본국으로 가져간 것이 지금 파리의 국립기메동양박물관에 전하고 있다.도7 그런데 이와 비슷한 종류의 도상이 널리 일반화되어 있었는지 삼성출판박물관에는 비슷한 분위기의 계견사호도의 목판이 전하고 있다.도8

8 계견사호도 목판, 19세기, 각 폭 84.0×32.8cm, 삼성출판박물관 소장

이 벽사화의 닭, 개, 호랑이에 왜 사자가 들어와 계견사호로 되었는지에 대해서는 확실한 유래가 밝혀져 있지 않다. 또 여기서 말하는 사자는 실제 사자가 아닌 상상의 동물로 해태[獬豸]와 비슷하게 생겨서 자주 혼동을 일으키곤 한다.

사자의 연원을 보자면 조선시대 관복에서 최고위 무관인 도통사都統使의 흉배에 수놓아져 있던 것이 사자이다. 이는 명나라 법전인 《대명회전大明會典》에 규정되어 있는 것인데 조선시대 양반들은 이 사자가 낯설어서인지 호랑이로 바꾸었다고 한다. 그래서 《승정원일기承政院日記》 1756년(영조 32) 2월 25일 기사에는 영조가 무관 1품의 흉배는 사자인데 지금은 무신들이 모두 호랑이 흉배를 하고 있으니 이후로 옛 규정을 지키도록 하라고 지시한 내용이 있다.(윤진영, 〈민화 속의 사자, 양식의 계보를 쫓다〉, 《월간 민화》 2015년 5월호)

9 백자청화호작무늬항아리(사자 부분과 호랑이 부분), 18세기 후반, 높이 42.8cm, 국립경주박물관 소장

계견사호도에 묘사된 형태의 사자는 국립경주박물관 소장 〈백자청화호작무늬항아리〉도9 왼쪽에도 그려져 있는 것이 확인되고 있다. 이 항아리의 반대편에는 벽사화로 큰 인기를 얻었던 호작도虎鵲圖도 그려져 있다.

벽사화 2: 호작도

조선시대 벽사화로 오늘날 가장 잘 알려져 있고 가장 사랑받는, 그리고 민화의 매력과 특징을 가장 잘 보여주는 그림은 호작도虎鵲圖이다. 현재 남아 있는 작품들로 볼 때 가장 오래된 것은 18세기 후반에 분원리 가마에서 제작된 것으로 생각되고 있는 〈백자청화호작무늬항아리〉도9 오른쪽이다. 다만 이 그림은 벽사화라기보다는 정통 회화미가 서려 있는 감상화로서의 성격이 강하다.

10 송호도, 강세황·김홍도, 18세기 후반, 비단에 담채, 90.4×43.8cm, 리움미술관 소장

11 송호도(부분), 김양기, 19세기, 비단에 담채, 122.0×40.1cm, 국립중앙박물관 소장

본래 호랑이, 까치, 소나무는 조선시대 사람들에게 친숙한 대상이었다. 그중 호랑이는 벽사화로서 단독으로도 그려져 왔고 또 소나무와 함께 감상화로도 많이 그려져 단원 김홍도와 표암 강세황의 합작인 〈송호도松虎圖〉도10, 긍원肯園 김양기金良驥의 〈송호도〉도11 등이 전하고 있다. 이 〈송호도〉가 어느 시점에선가 까치와 결합하여 민화인 호작도로 발전한 것으로 보이는데 그 시점과 계기에 대해서는 아직 명확히 밝혀져 있지 않다.

근래의 연구에 의하면 호작도는 표범과 까치를 그린 청나라의 세화인 표작도豹鵲圖에서 나왔다는 설이 유력하게 제기되고 있다. 만주족이 지배한 청나라에

12 호작도, 19세기, 종이에 담채, 85.5×53.2cm, 개인 소장

13 호작도, 19세기, 종이에 담채, 116×80cm, 일본 구라시키[倉敷]민예관 소장

서는 한족의 한자 발음을 다른 이미지와 연결시키곤 하였다. 까치를 뜻하는 희작喜鵲에서 따온 희喜에 표범의 표豹를 합한 단어인 희표喜豹의 중국어 발음이 '시빠오xǐbào'인데, 이는 기쁜 소식이라는 희보喜報의 중국어 발음과 같다. 소나무는 정월正月을 뜻한다. 그래서 소나무 위에 까치가 앉고 그 아래 표범이 있으면 '신년희보新年喜報', 즉 새해에 기쁜 소식이 온다는 뜻이 된다. 이것이 조선에 전래되면서 표범이 호랑이로 바뀌어 호작도가 되었다는 것이다. 실제로 초기 호작도에는 짐승의 무늬가 호랑이가 아닌 표범의 것으로 그려져 있다.

호작도는 대단히 많은 작품이 남아 있는데 기본 도상은 호랑이와 소나무 위에 앉아 있는 까치로 이루어졌다. 호랑이는 맹수로서 위엄을 보이기도 하고 혹은 인간미조차 느끼게 하는 친숙한 표정을 지니기도 한다. 까치는 소나무 위에 앉아 소리를 내고 있거나 날아다니며 화면에 활기를 불러일으킨다. 그리고 호랑이와 까치가 서로 대화하는 듯한 모습도 있고 혹은 까치가 호랑이를 놀리는 듯 희화화

14 호작도, 19세기 말, 종이에 담채, 107.5×74.5cm, 경기대학교박물관 소장

15 호작도, 신재현, 1934년, 종이에 채색, 96.8×56.9cm, 개인 소장

한 그림도 있다.

〈호작도〉도12는 호랑이의 위엄이 과장되어 우람한 몸체에 무서운 눈망울을 굴리고 있다. 이러한 그림은 호작도가 송호도의 도상에서 유래하였고 기본적으로 전문 화가의 작품을 모방하는 데서 출발했음을 말해준다.

그러나 〈호작도〉도13에 이르면 호랑이를 신령스러운 이미지로 능숙하게 변형하여 송호도에서는 볼 수 없는 힘과 재미를 느끼게 된다. 허리가 잘록하여 날씬하게 보이며 눈이 다이아몬드처럼 빛나 무섭게 보이는데 필치가 대단히 유려하여 뛰어난 화가의 솜씨라는 생각이 든다.

〈호작도〉도14의 호랑이는 가다가 돌아서서 붉은 입과 날카로운 송곳니를 드러내며 까치를 위협하고 있다. 한편 까치는 호랑이를 골려주고 있는 모습으로 그려져 해학을 담고 있어 호랑이는 권세를 가진 양반과 관리, 까치는 서민이라는 해석도 나오고 있다.

16 호작도 목판, 19세기 말, 57.7×46.2cm, 개인 소장

17 삼재부적도, 목판 19세기 말,
목판 크기 45×21cm, 국립중앙박물관 소장

〈호작도〉도15의 호랑이는 속눈썹을 예쁘게 치장하고 밝게 웃고 있고 까치들은 긴장을 풀고 있어 화면에 화기애애한 분위기가 가득한데 위쪽에는 "호랑이가 남산에서 부르짖으니 까치들이 모두 모여들었다[虎嘯南山 群鵲都會]"라는 구절이 쓰여 있다. 벽사화이면서 이처럼 친근감 있는 표현이 민화의 큰 매력이다.

이처럼 호랑이를 의인화시킨 그림이 많은데 그중 가장 유명하고 가장 매력적인 작품은 1988년 서울올림픽 때 마스코트 호돌이의 모델이 되었던 에밀레미술관 구장품 〈호작도〉254쪽이다. 패턴화된 호랑이의 무늬에서는 현대적인 디자인 감각을 느낄 수 있고, 환하게 웃는 얼굴에서는 밝고 명랑한 인간미에서 오는 친근감이 전해진다.

〈호작도 목판〉도16은 드물게 전하는 호작도 원판으로 신년 세화로서 호작도의 유행을 증언해 준다. 소나무의 잎과 호랑이의 무늬가 반복적으로 도안화되어 있는데 까치 한 마리가 나뭇가지 아래로 날아가는 모습으로 새겨 있어 자못 생동감이 넘쳐흐른다.

18 금란부, 목판 19세기 말, 35×62cm, 국립민속박물관 소장

부적판

부적符籍은 불교, 도교, 민간신앙에서 잡귀를 쫓거나 재앙을 물리치기 위하여 몸에 지니거나 집에 붙여놓는 주술적인 문자나 그림을 말한다. 부적의 형태는 다양하여 불교에서는 범어梵語를 풀어서 만들기도 하고 도교에서는 《옥추경玉樞經》에 나오는 도상으로 만드는데 민간신앙에서는 호랑이 그림이 많이 나온다.

부적은 대개 회화나무 열매로 노랗게 물을 들인 괴황지槐黃紙에 경면주사鏡面朱砂의 붉은색으로 찍었다. 부적은 특히 삼재三災가 드는 해에 으레 지니고 다녔는데 그림에 "호축삼재虎逐三災"라고 하여 '호랑이가 삼재를 물리친다'고 명기된 경우가 많다.

〈삼재부적도〉도17는 삼재부적 중 가장 흔한 도상으로 호랑이가 고개를 돌려 위를 바라보는데 위에 매가 날아들고 그 사이 가는 나뭇가지에 꽃이 피어 있는 모습이다. 각각 육지와 하늘의 맹수인 호랑이와 매가 비교적 사실적으로 묘사되어 있으면서 서로가 놀라 마주 보는 모습으로 희화화되어 있다.

〈금란부禁亂附〉도18는 재앙을 물리치는 부적으로 옆으로 길게 앉아 있는 호랑이 그림에 어지러운 것을 막아주는 부적이라는 뜻으로 "금란부"라 쓰여 있다. 그리고 길이 평안하고 크게 길하라고 "영안대길永安大吉"이라는 문구가 쓰여 있으며, 감옥에 끌려가는 관재官災를 없애준다는 의미로 동그라미를 두른 관官 자가 있다. 그리고 호랑이 앞다리에는 부적이 들어 있다. 이 〈금란부〉의 호랑이 도상은 앉아 있는 자세부터 발바닥의 표현, 꼬리의 곡선, 그리고 얼굴 표정까지 하나의 정형으로 확립될 정도로 널리 퍼져 있었다.

민화 화조도

민화에서 가장 많이 전하고 가장 다양하면서 민화의 특징과 민화다운 매력을 잘 보여주는 것은 화조도이다. 꽃과 나무, 새와 동물 등이 함께 그려져 있어 정확히 말하자면 '민화 화조영모도'라고 해야 옳지만 통상 '민화 화조도'라고 부르고 있다.

민화 화조도는 대개 쌍폭 또는 8폭 형식으로 제작되었다. 쌍폭은 대개 안방 벽장문이나 두껍닫이에 장식되었고, 병풍은 키 작은 머릿병풍과 키 큰 8폭 대병이 있다. 민화 화조도의 도상은 가정의 행복, 금슬, 부귀, 장수를 기원하는 동물과 식물의 조합으로 이루어져 채색이 밝고 그림이 화사하다. 등장하는 새와 동물들은 대체로 쌍으로 짝을 이루며 정형화되어 있는데 그 대표적인 도상은 다음과 같다.

- 봉황과 오동나무
- 소나무와 학
- 꿩(또는 공작)과 파초
- 사슴과 영지버섯
- 원앙과 연꽃
- 꾀꼬리와 버드나무
- 복사꽃과 예쁜 새
- 토끼와 풀꽃

〈민화 화조도〉(8곡 병풍)도19는 원앙, 금계, 꿩 같은 화려한 새와 오리 같은 친

19 민화 화조도(8곡 병풍, 부분), 20세기 초, 비단에 채색,
전체 145.0×382.4cm, 통도사성보박물관 소장

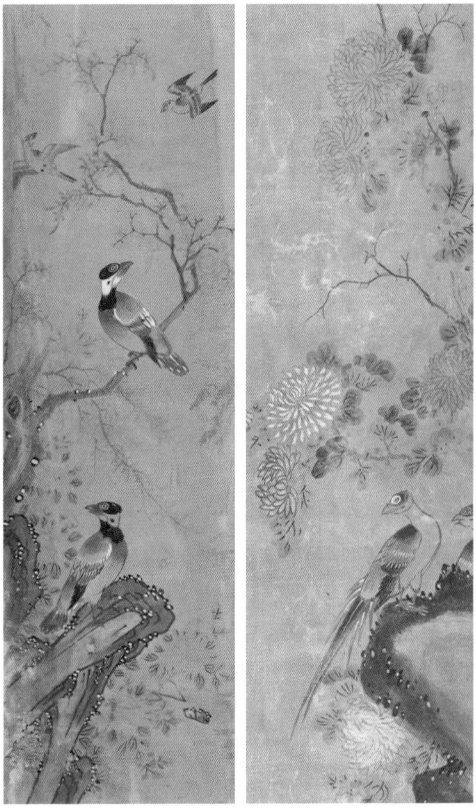

20 민화 화조도(2폭), 19세기 말, 종이에 채색,
왼쪽 152.0×58.5cm, 오른쪽 143×55cm,
전주역사박물관 소장

숙한 새, 그리고 매화, 모란, 석류, 연꽃 등 화사하면서 품위 있는 꽃과 나무를 소재로 하고 있는데 그 필치가 사실적이면서 단정하고 색채가 맑고 곱다. 박정혜 교수가 궁중 화조도로 지목할 정도로 기법이 뛰어나고 그림의 품격이 매우 높다.

민화 화조도 중에서도 도화서 화원의 정통 화풍을 충실히 따르고 있는 작품들은 흔히 '전주 민화'라고 불리고 있다. 〈민화 화조도〉(2폭)도20는 전형적인 '전주 민화'로 꽃과 새, 나무와 바위의 묘사가 또렷하고 진채가 밝아 화사한 민화의 상징으로 되고 있다. 전주 민화의 화가는 조선 말기(19세기 중엽 이후)에 왕성한 활동을 보인 장산파長山波(1837~?)가 유명하였다고 전한다.

전주 민화가 화풍에서 정통성을 지닌 반면에 김기창 화백의 구장품인 〈민화

21 민화 화조도(8곡 병풍, 부분), 20세기 초, 종이에 채색, 각 폭 91×38cm, 개인 소장

화조도〉(8곡 병풍)도21는 민화의 자유분방한 멋을 가장 잘 보여주는 명작으로 꼽히고 있다. 어느 한 폭도 화조영모도의 정형을 따르려는 의도가 없이 오직 소재만 빌려와 재구성하고 있는데 '봉황과 오동나무', '한 쌍의 학', '꽃과 나비', '소나무와 사슴' 등의 구성이 제멋대로이면서도 일정한 자기 형식을 갖추고 있다. 그런가 하면 화제만은 서툰 솜씨지만 한자로 또박또박 써넣어 나름대로 격식과 권위를 갖추려고 했다.

〈민화 화조도〉(8곡 병풍)도22는 조형의 자유를 만끽하고 있는 그림이다. 국화, 모란, 수선화, 소나무 등의 꽃과 나무에 공작, 백학 등 새들이 날아들고 곳곳에 한글로 꽃 이름과 화제를 써넣었는데 정병모 교수는 이 내용이 남도 잡가雜歌 〈새타령〉의 구절임을 밝혀내었다.(정병모·고연희, 《조선시대 꽃그림》, 갤러리현대, 2018)

22 민화 화조도(8곡 병풍, 부분), 20세기 초, 종이에 채색, 각 폭 68.0×36.7cm, 가나문화재단 소장

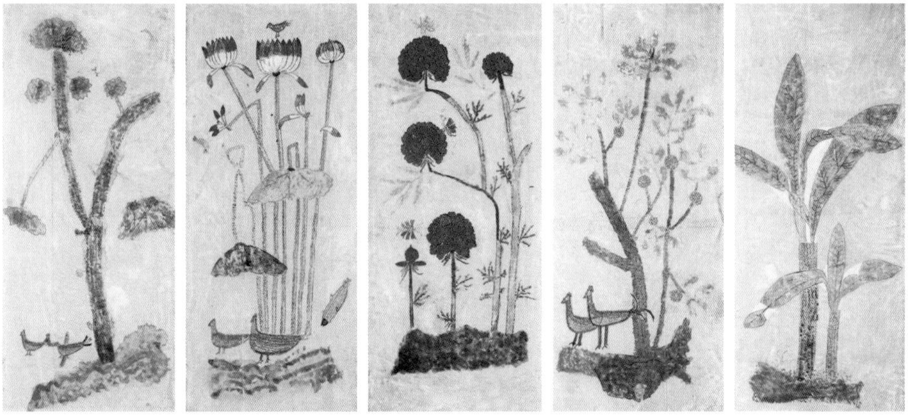

23 민화 화조도(8폭, 부분), 20세기 초, 종이에 채색, 각 폭 90.4×37.2cm, 개인 소장

24 민화 고사화조도(8곡 병풍, 부분), 20세기 초, 종이에 채색, 각 폭 85.3×31.2cm, 개인 소장

25 민화 화조도(4폭), 20세기 초, 종이에 채색, 각 폭 116×46cm, 개인 소장

> 고급 초화, 학명노송, 소상적벽 칠월야의 알영장면 백학이 문하기우 깊푼훨표 울고가는 공작새, 회발청삭의 홍접이 비래라, 액새꽃 대륜화 수사화 젹구충천 구말이 단풍조차 털쳐나이 구만장천 대봉새 상하호걸 연명국 목단화 셩유 도원야경…

이 그림은 이처럼 남도 〈새타령〉을 그림으로 그린 것이 분명하다는 점에서 남도 민화의 하나로 볼 수 있다.

〈민화 화조도〉(8폭)도23는 민화 화조도 중에서 가장 파격적인 필치를 보여주는 그림으로 연꽃, 매화, 대나무, 파초의 이미지를 마치 어린아이가 그린 동화童畵처럼 변형하고 있다. 그러나 동화는 어린이들이 대상을 실제로 그렇게 인식하고 있는 데 반해 민화 화조도는 어린이 같은 천진난만한 시각을 구사한 것이라는 점에 차이가 있다.

민화 화조도 중에는 고사인물이나 유명한 시를 끌어다 꾸민 작품들도 있다. 〈민화 고사화조도〉(8곡 병풍)도24는 아주 간략한 필치를 구사한 재미있는 화조도

26 모란병풍(6곡 병풍), 20세기 초, 종이에 채색, 각 폭 124.5×35.0cm, 온양민속박물관 소장

병풍이지만 각 폭 아래에는 작은 글씨로 제목이 쓰여 있다. 제3폭은 "도연명애국陶淵明愛菊", 제7폭은 "주돈이애련周敦頤愛蓮"과 같은 식인데 아무렇게나 그린 그림 같아도 유식한 내용이 있음을 과시하는 듯하여 웃음을 절로 짓게 한다.

〈민화 화조도〉(4폭)도25는 꽃을 연속무늬로 패턴화한 대단히 파격적인 그림이다. 네 폭 중 연꽃은 그 이미지가 확실하나 나머지는 모란, 월계화, 나팔꽃으로 추정될 뿐 명확지 않다. 중요한 것은 이를 패턴화함으로써 화사하면서도 고급스러운 화면을 보여주고 있다는 점이다.

모란 병풍

민화 병풍으로 가장 많이 남아 있는 것 중 하나가 모란 병풍이다. 이는 혼례 때 신랑신부가 맞절을 하는 초례청의 장식병풍으로 사용되는 필수품이었기 때문이다. 이를 위해 큰 마을에서는 공동으로 사용할 모란 병풍을 상여와 함께 보관하

27 모란병풍(8곡 병풍, 부분), 20세기 초,
종이에 채색, 각 폭 100.0×35.5cm, 개인 소장

28 모란병풍(10곡 병풍, 부분), 20세기 초,
종이에 채색, 각 폭 157.5×45.5cm,
경기대학교박물관 소장

곤 하였다. 모란 병풍은 대개 8폭이지만 크기와 화격은 천차만별이다. 기본적으로 괴석과 모란꽃으로 구성된 모란대병을 본떴는데 이를 변형시킨 형태가 모두 제각각일 정도로 아주 다양하다.

〈모란병풍〉(6곡 병풍)도26은 모란대병을 충실히 모방하면서 괴석은 인물과 동물로 바꾸어 변형하였다. 때문에 궁모란대병이 갖고 있는 화려한 맛을 유지하면서 괴석을 변형해 의인화, 동물화시킨 민화의 재미를 동시에 갖추고 있다.

〈모란병풍〉(8곡 병풍)도27은 모란꽃은 동그랗고 소복하게 그리고, 괴석은 기하학적인 모양으로 변형시키면서 색감은 분홍색을 강조하여 화려한 가운데 정갈한 맛을 보여주고 있다.

〈모란병풍〉(10곡 병풍)도28은 괴석은 동물 형태로 나타내고 붉은 꽃과 분홍 꽃을 번갈아 배치하면서 또 군데군데 작은 꽃송이도 그려넣어 다양성을 보여주는데 얇고 가는 모란잎이 화면 가득 퍼져 있어 청초한 분위기가 살아나고 있다.

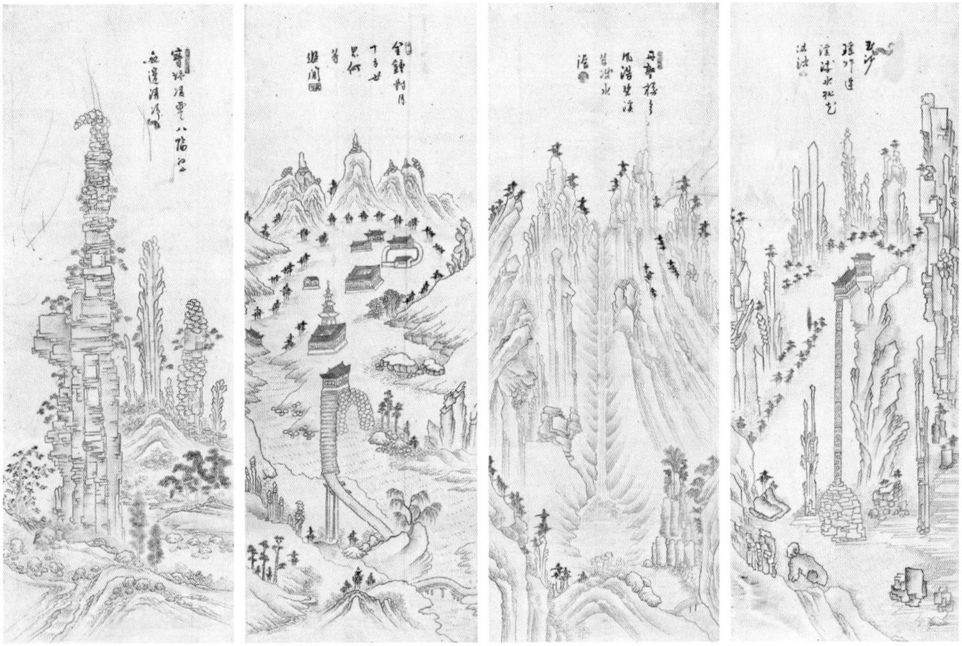

29 민화 금강산도(8곡 병풍, 부분), 20세기 초, 종이에 담채, 각 폭 92×35cm, 개인 소장

민화 산수화 1: 진경산수

민화 산수화는 감상화와 마찬가지로 정형산수와 진경산수 두 종류가 있다. 민화 진경산수로는 금강산도金剛山圖 8곡 병풍과 관동팔경도關東八景圖 8곡 병풍이 압도적으로 많다. 이는 금강산과 관동팔경이 널리 알려진 명승으로 많은 화가들이 그린 바 있어 유행한 것으로 생각되고 있다. 민화 진경산수는 대상을 소략하게 변형시키고 구도를 과감하게 파괴하여 민화의 조형적 자유를 보여주는 작품이 많다.

〈민화 금강산도〉(8곡 병풍)도29는 정통 화법을 완전히 무시하고 선묘로 명승의 형태를 강조한 전형적인 민화이다. 보덕굴普德窟, 구룡폭九龍瀑, 장안사長安寺, 수미탑須彌搭, 혈망봉穴望峯, 만물초萬物肖, 정양사正陽寺, 묘길상妙吉祥 등 대표적인 명승 여덟 곳을 그리면서 화제를 써넣었는데 글씨가 서툴 뿐만 아니라 문맥이 잘 맞지도 않는다. 그러나 금강산의 화강암 준봉을 수직선으로 나타내면서 경승의 특징을 강조한 구성이 아주 재미있고 봉우리마다 소나무를 마치 태점처럼 찍어간 것이 귀엽게 느껴진다.

30 민화 금강산도(10곡 병풍, 부분), 20세기 초, 종이에 담채, 각 폭 76.0×36.5cm, 서울역사박물관 소장

31 민화 총석정도, 19세기, 종이에 담채, 98×64cm, 개인 소장

〈민화 금강산도〉(10곡 병풍)도30는 금강산의 명승지 각각의 실경을 박진감 있게 재구성하고 있다. 산봉우리, 바위, 나무, 폭포, 사찰 등의 부분적인 요소들은 일정한 패턴으로 나타내고 있지만 각 경관에는 붉은 글씨로 명승지 이름을 적어 넣어 실경의 분위기를 강조하고 있다.

관동팔경도는 대관령 동쪽 동해안의 여덟 명승지를 그린 것으로 금강산 다음으로 인기 있는 진경산수였다. 강원도 통천 총석정叢石亭, 고성의 청간정淸澗亭과 삼일포三日浦, 양양 낙산사洛山寺, 강릉 경포대鏡浦臺, 삼척 죽서루竹西樓, 경상북도 울진의 망양정望洋亭과 월송정越松亭 등을 그린 것이다. 이곳들은 고려 말 안축安軸(1282~1348)이 지은 〈관동별곡關東別曲〉을 비롯하여 정철鄭澈(1536~1594)이 지은 〈관동별곡〉 등으로 일반에 널리 회자되어 온 명승지이다.

〈민화 총석정도叢石亭圖〉도31는 총석정의 수직으로 늘어선 바위를 자로 긋듯이 반듯하게 그려 민화만이 가질 수 있는 조형의 자유를 누리며 그림을 천진난만한 분위기로 바꿔놓았다.

〈민화 관동팔경도〉(2폭)도32는 실경을 그린 것이라기보다는 산, 바다, 정자,

32 민화 관동팔경도(2폭), 20세기 초, 종이에 담채, 각 폭 50.0×35.5cm, 진주 대아고등학교 소장

소나무, 숲이 어울리는 즐거운 그림이다. 이런 분방한 필치는 나이브 페인팅만이 누릴 수 있는 조형적 자유이다. 대상의 묘사, 원근법, 물체의 크기 등을 다 무시하고 실경이 주는 분위기와 감동을 담는 방식으로 화면을 운영하여 일반 감상화에서는 절대로 볼 수 없는 천진한 즐거움을 보여준다.

민화 산수화 2: 정형산수도

민화 정형산수로는 소상팔경도瀟湘八景圖가 많이 그려졌다. 소상팔경도는 중국 동정호洞庭湖로 들어가는 소강瀟江과 상강湘江의 풍광을 이른 봄부터 늦은 겨울까지 사계절에 걸쳐 여덟 폭의 풍경화로 그린 것인데 조선 초기부터 말기까지 감상화로 크게 유행하여 민화 산수화에서도 많이 그려졌다.

초봄 산시청람山市晴嵐 : 산마을의 맑은 아지랑이

늦봄 연사모종煙寺暮鍾 : 안개 낀 절의 저녁 종소리

33 민화 소상팔경도(동정추월, 원포귀범), 20세기 초, 종이에 수묵, 각 폭 94×27cm, 개인 소장

34 민화 평사낙안, 20세기 초, 종이에 수묵, 68.5×30.0cm, 일본 구라시키민예관 소장

초여름 어촌석조漁村夕照 : 어촌의 저녁노을
늦여름 원포귀범遠浦歸帆 : 멀리 포구로 돌아오는 배
초가을 소상야우瀟湘夜雨 : 소상강에 내리는 밤비
늦가을 동정추월洞庭秋月 : 동정호의 가을 달
초겨울 평사낙안平沙落雁 : 모래톱에 내려앉는 기러기 떼
늦겨울 강천모설江天暮雪 : 저녁 무렵 강가에 내리는 눈

민화 소상팔경도는 8곡 병풍으로 그려지는 것이 보통이었지만 그중 두 폭을 골라 대련으로 그려진 것도 많다. '원포귀범'과 '동정추월'로 구성된 〈민화 소상팔

35 민화 소상팔경도(5폭 중 소상야우, 연사모종), 20세기 초, 종이에 담채,
각 폭 101.0×45.5cm, 선문대학교박물관 소장

경도〉(2폭)도33는 전형적인 소상팔경도로 아주 소략하게 그 이미지만 나타내어 민화 산수화의 소박한 멋을 보여준다.

〈민화 평사낙안〉도34은 조선시대 민화 산수화 중에서 가장 파격적인 그림이라고 할 수 있는데 인물과 대상에 대한 서툰 표현이 오히려 민화의 천진성을 더 드러내 사랑받는 작품이다. 이쯤 되면 그림은 아무렇게나 그려도 된다는 무심함의 경지에 도달했다고도 할 만한데 이런 분방한 작화 태도는 민화 화조도들에서도 볼 수 있다.

〈민화 소상팔경도〉(5폭)도35 중 '소상야우'와 '연사모종'은 풍광을 원경遠景, 중경中景, 근경近景으로 나누어 화제의 내용을 충실하게 보여주면서 경물을 아주

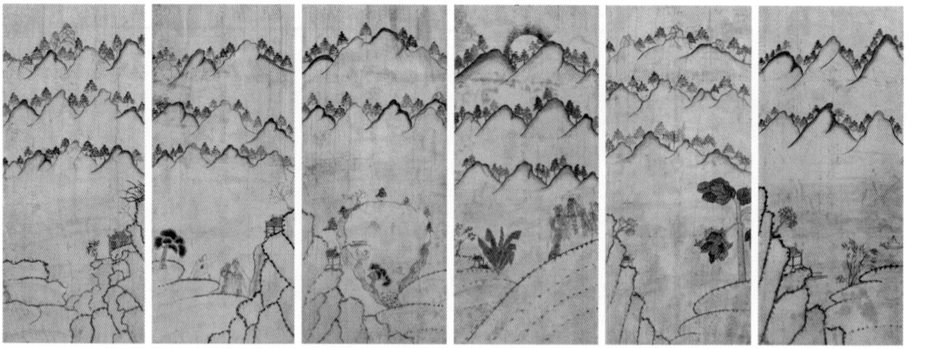

36 민화 산수도(6곡 병풍), 20세기 초, 종이에 담채, 각 폭 72×33cm, 개인 소장

37 민화 산수화조도(6곡 병풍), 20세기 초, 종이에 담채, 각 폭 113.0×35.6cm, 호림박물관 소장

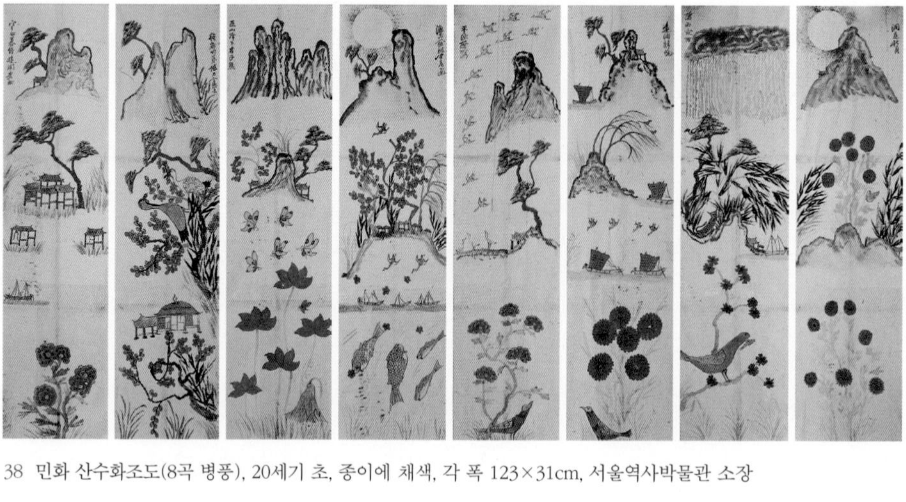

38 민화 산수화조도(8곡 병풍), 20세기 초, 종이에 채색, 각 폭 123×31cm, 서울역사박물관 소장

간략히 나타내어 담박한 분위기를 자아내고 있다. 잘 그릴 수 있는 필력을 갖고 있지도 않지만 잘 그리려고 노력하지도 않아서 오히려 재미있는 그림이 되었다.

〈민화 산수도〉(6곡 병풍)도36는 그림 자체로는 무심하고 편하게 산줄기가 펼쳐져 있다. 그래도 원경, 중경, 근경으로 나누어 산이 겹겹이 펼쳐져 있음을 나타내고 근경은 정자, 바위, 호수를 설정하고 오동나무, 버드나무, 파초 등을 그려넣었다. 잘 그리겠다는 뜻도 실력도 없으면서 이처럼 대담하게 산수도 대작을 그린 것이 민화의 재미와 멋을 보여주고 있다.

〈민화 산수화조도〉(6곡 병풍)도37는 산수도의 중경에 해당하는 가운데 부분에 화조도를 삽입하여 산수도와 화조도를 결합한 작품이다. 산수도의 규범은 중요하지 않고 보다 다양한 이미지를 보여줘야 한다는 생각에서 나온 조형적 발상으로 보인다. 이와 같은 장르의 파괴는 민화만이 보여줄 수 있는 파격이다.

〈민화 산수화조도〉(8곡 병풍)도38는 산수도와 화조도를 자유롭게 결합한 즐거운 그림이다. 아무 거리낌 없이 산, 나무, 집, 꽃, 나무, 새, 나비, 물고기를 그렸는데 마치 어린아이의 그림처럼 천진스럽기만 하다. 그러면서도 그림의 격식을 갖춘다고 한문으로 화제를 써넣은 것이 재미있다.

민화 고사인물도

〈성조가〉와 〈한양가〉에서 보았듯이 민화 장식화로 가장 설명이 많이 언급되고 있는 그림은 고사성어로 이루어진 고사인물도故事人物圖이다. 화조도나 산수도는 별도의 설명이 필요하지 않지만 고사인물도는 그 내용을 알아야 그림의 의미를 알 수 있기 때문이다.

조선시대 서민들에게는 알게 모르게 신분 상승에의 욕망이 있어 지배계층의 문화를 흉내 내는 생리가 있었다. 그러는 가운데 점차 서민들의 정서에 맞게 기존의 형식을 변형한 민화 장식병풍이 등장하였다. 서민들의 병풍 수요를 담당한 것은 지방의 아마추어 화가들이었다. 이들은 기존의 고사인물도를 서툰 솜씨로 모방하면서 나름대로의 멋과 재미를 보여주었다.

그런 의미에서 민화 고사인물도는 민화 중에서 가장 지적인 분위기를 갖고 있으며 또 그런 유식함을 과시하기 위하여 대부분 서툰 글씨이지만 한문으로 화제를 써넣었다. 고사인물도의 내용은 당시 사회에 일반 상식으로 통할 아주 유명한 이야기들을 그린 것이기 때문에 그림의 주제가 그리 다양하지 않다. 가장 많이 그려진 것은 다음 여덟 가지 고사이다.

니교납리坭橋納履 한나라 개국공신인 장량張良이 젊은 시절, 진흙다리에서 만난 황석공黃石公이 신발을 집어던지고 주워오라고 하자 시키는 대로 한 뒤에 비로소 병법서를 전해 받았다는 이야기다.

상산위기商山圍碁 진시황秦始皇의 폭정을 피해 네 명의 현인이 상산에 은거하며 바둑을 두며 지냈다고 한다. 상산사호商山四皓(상산의 네 늙은이)라고도 한다.

팽택귀범彭澤歸帆 도연명이 팽택현령의 직을 내던지고 배를 타고 고향으로 돌아가 은거하는 내용이다.

삼고초려三顧草廬 유비가 제갈량을 모셔오기 위해 초당을 세 번 찾아간 이야기이다.

부암판축傅巖坂築 은나라의 고종高宗은 꿈에서 본 인물이 자신을 도와줄 현명한 재상이라 확신하고 그의 초상화를 그려 전국 방방곡곡에 뿌리고 찾은 결과 부암傅巖이라는 들판에서 판축 공사를 하는 노예인 부열傅說을 찾아내고 그에게 재상을 맡겨 나라를 잘 다스렸다고 한다.

반계직침磻溪直針 주나라 문왕이 서백西伯으로 있던 시절에 사냥을 나가다가 반계磻溪에서 곧은 낚싯바늘로 낚시를 하고 있는 강태공을 만나 주나라를 세울 때 큰 도움을 받았다는 이야기이다. 위수조어渭水釣魚라고도 한다.

영수세이穎水洗耳 요순堯舜시대에 소부巢父와 허유許由가 기산箕山에 은거하고 있는데 요堯임금이 허유에게 천하를 맡기겠다 하자 허유는 귀가 더럽혀졌다며 냇가로 가서 귀를 씻었는데 이때 소부는 영수穎水의 물이 오염되었다며 소를 끌고 상류로 가서 물을 먹였다고 한다.

역산질우歷山叱牛 효성이 지극한 순舜임금이 평민으로 있었을 때 역산에서 소를 몰아 밭을 갈고 있자 그의 효성에 감동한 코끼리가 와서 밭을 갈아주고 새들이 날아와 김을 매주었다는 전설이다.

39 민화 고사인물도(6곡 병풍, 부분), 20세기 초, 종이에 담채, 각 폭 121×37cm, 개인 소장

〈민화 고사인물도〉(6곡 병풍)도39는 가장 전형적이면서 가장 많이 그려진 도상으로 구성되어 있으며, 이와 비슷한 작품이 여럿 전하고 있다. 이 병풍은 그림의 내용을 직설적으로 보여주는 가운데 산수와 인물 표현에서 극단적인 파격을 보여주고 있다. '상산위기'에 절벽 위의 나무가 수평으로 그려져 있고, '부암판축'의 판축이 쌓여 있는 모습은 절로 웃음을 자아내게 하여 마치 어린이들이 그린 그림 같은 천진성이 살아 있다. 본래는 8폭으로 구성되어 있었는데 8폭 〈문자도〉와 합쳐 앞뒤 양면 병풍으로 만들어지면서 두 폭이 앞뒤 표장으로 장황되어 6폭만 남았다.

〈민화 효행고사도〉(8곡 병풍)도40는 특히 효행에 관한 전설을 소재로 한 것으로 공자孔子(기원전 551~기원전 479)의 제자 자로子路(기원전 543~기원전 480)가 부모님을 봉양하기 위해 백리 밖에서 쌀을 지고 온 '백리부미百里負米', 노래자老萊子라는

40 민화 효행고사도(8곡 병풍, 부분), 20세기 초, 비단에 채색, 각 폭 104.0×30.3cm, 경기대학교박물관 소장

인물이 나이 칠십에도 부모님을 즐겁게 해드리기 위해 어린아이처럼 색동옷을 입고 춤을 추고 새를 가지고 놀았다는 '칠십농추七十弄雛' 등을 그렸다.

민화 시의도

시의도詩意圖는 유명한 시를 그림으로 그린 것이다. 시의도의 주제로 가장 인기 있는 시는 이백李白(701~762)의 〈월하독작月下獨酌(달빛 아래서 홀로 술을 마시다)〉과 가도賈島(779~843)의 〈심은자불우尋隱者不遇(은일자를 찾아갔으나 만나지 못하다)〉였다.

〈민화 산수인물도〉(8곡 병풍)도41는 평범한 산수화풍으로 되어 있지만 자세히 보면 내용은 고사인물도, 소상팔경도, 시의도가 뒤섞여 구성되어 있다.(1 팽택귀범, 2 반계직침, 3 상산사호, 4 소상야우, 5 월하독작, 6 심은자불우, 7 평사낙안, 8 영수세이) 각 폭은

41 민화 산수인물도(8곡 병풍, 부분),
20세기 초, 종이에 담채,
각 폭 134.0×27.5cm, 영남대학교박물관 소장

42 민화 시의도(12곡 병풍, 부분), 20세기 초, 종이에 담채,
각 폭 93×30cm, 가회민화박물관 소장

3단 구도로 되어 산, 나무, 폭포, 배, 기러기, 그리고 인물들을 소략하게 배치하면서 내용을 놓치지 않고 있다. 그림에는 모름지기 이와 같이 유식한 내용을 담아야 더 멋있고 가치 있다는 식의 일종의 지적 과시가 담겨 있는 작품이다.

〈민화 시의도〉(12곡 병풍)도42는 상단에 쓰여 있는 칠언대구七言對句의 서정적인 내용에 맞추어 그린 산수인물도이다. 화법을 모르는 아마추어 화가가 그린 태가 역력한데 화면을 서사적으로 풀어내려는 노력이 곳곳에 보여 전문 화가의 산수인물도와는 달리 인물과 대상의 크기, 원근의 시각 등이 완전히 무시되어 있다.

43 민화 삼국지연의도(8곡 병풍, 부분), 20세기 초, 종이에 채색, 각 폭 91.5×36.0cm, 경기대학교박물관 소장

소설 민화 1: 삼국지연의도

조선 후기에는 판소리와 국문 소설이 유행하였고 전문 이야기꾼인 전기수傳奇叟가 출현하여 장터에서 방석을 깔고 앉아 청중들이 둘러앉은 가운데 소설을 읽어주었다. 조수삼趙秀三(1762~1849)의 《추재기이秋齋紀異》에서는 전기수들이 대사동大寺洞(지금의 종로구 낙원동), 종루鐘樓(보신각), 이현梨峴(배오개) 등에 많이 나타났다고 하는데 강이천은 〈한경사〉에서 그 모습을 이렇게 노래했다.

시끄럽게 떠드는 것 상관도 않고 방석 주위에 빙 둘렀으니	誼囂不管圍毛席
국문으로 연의편을 번역해 낭송한다네	譯誦方言演義編

이런 소설 이야기들은 민화의 소재가 되어 《삼국지연의》, 《구운몽》, 《춘향전》 등이 많이 그려졌다. 그중에서도 가장 인기 있었던 것은 《삼국지연의》였으며 대개는 8폭으로 구성하고 각 폭마다 화제를 한문으로 곁들이곤 하였다. 그리고

44 민화 춘향전도(8곡 병풍, 부분), 20세기 초, 종이에 채색, 각 폭 92.5×36.0cm, 국립민속박물관 소장

45 민화 춘향전도(10곡 병풍, 부분), 20세기 초, 종이에 채색, 각 폭 105×34cm, 계명대학교박물관 소장

《삼국지연의》의 하이라이트가 판소리 〈적벽가赤壁歌〉로 불려졌듯이 적벽대전赤壁大戰 장면만이 압축되어 그려지기도 하였다.

경기대학교박물관 소장 〈민화 삼국지연의도〉(8곡 병풍)도43는 인물 묘사력이 전혀 없는 화가가 스토리만 충실히 전달하고 있다. 그야말로 천진함이 살아 있어 보는 이로 하여금 절로 미소를 짓게 한다.

소설 민화 2: 춘향전도

《춘향전》은 판소리와 국문 소설로 민중의 큰 사랑을 받아왔지만 병풍 그림으로 전하는 것은 생각 외로 보기 드물어 민화 춘향전도는 국립민속박물관 소장품, 가회민화박물관 소장품, 경희대학교박물관 소장품 등이 알려져 있을 뿐이다. 이 병풍들의 이야기 전개는 이몽룡이 광한루에서 그네 뛰는 춘향이를 보고 방자를 시켜 불러오게 하는 장면에서 시작하여 농부들이 일하는 한쪽 나무 그늘에서 이몽

46 민화 구운몽도(8곡 병풍, 부분), 20세기 초, 종이에 채색, 각 폭 65.5×36.0cm, 국립민속박물관 소장

룡이 심부름꾼이 가져온 춘향이의 편지를 읽는 장면, 변학도가 춘향이에게 수청을 들라고 하는 장면, 암행어사가 된 이몽룡이 출두하는 장면, 이몽룡이 춘향이를 옥에서 풀어내어 다시 만나는 장면 등으로 이어져 있다.

국립민속박물관 소장 〈민화 춘향전도〉(8곡 병풍)도44는 전형적인 민화풍의 천진스러운 필치임에 반해, 계명대학교박물관 소장 〈민화 춘향전도〉(10곡 병풍)도45는 제작 시기는 그리 오래지 않아 보이는데 이야기 전개에 충실하려고 노력한 모습이 보인다.

소설 민화 3: 구운몽도

소설 민화의 소재로《삼국지연의》다음으로 많이 쓰인 것은《구운몽九雲夢》이다. 구운몽은 서포西浦 김만중金萬重(1637~1692)이 평안도 선천에서 귀양살이하던 때 지은 소설로 한문본과 한글본이 모두 전하는 당대의 인기 소설이었다. 김만중

47 민화 구운몽도(8곡 병풍, 부분), 20세기 초, 종이에 채색, 각 폭 90.5×33.5cm, 국립민속박물관 소장

은 귀양지에서 어머니의 한가함과 근심을 덜어주기 위하여 하룻밤 사이에 이 작품을 지었다고 전한다. '구운몽'의 '구九'는 소설 속 주인공인 성진性眞과 팔선녀八仙女를 가리키고, '운雲'은 인간의 삶을 덧없는 구름에 비유한 것이다.

내용인 즉 당나라 때 인도에서 온 육관대사六觀大師가 형산 연화봉에 절을 짓고 불법을 전하고 있던 중 제자인 성진을 동정용왕洞庭龍王에게 심부름을 보냈는데, 성진이 돌다리에서 팔선녀를 만나 희롱하였다. 이 일로 성진은 인간 세상에 유배되어 양소유楊少游라는 이름으로 태어나게 되었는데 양소유는 이후 과거에 급제하여 많은 공을 세우고 재상이 되었다.

그 과정에서 양소유는 팔선녀의 후신인 여인들을 차례로 만나 여덟 여인을 모두 처첩으로 삼으면서 부귀와 영화를 누리다가 만년에 인생무상을 느껴 여덟 부인들과 함께 불교에 귀의하려 하였다. 그러나 이 모두가 꿈이었다. 돌다리 위에서 잠이 깬 성진은 자신의 죄를 뉘우치고 육관대사의 가르침을 받았고 팔선녀도 대사를 찾아와 제자가 되었다. 이후 육관대사는 인도로 돌아가고 성진은 연화봉

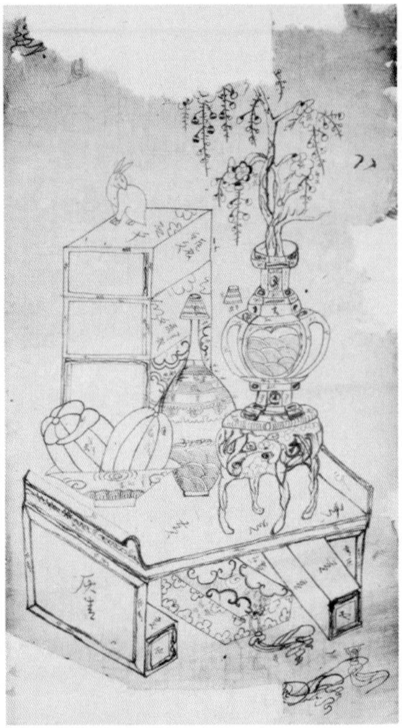

48 민화 책가도 초본(4폭, 부분), 19세기 말, 종이에 수묵, 각 폭 70×37cm, 가회민화박물관 소장

49 민화 책가도(8곡 병풍, 부분), 19세기 말, 종이에 채색, 각 폭 61×38cm, 국립중앙박물관 소장

에서 불법을 전한 뒤 팔선녀와 함께 극락으로 갔다는 내용이다.

〈민화 구운몽도〉(8곡 병풍)도46는 스토리를 충실하게 분해하여 이야기 그림으로 전개하였으며 각 장면도 고사인물도처럼 성실하게 묘사하고 있다. 정통 화법을 따르려는 노력이 역력하여 스토리가 분명히 나타나 있다.

이에 반하여 〈민화 구운몽도〉(8곡 병풍)도47는 인물 묘사나 원근법을 다 무시하고 스토리에 초점을 맞추어 자유분방하게 화면을 구성하였다. 그리고 붉은색과 분홍색으로 화면에 즐거운 분위기를 나타내 아주 명랑한 그림이 되어 있다.

민화 책가도

책가도는 민화 중 가장 인기 있는 장르 중 하나였다. 현재 전하는 그림도 많지만 조선 말기의 실내 사진이나 인물 사진 중에 책가도를 배경으로 한 것이 많이 남아 있어 크게 유행했음을 말해준다.(윤진영, 《민화의 시대》, 디자인밈, 2021)

50 민화 책가도(8곡 병풍, 부분), 19세기 말, 종이에 채색, 각 폭 50×32cm, 개인 소장

민화 책가도는 궁중 책가도와 달리 연결병풍이 아니라 낱폭으로 그려졌다. 그림의 크기도 8폭 대병에서 키 작은 머릿병풍까지 다양하고 쌍폭으로도 많이 그려졌다. 키 작은 쌍폭은 대개 벽장문에 붙여졌고 키 큰 쌍폭은 두껍닫이에 도배되곤 하였다.

민화 책가도의 도상은 책을 겹겹이 쌓아놓은 것을 기본으로 하면서 그 주위와 책갑 위에 필통 속의 붓, 서안, 종이 두루마리 등을 비롯한 문방구와 함께 진귀한 도자기, 청동 골동품, 꽃꽂이, 과일 등을 조합하였는데 그 형상이 천태만상으로 나타나 있다.

민화 책가도는 도상이 복잡하였기 때문에 밑그림을 그리고 채색을 가하였는데 가회민화박물관에는 책가도의 초본도48이 소장되어 있고, 이와 거의 같은 도상의 채색본 〈민화 책가도〉(8곡 병풍)도49가 국립중앙박물관에 있어 민화 책가도가 어떤 식으로 제작되었는지를 여실히 알 수 있다.

〈민화 책가도〉(8곡 병풍)도50는 키 작은 병풍으로 기물이 단정하게 배치되어

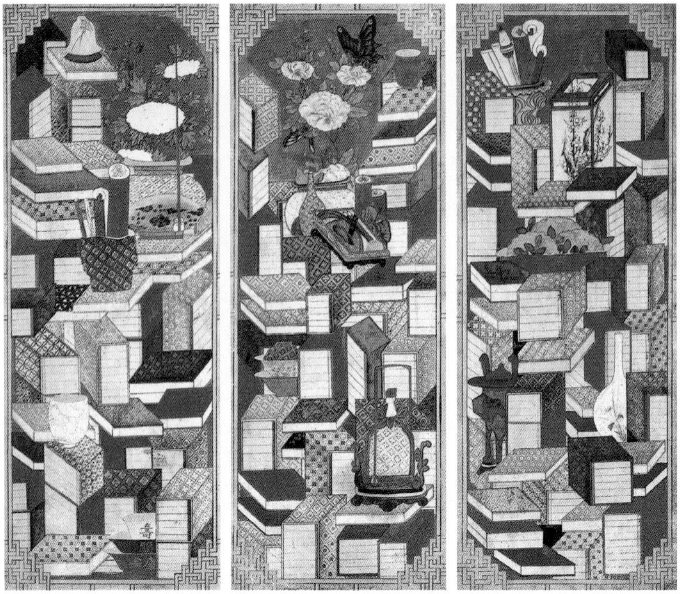

51 민화 책가도(8곡 병풍, 부분), 19세기 말, 종이에 채색, 각 폭 92.9×36.3cm, 개인 소장

52 민화 책가도(8곡 병풍, 부분), 19세기 말, 종이에 채색, 각 폭 95×32cm, 개인 소장

53 민화 책가도(4곡 병풍, 부분), 20세기 초, 종이에 채색, 각 폭 55×35cm, 개인 소장

있고 채색이 단정한 가품佳品으로 해맑은 장식미가 돋보인다. 가는 선으로 테두리를 두르고 엷은 청회색을 바탕으로 칠하여 그림으로서 완성미를 보여준다. 각 폭마다 기물을 달리하였을 뿐만 아니라 책의 쌓아놓은 입체감을 다각도로 나타내어 아주 현란한 분위기를 자아낸다.

〈민화 책가도〉(8곡 병풍)도51는 쌓여 있는 책들을 여러 각도에서 포착하여 보는 이로 하여금 어지러움을 느끼게 할 정도이다. 입체감을 극대화하겠다는 의도가 역력하여 화면에 박진감이 넘친다.

〈민화 책가도〉(8곡 병풍)도52는 책거리 그림에 화조도를 곁들인 작품으로 책가를 책장으로 대체하여 입체감이 아니라 평면감을 나타내고 있다. 그러면서도 지통, 과일 그릇이 놓여 있고 옆에 오동나무, 모란, 연꽃 등의 분재가 곁들여 있으며 또 사슴, 학, 물고기 등이 배치되어 입체감과 평면감이 어울리는 독특한 멋을 보여주고 있다. 이 민화 책가도에는 아래쪽에 문자도까지 곁들여져 이중의 장식 효과를 보여주고 있다.

〈민화 책가도〉(4곡 병풍)도53는 대단히 화려한 그림으로 여백을 남기지 않고 기물을 가득 채우고 만자무늬로 테두리를 둘렀다. 기물이 다양할 뿐만 아니라 구성이 아주 복잡하여 정성을 다해 그렸음을 강조하는 듯한 인상을 준다. 예외적으로 이 책거리 그림에는 책을 읽는 동자와 과일을 나르는 선녀도 그려져 있어 정지감이 특징인 책거리 그림에서 생동감까지 보여주고 있다.

문자도

문자도는 양반문화에서는 찾아보기 어려운 서민문화의 산물이라는 점에서 가장 민화다운 소재라고 할 수 있다. 문자도는 비백서飛白書와 혁필화革筆畵에서 나온 것으로 보인다.

유득공의《경도잡지》등을 보면 비백서는 붓 대신 버드나무 가지를 깎아 그 끝을 갈라지게 하고 먹을 찍어 글자를 쓰면서 점을 찍고 긋고 삐치는 기법으로 물고기, 게, 새우, 제비 등의 모양으로 그리는 것이다. 혁필화는 네모난 가죽 조각에 여러 가지 색을 묻혀 글자를 그림으로 나타내는 것이다. 20세기 후반까지만 해도 시골 장터와 초등학교 앞에서 이름 석 자를 예쁜 그림 글씨로 써주는 이들이 있는 등 혁필화의 전통이 남아 있었다.

이 비백서와 혁필화는 용龍, 호虎, 구龜 등 상징적인 수호 동물의 한자나 부귀富貴, 수복강녕壽福康寧, 다남多男 등을 갖가지 형태로 쓴 문자도들이 있다. 이것이 발전하여 효孝, 제悌, 충忠, 신信, 예禮, 의義, 염廉, 치恥의 여덟 자를 그린 문자도가 크게 유행하게 되었다. 이를 효제도孝悌圖라고도도 부른다.

《관자管子》에서는 '예의염치'를 나라를 받치는 네 개의 벼리(뼈대)라고 하여 그 중요성을 강조했고, 어린아이들이 서당에서《천자문千字文》에 뒤이어 배우는《사자소학四字小學》에서도 "예의염치禮義廉恥 시위사유是謂四維"라 하였다. 여기에 '효제충신孝悌忠信'이 더해져 유교의 도덕 강령과 군자의 행동 지침이 강조되었다. 이것이 문자도의 소재가 되고, 각종 병풍이 유행처럼 만들어질 때 인기 있는 품목으로 되어 전국 각지에 퍼졌던 것으로 보인다.

문자도는 형식이 대단히 다양하다.도54~56 서체도 다양하고, 문자 속에 그림을 그려넣은 것, 문자에 그림을 곁들인 것, 문자 주위에 해당하는 도상을 곁들인

54 문자도
(8곡 병풍, 도58 중 信자 부분),
개인 소장

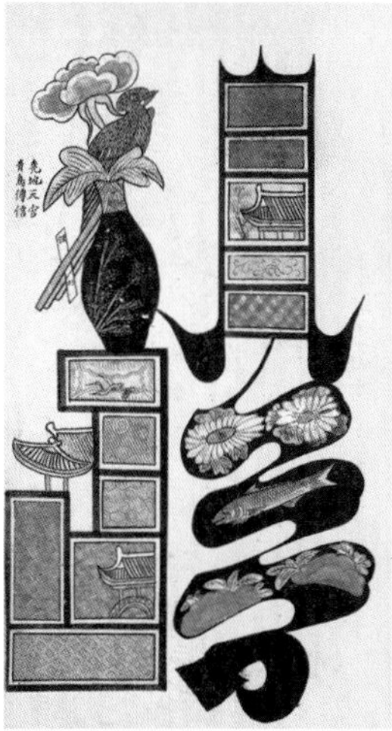

55 문자도
(8곡 병풍, 도60 중 信자 부분),
개인 소장

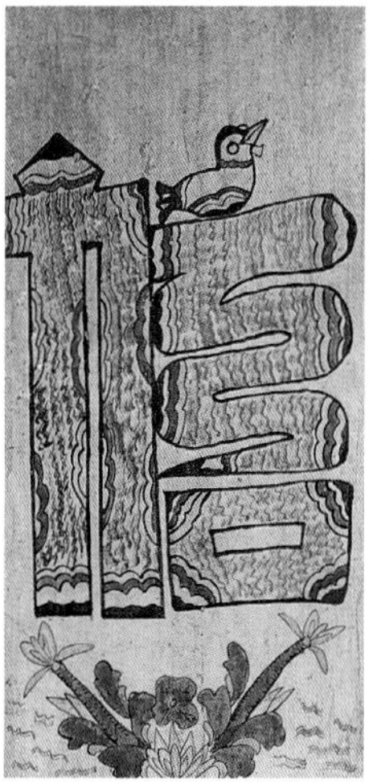

56 문자도
(8곡 병풍, 信자 부분),
경기대학교박물관 소장

57 강원도 문자도
(8곡 병풍, 信자 부분),
개인 소장

것, 혁필화의 분위기를 나타낸 것 등이 있다. 문자도는 크게 유행하면서 자연히 지역적 특색을 띠게 되었는데 그중 강원도 문자도(주로 강릉 지방)는 도상이 아주 간명하며 전체적으로 무뚝뚝한 느낌을 주고,도57 제주도 문자도는 3단 구조에 밝은 도안으로 확연히 그 특징을 보여주고 있다.도62

문자도의 여덟 글자는 거기에 따른 고사성어들로 장식되어 있는데 그 내용은 고사인물도와 겹치기도 하지만 《오륜행실도五倫行實圖》에 나오는 이야기들도 여럿 들어 있다.

효孝 진晉나라 효자 왕상王祥이 한겨울에 어머니를 위해 얼음을 깨고 잉어를 잡아서 드렸다는 '왕상빙리王祥氷鯉'나 오吳나라 맹종孟宗이 한겨울에 노모를 위해 눈 속에서 죽순을 따냈다는 '맹종설순孟宗雪筍'을 그렸다.

제悌 《시경》에 형제의 우애와 정을 읊은 구절인 '상체지화常棣之華'에 따라 산앵두나무[棣]와 함께 화목을 나타내는 할미새나 집비둘기 한 쌍을 그렸다. 또는《삼국지연의》의 '도원결의桃園結義'를 그렸다.

충忠 충절을 상징하는 대나무, 어변성룡魚變成龍의 장면, 혹은 새우와 조개를 그렸다. 새우와 조개는 '하합상하蝦蛤相賀'라 해서 임금과 신하의 화합和合을 나타낸다. 이는 중국어로 새우 하蝦의 발음이 화和, 조개 합蛤의 발음이 합合과 같은 데서 연유하였다.(허균, 《전통미술의 소재와 상징》, 교보문고, 1999)

신信 편지를 입에 물고 있는 파랑새[青鳥]와 요지瑤池의 복숭아를 그렸다. 이는 한나라 무제武帝 때 7월 7일 홀연히 파랑새가 궁전에 날아들자 동방삭이 "이것은 요지의 서왕모가 이곳에 온다는 소식을 알리기 위함입니다"라고 한 것에서 유래한 것으로, 곧 서왕모가 온다는 언약에 대한 믿음을 의미한다.

예禮 복희伏羲가 천하를 다스릴 때 황하에 나타난 용마龍馬의 등에 하도河圖가, 우禹임금 때 낙수洛水에서 나온 거북이 등에 낙서洛書가 새겨져 있었다는 것을 그렸다.

의義 주로 《삼국지연의》의 '도원결의' 고사를 그렸다.

염廉 요堯임금 때 속세를 떠나 산속에 은거한 소부와 허유의 고사를 그리거나, 수천 리를 날다가 배가 고파도 조 따위는 먹지 않고 오동나무 위에 깃든다는 봉황을 그렸다.

치恥 백이, 숙제의 고사를 그리거나, "백세청풍百世清風 이제지비夷齊之碑(백세토록 전할 맑은 기풍을 지닌 백이와 숙제의 비)"라고 쓰인 위패를 그려넣었다.

〈문자도〉(8곡 병풍)도58는 행서체로 글자의 외형을 굵게 본뜨고 먹으로 칠한 자획 내부에 글자의 의미에 합당한 고사들을 그리고 장식무늬로 치장하였다. 자획 안에 그려넣은 고사인물, 산수, 꽃, 나무, 건물, 장식무늬 등이 치밀한 묘사와 호사스러우면서 장엄한 색감을 보여준다. 또한 자획의 형태가 정확하고 그림의 솜씨도 화원급이어서 궁중 또는 관의 미감과 함께 권위적인 인상을 준다.

〈문자도〉(8곡 병풍)도59는 글자 자체는 행서체를 기초로 하면서 고사의 상징물을 복합한 심플한 문자도이다. 문자도의 가장 보편적 형식인데 재미난 내용과 간결한 형식미를 보여준다.

〈문자도〉(8곡 병풍)도60는 행서체 글자 안에 화사한 채색으로 화조 등의 장식무늬를 채워넣고 자획 일부에 고사의 내용이나 상징물을 복합해 놓았다. 문자를 구성한 디자인 감각이 대단히 현대적이어서 문자도 중에서 최고의 명작 중 하나

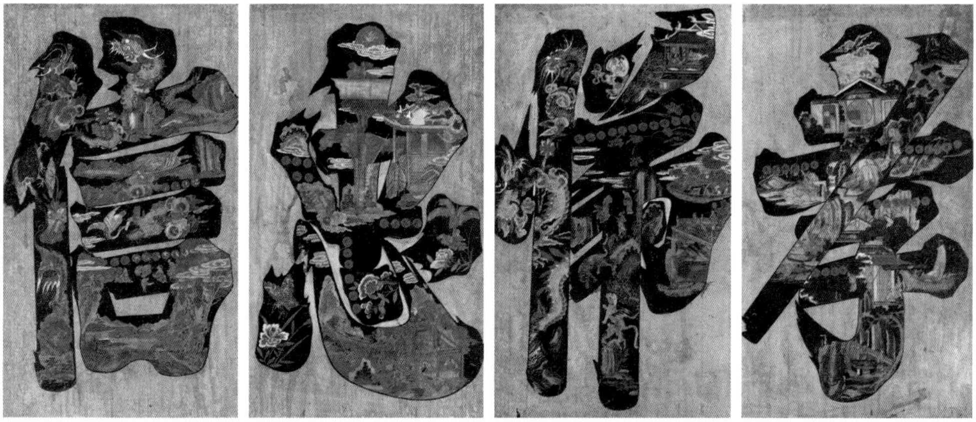

58 문자도(8곡 병풍, 부분), 19세기 말, 종이에 채색, 각 폭 74.2×42.2cm, 개인 소장

59 문자도(8곡 병풍, 부분), 20세기 초, 종이에 채색, 각 폭 68.0×32.5cm, 경기대학교박물관 소장

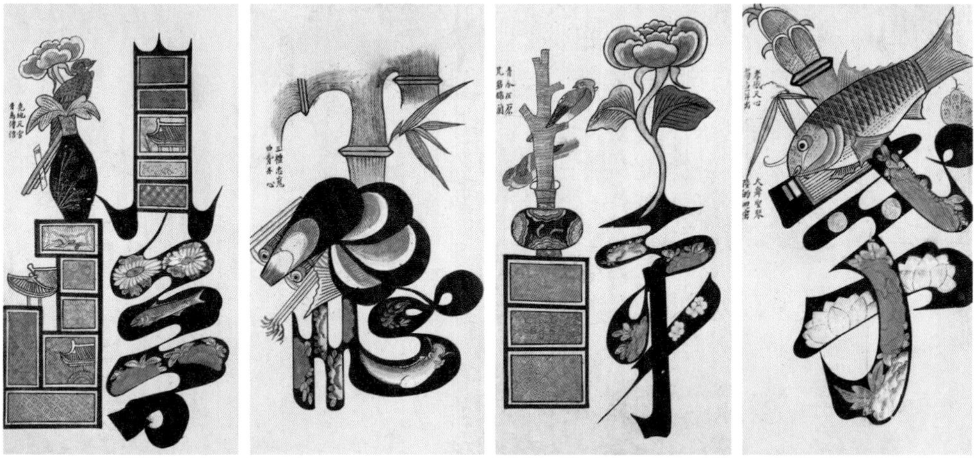

60 문자도(8곡 병풍, 부분), 20세기 초, 종이에 채색, 각 폭 62.0×32.5cm, 개인 소장

61 문자도(8곡 병풍, 부분), 19세기 후반, 종이에 채색, 각 폭 61×36cm, 개인 소장

62 제주도 문자도(8곡 병풍, 부분), 20세기 초, 종이에 채색, 각 폭 88.5×48.0cm, 개인 소장

63 화조문자도(8곡 병풍, 부분), 20세기 초, 종이에 채색, 각 폭 121×37cm, 개인 소장

로 꼽히고 있다. 화제는 해서체로 또박또박 써넣어 멋스러움을 한껏 드러내 보이고 있다.

〈문자도〉(8곡 병풍)도61는 문자도 중 아주 예외적인 작품으로 전서체의 단아한 멋을 그대로 살리면서 글자 안에 화사한 꽃을 그려넣어 현대적인 그래픽 디자인의 분위기까지 나타내고 있다.

〈제주도 문자도〉(8곡 병풍)도62는 독특한 3단 구조로 문자도 위아래로 도안화된 꽃과 물고기를 배치하고 있다. 밝은 채색에 도상이 도안화되어 아주 현대적인 느낌을 준다.

〈화조문자도〉(8곡 병풍)도63는 상하 2단으로 문자도와 화조도를 결합한 것인데 문자도 중에는 이처럼 다른 유형의 그림과 결합된 것이 유독 많다. 이는 문자도 자체의 단조로움을 피하면서 또 되도록 많은 것을 감상하고픈 서민들의 소박한 희망도 반영한 것이다.

조선시대 회화사에서 민화의 위상

조선 후기 민화는 그 생산(제작)과 소비(감상)가 서민 차원에서 이루어졌기 때문에 기존 지배층의 미술과는 다른 멋과 아름다움을 보여준다. 지배층의 문화를 모방하여 산수도, 화조도, 인물도 등 감상화의 소재를 그릴 때는 기법상으로는 따라가지 못하는 대신 나름의 변형으로 멋과 재미를 보여주었다. 그런 가운데 점차 서민들의 정서에 맞게 기존의 형식을 서민 취향으로 나타내기도 했다. 책가도의 변형이나 문자도의 발달이 이를 말해준다. 그리고 지배층에서는 잘 다루지 않는 《춘향전》, 《구운몽》 등 인기 소설을 그린 병풍들도 등장하였다. 엄격한 조형 규범으로부터 벗어난 일탈의 즐거움이야말로 민화의 특질이자 멋이다.

민화가 조선시대 회화사에서 자기 위상을 차지하기 위해서는 민화의 개념과 유형을 명확히 하여 지배층의 장식미술과 분명히 분리해야 할 것이다. 그리고 민화 중에는 서툰 그림이 많을 수밖에 없다. 이때 엄격한 미적 판단으로 어떤 작품을 민화다운 명작으로 삼을지 판단해 장르의 개념을 확실히 해야만 민화는 조선시대 회화사에서 당당히 자기 지위를 다질 수 있을 것이다.

64장
자수

기술과 정성이 낳은 장식미술

삼국시대의 자수

자수刺繡는 동서양을 막론하고 바느질을 시작하면서 발전한 침선針線 공예의 꽃이다. 우리나라도 자수의 역사가 오래되었다. 《삼국지三國志》의 〈위서魏書〉 동이전東夷傳 '부여夫餘'조에 "부여인은 다른 나라에 갈 때 증繒, 수繡, 금錦, 계罽로 지은 옷을 즐겨 입는다"라고 기록되어 있는데 이중 수繡를 수놓은 비단으로 보고 있다. 또 《삼국사기》와 《삼국유사》에는 신라 진덕여왕眞德女王(재위 647~654)이 650년(진덕여왕 4)에 손수 비단[錦]을 짜서 여기에 오언五言 〈태평송太平頌〉을 수놓아 당 고종高宗(재위 649~683)에게 보냈다는 기록이 있다.

삼국시대 자수는 실제 작품으로 전하는 것이 아주 드물지만 신라 천마총(6세기 초)에서 출토된 유물에서 옷자락을 금사金絲로 수놓은 흔적이 발견된 바 있고 백제 무령왕릉(왕 525년, 왕비 529년 안장) 출토 유물 중에 많은 자수 잔편이 포함되어 있다.(심연옥 외, 《한국 자수 이천년》, 크리빗, 2020)

그리고 일본 나라[奈良]에 있는 중궁사中宮寺(주구지)에는 쇼토쿠태자[聖德太子](574~622)가 죽은 뒤에 그를 추모하기 위하여 제작된 〈천수국만다라수장天壽國曼陀羅繡帳〉참고1이 있는데, 그 밑그림을 고구려계 인물로 보이는 가서일加西溢이 그렸다고 전하고 있다.

통일신라 때에도 복식과 불교 유물에 자수를 놓았다는 기록이 여러 곳에 나온다. 806년(애장왕 7)에는 복식금령服飾禁令을 내려 사찰의 창건과 불사佛事에 수금繡錦을 사용하지 못하게 하였고, 또 834년(흥덕왕 9)의 복식금령에서도 골품骨品에 따라 쓸 수 있는 직물의 종류를 규정하면서 수놓은 비단을 규제한 바 있다. 이런 규제는 오히려 당시 자수의 성행을 역설적으로 말해준다.

고려시대의 자수

고려시대에는 불교자수와 왕실자수가 크게 발전하였다. 고려시대엔 국가에서 상

복온공주 활옷(부분), 1830년, 세로 128.5cm, 국립고궁박물관 소장

참고1 천수국만다라수장, 622년 무렵, 88.8×82.7cm, 일본 중궁사 소장

의국尙衣局과 잡직서雜織署라는 기구를 두어 각종 직물과 수예품을 담당하게 할 정도였다. 고려의 왕실자수는 서긍徐兢(1091~1153)의 《선화봉사고려도경宣和奉使高麗圖經》에서 회경전會慶殿 등 고려 궁궐의 전각에 오색으로 꽃과 새를 수놓은 수막繡幕을 설치해 놓았다고 증언한 데서 그 모습을 엿볼 수 있다.

고려시대 불교 자수의 실물로는 〈자수 아미타여래도〉와 〈자수 사계분경도〉가 전하고 있다.

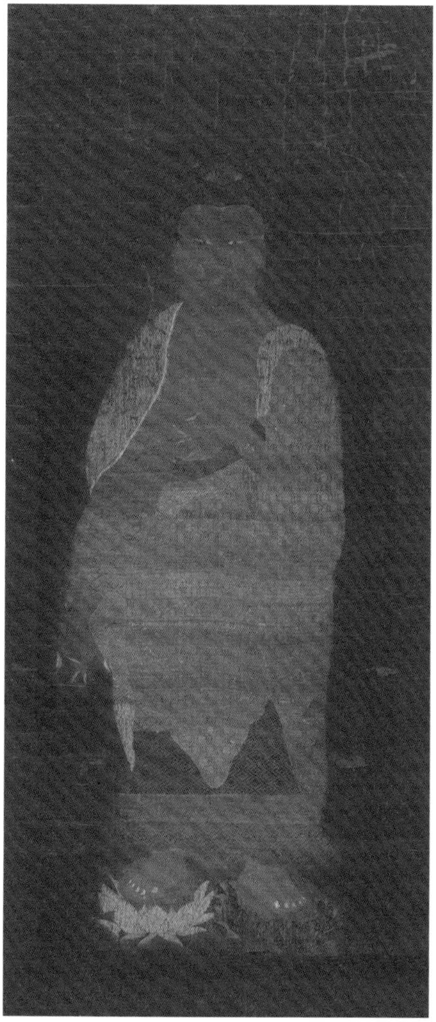

1 자수 아미타여래도, 14세기 후반, 105.8×42.9cm, 국립중앙박물관 소장(이건희 기증품)

2 아미타여래도, 14세기, 비단에 채색, 116.4×54.5cm, 일본 동해암 소장

〈자수 아미타여래도阿彌陀如來圖〉도1는 〈아미타여래도〉(보물 1238호)나 일본 동해암東海庵(도카이안) 소장 〈아미타여래도〉도2를 자수로 표현한 듯 유사한 도상으로 화려한 분위기를 보여주고 있다. 무늬 없는 비단 바탕에 적·황·녹·청의 색실을 꼬임이 없는 푼사로 정교하게 수놓아 고아古雅한 회화미가 돋보인다. 복식의 표현에는 여러 기법이 두루 사용되었고 피부는 일정한 점을 반복적으로 나타내어 질감을 느낄 수 있다.

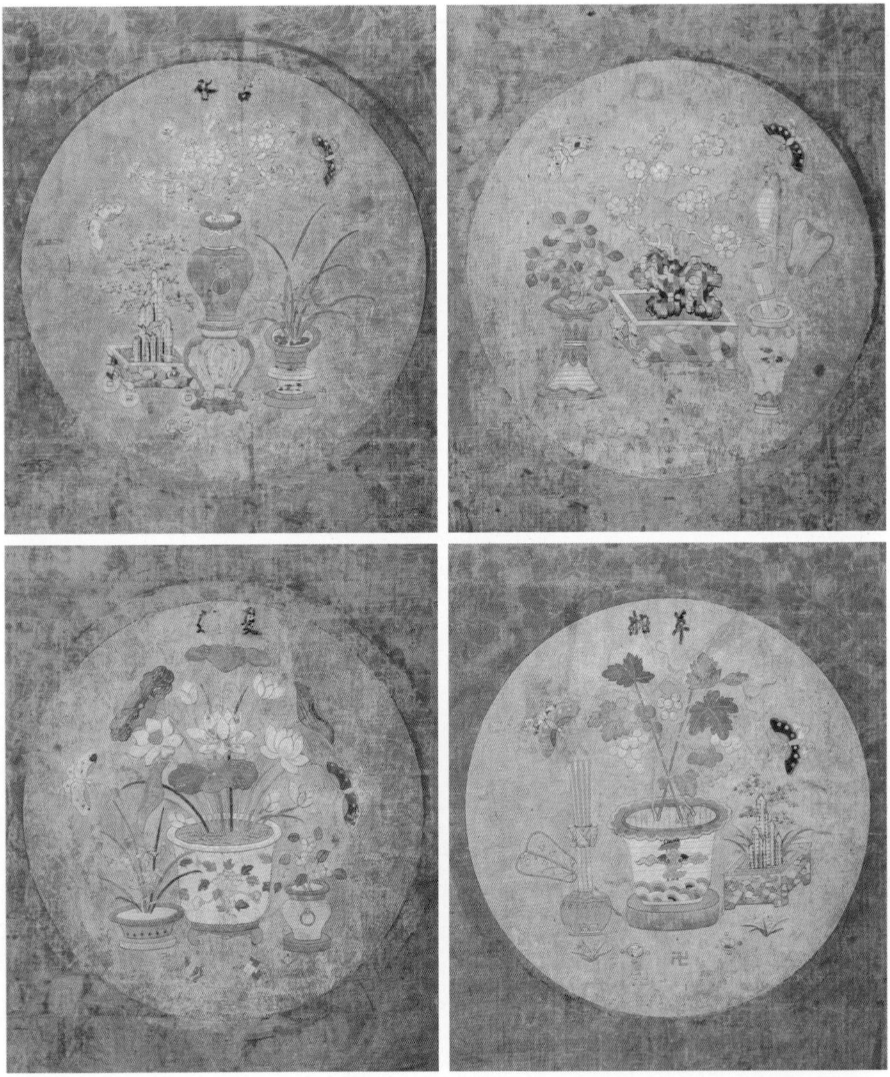

3 자수 사계분경도(4곡 병풍, 부분), 14세기 후반, 각 폭 66.0×40.5cm, 보물 653호, 서울공예박물관 소장 (허동화 기증품)

〈자수 사계분경도四季盆景圖〉(4곡 병풍, 보물 653호)도3는 실내에서 혹은 실외에서 장막을 칠 때 사용한 병풍으로 국내에 현존하는 자수 병풍 중 가장 오래된 작품으로 추정되고 있다. 무늬가 없는 비단의 동그란 원창 안에 사계절에 맞추어 매화(봄), 연꽃(여름), 포도(가을), 동백(겨울) 등의 분재盆栽를 중심으로 하면서 괴석, 소나무, 벌, 나비 등을 배치하였다. 세 번째 폭에 "하련夏蓮", 네 번째 폭에 "초룡

4 수라향낭(평창 월정사 팔각구층석탑 출토), 10세기, 6.0×5.7cm, 보물 1375호, 월정사성보박물관 소장

5 자수비단주머니(청양 장곡사 금동약사여래좌상 복장유물), 1346년 무렵, 9.8×10.0cm, 국보, 청양 장곡사 소장

草龍"이라고 적혀 있는데, 이는 여름 연꽃과 가을 포도를 말한 것으로 보인다. 구도가 가지런하고 색감이 안정적이어서 고상한 분위기를 지니고 있다.

화분 등 넓은 면에는 수직 방향의 자릿수가 구사되었고 분재의 테두리, 포도잎 등은 선수線繡로 윤곽을 뚜렷하게 나타내었다. 꼰사로 동그랗게 이어가는 자련수刺練繡도 많이 쓰였다. 이런 분경도는 송나라에서도 유행하여 대만의 국립고궁박물원에 비슷한 도상의 작품이 있다. 제작 시기는 제작 방식 등으로 보아 고려시대로 추정되지만 문양의 구성과 도상이 명나라 박고도博古圖(꽃병과 골동품 등 각종 기물을 그린 그림) 형식이어서 조선 초로 생각되기도 한다.

이외에도 고려 자수로는 〈평창 월정사月精寺 팔각구층석탑〉(국보 48호)에서 수습된 10세기 〈수라향낭繡羅香囊〉(보물 1375호)도4이 있고, 1346년(충목왕 2)에 봉안된 〈청양 장곡사長谷寺 금동약사여래좌상〉(국보)의 복장유물 중 하나인 〈자수비단주머니〉(국보)도5도 있다. 순천 송광사松廣寺에는 보조국사普照國師(1158~1210) 자수가사가 전했는데 《조선고적도보朝鮮古蹟圖譜》(권7)에도 그 사진이 있으나 한국전쟁 때 소실되었다.

6 오조룡보 목판과 지본, 1897년, 목판본: 19.3×20.3cm, 지본: 지름 21cm, 국립고궁박물관 소장

조선시대의 궁수와 민수

조선시대의 자수는 왕실공예와 민간의 규방공예를 대표하는 장르의 하나였다. 궁궐의 자수는 궁수宮繡, 민간의 자수는 민수民繡라고 하며 복식과 보자기를 비롯한 생활직물부터 감상을 위한 장식병풍에 이르기까지 크게 발전하였다.

궁궐에서는 수방繡房이라는 조직을 두어 자수를 전담케 했으며 왕과 왕비의 옷을 담당하는 상의원에는 별도로 자수 관련 장인이 고정적으로 배속되어 있었다. 궁중의 안살림을 맡아서 하는 나인[內人] 중 바느질하는 침방針房과 자수를 담당하는 내인은 도청都廳나인이라고 부르며 왕과 왕비를 곁에서 지키는 지밀至密나인, 소주방燒廚房 등의 처소處所나인과 구별해 부를 정도로 전문화되어 있었다.

궁궐의 자수 장인은 6~7세부터 궁으로 데려와 기술을 습득시켰다고 한다. 자수는 여러 공정을 거쳐야 하기 때문에 기능이 전문화되어 있었다. 밑그림은 도화서에서 그린 그림이나 목판으로 제작된 본을 사용하였지만도6 바느질은 공정에 따라 나뉘어 있었다. 궁수는 이처럼 기능이 분화되어 조직적으로 이루어졌기 때문에 작품의 수준이 고르고 기법이 정교하다.

민수 또한 궁수 못지않게 발달하였다. 민수는 각 집안의 가사전통家事傳統에 의해 전개되었다. 그러다 조선 후기(18~19세기)로 들어와 민간 수공업과 상업이 번창하면서 직물 제품의 유명 산지가 부상하였다. 자수 특산지로는 평안도 안주

조선시대의 자수 관련 장인들

능라장綾羅匠	무늬가 있는 옷감을 직조
방직장紡織匠	무늬가 없는 옷감을 직조
합사장合絲匠	실을 합하여 굵은 실을 꼼
금사장金絲匠	금사를 만듦
재금장裁金匠	실을 곱게 다듬음
화아장花兒匠	옷에 금사로 수놓음
침선장針線匠	바느질을 담당
침장針匠	바늘을 제작

와 박천, 전라도 전주와 순창이 유명하였다.

특히 안주수安州繡가 유명했는데, 현재 국립고궁박물관에 소장된 자수 병풍들 대부분이 안주수일 정도로 기술이 뛰어났다. 안주수는 제작에 힘이 많이 들어가는 일은 남자 수장繡匠이 맡을 정도로 규모를 갖추고 있었으며 주문 생산을 위주로 했는데 한때는 중국에까지 자수품을 공급하였다. 안주가 자수 산지로 부상한 것은 이 지방에서 생산되는 수실[繡絲]이 질과 양 모두에서 뛰어났기 때문이다. 전주수全州繡 또한 높은 수준을 보여주었으며 순창수淳昌繡는 베갯모 등 소품으로 유명하였다.(양수정, 〈18세기 이후 자수와 제작가에 관한 제 면모〉, 《미술사학보》 54호, 미술사학연구회, 2020)

자수의 기법

자수의 공정을 보면 먼저 바탕천을 수틀에 고정시킨 다음 밑그림을 그리고 그림에 따라 수를 놓고, 수가 끝나면 수틀을 뒤집어 뒷면에 풀칠을 하여 실밥이 흩어지지 않게 하고 수증기를 쬐어 바탕천과 수실이 편안하게 자리를 잡게 한 뒤 그늘에서 말린 다음 수틀에서 떼어내어 장황한다.

조선시대 자수의 바탕천은 흰색 또는 청홍색 비단이 가장 많이 쓰였다. 밑그림인 수본繡本은 병풍을 비롯한 대작의 경우는 바탕천 위에 직접 먹선으로 그리거나 종이에 그림을 그려 바탕천 위에 붙이고 수놓았다. 이에 비해 소품의 경우는 목판 문양을 바탕천 위에 찍거나 호분胡粉으로 그린 다음 수를 놓았다.

사용하는 수실은 크게 나누면 꼰사, 푼사 두 종류가 있다. 꼬아 만든 실인 꼰사는 강도와 탄력이 있어 쉽게 풀어지거나 훼손되지 않아 오랫동안 원상태를 유지할 수 있는 특징이 있고 꼬임새에 따라 다양한 질감 효과를 나타낸다. 이에 비하여 꼬지 않은 실인 푼사는 수실 사이의 경계선이 명확하지 않고 광택이 많아 사람 얼굴을 표현할 때 많이 사용되었고, 넓은 면적을 메우는 데 유리하였다. 그러나 땀새를 짧게 이어갈 수 없어 세밀한 묘사는 어려웠다. 조선 전기에서 중기까지는 가는 꼰사가 많이 사용되었고 조선 후기에는 푼사가 많이 쓰였는데 굵은 꼰사와 반半푼사가 사용되기도 하였다.

자수의 주요 기법으로는 선수線繡, 평수平繡, 자련수刺練繡, 자릿수, 이음수, 사슬수, 매듭수, 징금수 등이 있다.

선수 길게 한 땀 놓은 수실로 선을 표현하는 기본 기법이다. 평수, 이음수, 자련수, 자릿수 등의 기본 단위가 된다.

평수 수면繡面을 수평·수직·경사 방향으로 같은 간격의 땀새로 메꿔가는 기법으로 비교적 간단한 문양을 표현할 때 사용된다.

자련수 땀새가 길고 짧게 교차되게 수놓는 기법으로 색조의 변화와 사실적인 표현에 유리하여 꽃송이나 나뭇잎의 묘사에 잘 응용된다.

자릿수 돗자리의 표면처럼 촘촘하게 엮는 기법으로 수면이 치밀하고 고르며 짜임새 있게 표현된다.

이음수 사선 방향으로 땀새를 이어 선을 만드는 기법으로 주로 문양의 테두리를 표현하는 데 이용된다. 수면을 구획 짓거나 하나의 선만으로 형체를 암시하고자 할 때에도 사용된다.

가장자리수 주머니의 입구 둘레, 노리개의 테두리 등을 장식하는 데 주로 쓰인 기법이다.

사슬수 사슬고리가 이어진 모양을 나타내는 기법으로 쇄수鎖繡라고도 한다.

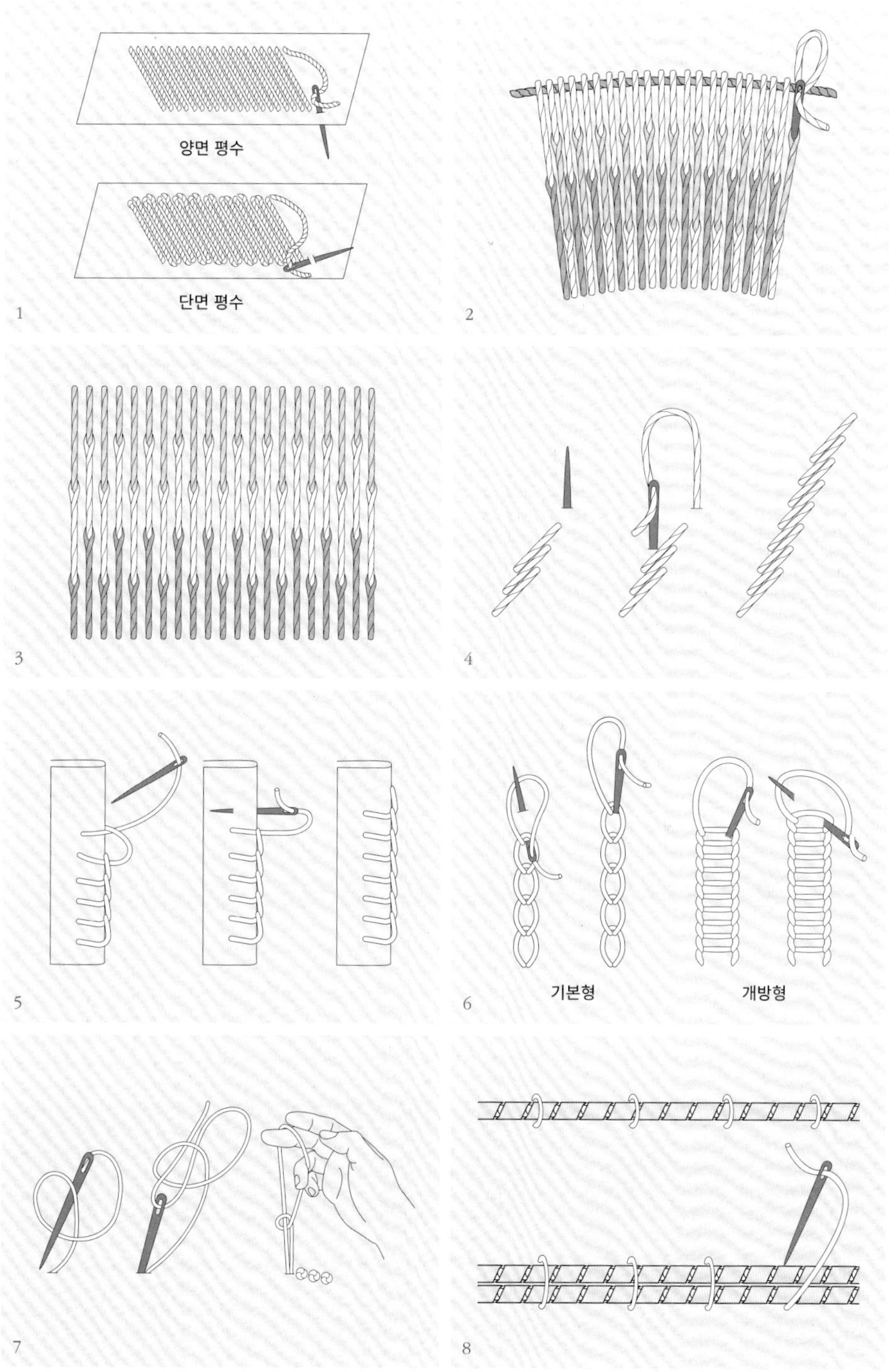

7 대표적인 자수 기법들
1 평수 2 자련수 3 자릿수 4 이음수 5 가장자리수 6 사슬수 7 매듭수 8 금·은사 징금수

*이 자수 기법 일러스트레이션은《한국 자수 이천년》(심연옥 외, 크리빗, 2020)에 실린 것을 원 저자의 허락을 받고 수록하였다.

매듭수 비교적 굵은 실로 매듭진 실밥을 짧게 하여 수면에 밀착되도록 하는 기법이다. 꽃술이나 씨앗이 두드러지게 보이도록 할 때 사용된 기법이다.

금·은사 징금수 수가 놓인 가장자리에 굵은 금사金絲, 은사銀絲를 두르고 군데군데 징그며 고정시켜 수면이 흩어지지 않게 하기 위한 기법이다. 특히 금·은사로 수를 놓는 경우 금·은사가 굵고 거칠어 그대로 수를 놓을 수 없기 때문에 비단실로 군데군데 징거 고정시켰다.

활옷, 원삼, 적의

왕비 또는 공주가 가례(혼례) 때 입는 대례복大禮服인 활옷은 궁중 복식의 화려함과 궁수의 진면목을 보여준다. 궁중의 복식제도는 1474년(성종 5)에 간행된《국조오례의國朝五禮儀》에 그 기준이 정해져 있다.

〈복온공주 활옷〉308쪽·도8은 1830년(순조 30), 순조의 둘째 딸인 복온공주福溫公主(1818~1832)가 결혼할 때 입은 활옷이다. 공주는 불행히도 결혼 2년 만에 15세의 나이로 죽었으나 이 활옷은 계속 대물림되어서 옷 여러 곳에 복온공주 당시의 옷감이 아닌 것이 꽤 들어 있다고 한다. 고귀한 빛깔인 홍색 바탕에 연꽃, 목단, 복숭아 등 꽃무늬를 앞면은 자수와 금박으로, 뒷면은 전체를 자수로 장식하였다. 궁중 화원에 의해 그려진 치밀한 도안에 도청나인의 정교한 자수가 돋보인다. 〈복온공주 활옷〉은 지금까지 남아 있는 조선시대 궁중 활옷 중 주인과 연대가 명확한 유일한 유물이다.

활옷은 양반과 서민의 혼례에도 사용되었다. 활옷을 입을 때는 빨간 치마에 노란 저고리를 먼저 입고 활옷 위에는 대대大帶를 띠며, 머리는 쪽을 진 뒤 용잠龍簪(용비녀)을 꽂고 화관花冠을 쓰고 용잠의 양끝에는 앞댕기를, 화관 밑의 뒤편에는 큰 댕기를 드리는데 그 모습이 매우 화려하다. 〈활옷〉도9은 대표적인 양반가의 혼례복으로 연꽃이 화사하게 피어난 연못가의 백로 한 쌍과 모란 병풍을 연상케 하는 모란꽃들이 정연히 수놓여 있다. 활옷은 워낙에 화려하고 아름다워 20세기 초 외국에서 민속자료로 다투어 수집해 가 영국 빅토리아앨버트박물관, 미국의 필드박물관과 브루클린미술관 등 해외 여러 곳에 소장되어 있다.

8 복온공주 활옷, 1830년, 세로 128.5cm, 국립고궁박물관 소장

9 활옷, 19세기 말, 세로 109cm, 일암관 소장

10 순정효황후 대홍원삼, 1906년, 세로 145cm, 국가민속문화재 48호, 세종대학교박물관 소장

11 영친왕비 적의, 1922년, 세로 143.8cm, 국가민속문화재 265호, 국립고궁박물관 소장

12 후수, 19세기 말, 세로 87cm, 국립고궁박물관 소장

13 후수, 19세기 말, 세로 71.8cm, 국립고궁박물관 소장

왕실의 대례복으로는 원삼圓衫과 적의翟衣도 있다. 〈순정효황후 대홍원삼大紅圓衫〉(국가민속문화재 48호)도10은 1906년(고종 43) 당시 황태자였던 순종과 순정효황후純貞孝皇后(1894~1966)의 가례 때 쓰였던 대례복으로, 펼치면 가로 2미터가 넘는 홍원삼에 봉황과 구름무늬가 화려하게 제직製織되어 있다. 여기에 여러 색의 수실과 금사로 수놓은 오조룡보五爪龍補를 가슴과 등, 양어깨에 덧붙였다.

적의는 왕비가 가례를 비롯하여 국가의 큰 제사, 책봉식 등 중요한 행사에서 착용하던 예복이다. 적翟은 꼬리가 긴 꿩을 뜻한다. 〈영친왕비 적의〉(국가민속문화재 265호)도11에는 쌍쌍의 꿩이 옷 전체에 수놓여 있고, 오조룡보도16가 가슴과 등, 양어깨에 덧붙여져 있다.

후수

후수後綬는 조복朝服 또는 제복祭服의 허리 뒤쪽에 드리우는 장식이다. 대개 홍색 바탕에 운학무늬가 수놓여 있고 그 아래에 실로 엮은 망수網綬가 늘어뜨려 있으며 위에는 한 쌍의 환環(고리)이 고정되어 있다. 국립고궁박물관에는 후수를 수놓을 때 사용한 자수본 그림이 전하고 있다.

후수의 문양과 환은 착용자의 신분을 나타내는데 《국조오례의》의 규정에 따르면 1·2품은 황색·녹색·자색·적색으로 수놓은 운학雲鶴무늬에 금환金環을 두 개 달았고, 3품은 네 가지 색의 반조盤鵰(독수리)무늬에 두 개의 은환銀環을 달았다. 4품 이하 9품까지는 품계에 따라 연작練鵲(까치)무늬, 계칙鸂鶒(뜸부기)무늬에 은환 또는 동환을 달아 직급을 명확히 하였다. 그리고 후수 하단에는 청사망靑絲網을 맺었다. 하지만 차츰 이 원칙을 따르지 않게 되어 조선 후기에 무늬는 모두 운학으로 통일되었고, 그 색도 제각각이다.

〈후수〉도12는 붉은색 바탕에 가운데에 네 쌍의 학이 서로 마주 보게 배열하고 위쪽은 구름과 만자무늬, 아래쪽은 만자와 연꽃무늬를 수놓아 상하좌우가 대칭이 되도록 하고 짙은 청색 술을 늘어트렸다. 여기에 은환, 흰 띠, 붉은 보조 띠가 있어 구성이 대단히 화려하다.

〈후수〉도13는 붉은 바탕에 네 쌍의 운학무늬가 있는 것은 같으나 위쪽에 만자무늬가 한 번 더 들어가 있고 은환 대신 금환이 달려 있는 점이 다르다.

보

보補는 왕과 왕세자의 곤룡포袞龍袍, 왕비와 왕세자의 원삼과 적의 등에 다는 용무늬 장식으로, 신하들의 관복의 흉배에 해당한다. 보는 둥근 원형으로 용을 도안하여 가슴, 등, 양어깨까지 네 곳에 장식하였다. 본래는 직조하거나 옷 자체에 수를 놓는 식이었지만 별도의 천에 수를 놓아 부착하는 식으로 바뀌었다. 곤룡포에 수놓은 보의 모습은 〈영조어진御眞〉(보물 932호)도14에서 역력히 볼 수 있다.

〈영친왕 곤룡포 오조룡보〉(국가민속문화재 265호)도15는 영친왕이 1922년 귀국하여 순종을 알현할 때 입었던 곤룡포의 앞가슴에 부착한 보이다. 오

14 영조 어진, 조석진·채용신 등, 1900년, 비단에 채색, 110.5×61.0cm, 보물 932호, 국립고궁박물관 소장

15 영친왕 곤룡포 오조룡보, 1922년 무렵, 지름 20cm, 국가민속문화재 265호, 국립고궁박물관 소장

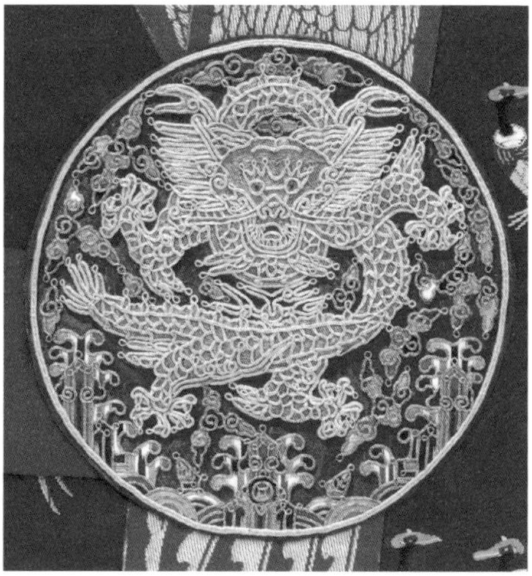

16 영친왕비 적의 오조룡보, 1922년 무렵, 지름 17.5cm, 국가민속문화재 265호, 국립고궁박물관 소장

조룡을 금사로 화려하게 수놓았다.

〈영친왕비 적의 오조룡보〉(국가민속문화재 265호)도16는 영친왕비가 1922년 영친왕과 함께 순종을 알현할 때 입은 적의 앞가슴에 있는 보로 오색실과 금사로 화려하게 수놓았다. 국립고궁박물관에는 이런 보들을 수놓을 때 사용한 것으로 보이는 목판 원판이 소장되어 있다.

흉배

흉배胸背는 문관과 무관의 관복에서 문양으로 직급을 나타내는 네모난 장식이다. 흉배는 1454년(단종 2) 양성지梁誠之(1415~1482)의 건의에 따라 문무관 3품 이상의 상복常服에 붙이게 되었다.

이때 대군大君은 기린麒麟, 대사헌大司憲은 해치獬豸(해태), 도통사都統使는 사자獅子, 왕자군王子君은 백택白澤, 문관 1품은 공작孔雀, 2품은 운안雲雁(구름 속 기러기), 3품은 백한白鷴(흰 솔개), 무관 1·2품은 호표虎豹, 3품은 웅비熊羆(곰)를 달도록 정하였다. 이는 명나라의 《홍무예제洪武禮制》를 본뜬 것이다. 이러한 조선 전기의 흉배는 실물로 전하는 것이 매우 드물지만 그 대신 공신 초상화에서 그 모습을 확인

17 신숙주 초상(부분), 15세기, 비단에 채색, 167.0×109.5cm, 보물 613호, 고령신씨문중 소장

18 장말손 초상(부분), 15세기, 비단에 채색, 165×93cm, 보물 502호, 개인 소장

19 정탁 초상(부분), 17세기, 비단에 채색, 167×89cm, 보물 487호, 개인 소장

20 박유명 초상(부분), 17세기 전반, 비단에 채색, 170.0×88.3cm, 보물 1489호, 수원박물관 소장

21 사자흉배, 16세기, 34.5×34.5cm, 숙명여자대학교박물관 소장

22 쌍학흉배, 17세기, 37.5×37.5cm, 단국대학교박물관 소장

할 수 있다.도17~20

이후 1505년(연산군 11)부터는 1품에서 9품까지 모두 흉배를 사용하게 되면서 문양도 명나라와는 전혀 다른 사슴·돼지·거위·기러기 등의 독특한 문양으로 바뀌었다.

임진왜란 이후 문란해진 흉배 제도는 1734년(영조 10)에 와서 재정비되었는데 이때부터 간단하게 문관 당상관堂上官(정3품 상 이상의 품계에 해당하는 관리)은 운학雲鶴흉배, 당하관은 백학白鶴흉배, 무관은 백호白虎흉배를 사용하였다. 그리고 1871년(고종 8)에는 문관 당상관은 쌍학雙鶴, 당하관은 단학單鶴, 무관 당상관은 쌍호雙虎, 당하관은 단호單虎로 간명하게 바뀌었다.

조선 초의 흉배는 관복에 직접 수를 놓는 식이었고 가슴 전부를 차지할 정도로 컸으나 이내 부착식으로 바뀌고 후기로 갈수록 크기가 작아져서 흉배를 관복의 중앙에 두는 정도로 되었다. 흉배의 도안은 계급의 표시가 되는 주문양을 중심으로 구름·여의주·파도·바위·물결·불로초·꽃·장생 등의 종속문양이 빼곡히 곁들여 있어 회화미가 아니라 장식미가 강조되어 있다.

〈사자흉배〉도21는 병조판서를 지낸 이준민李俊民(1524~1590)의 문중에 전해지

23 쌍학흉배, 19세기, 24.2×21.5cm,
미국 LA카운티미술관 소장

24 쌍호흉배, 19세기, 20.2×22.3cm,
미국 LA카운티미술관 소장

는 것으로 흉배 제도에서 최고위급 무관인 도통사에게만 특별히 사용된 흉배이다. 상상의 동물인 청사자를 중심으로 구름이 종속문양으로 배치된 화려한 모습으로 화조동물화를 연상케 하는 회화미가 살아 있어 조선 후기의 그것과는 사뭇 분위기가 달랐다.

〈쌍학흉배〉도22는 정3품 승지와 동래도호부사를 지낸 바 있는 정태제鄭泰齊(1621~1669)의 묘를 이장하면서 출토된 유물이다. 그가 살았던 17세기는 임진왜란 이후 흉배 제도에 혼란이 있어 흉배의 정확한 명칭을 알 수 없으나 후대에 문관 당상관이 사용한 운학 또는 쌍학의 모습과 비슷하다. 그러나 18세기 이후 운학흉배, 쌍학흉배와 비교할 때 주문양인 학이 크게 강조되고 여백이 많아 생동감이 넘친다.

〈쌍학흉배〉도23는 전형적인 조선 후기 문관 당상관의 흉배이다. 쌍학의 모습이 도안화되었을 뿐만 아니라 종속문양이 여백 없이 가득 채워져 있는데 만자무늬까지 들어 있어 당시 성행한 불교의 영향을 엿볼 수 있다.

〈쌍호흉배〉도24는 전형적인 조선 후기 무관 당상관의 흉배이다. 백호의 모습이 도안화되었지만 여전히 용맹스러운 모습을 지니고 있고 수실의 색상이 다양

25 단호흉배, 19세기 말, 22.3×20.2cm, 국립중앙박물관 소장

26 단학흉배, 19세기 말, 20×18cm, 국립고궁박물관 소장

하고 다양한 기법이 두루 사용되어 화려한 인상을 준다.

조선시대 흉배는 상당히 많이 전하고 있는데 주로 단학흉배, 쌍학흉배, 단호흉배, 쌍호흉배 등이다. 사용자를 알 수 없어 제작 시기를 명확히 나눌 수는 없지만 대체로 시대가 올라갈수록 종속문양으로 나타내는 구름과 파도무늬의 밀도가 높고, 후대로 내려올수록 긴장미가 떨어지는 편이다. 〈단호흉배〉도25와 〈단학흉배〉도26는 전형적인 조선 후기 흉배이다.

생활자수

일상생활에 쓰이는 생활자수는 궁수와 민수 가릴 것 없이 직물 제품 전반에 걸쳐 있다. 방석·보료·베갯모·주머니·안경집·수저집 등 그 종류를 일일이 열거하기 어려울 정도이다. 특히 방석에 많이 구사되었고, 수놓은 방석을 '꽃방석'이라 부른다. 꽃방석에는 대개 꽃무늬, 장생무늬, 길상문자 등이 수놓아져 있다. 표현 양식 또한 각양각색이어서 자수의 다양성을 보여주는데 대체로 시대가 올라갈수록 정성이 많이 들어가 있고 민수보다는 궁수가 당연히 더 화려하고 아름답다.

27 자수연지화조무늬방석, 17세기, 82×93cm, 서울공예박물관 소장

28 복온공주 혼례용방석, 1830년, 85.8×99.0cm, 국립고궁박물관 소장

〈자수연지화조무늬방석〉도27은 현재 보자기 형태로 되어 있지만 본래는 보료 방석이다. 겉감과 안감 사이 직물에 "효종계사십월孝宗癸巳十月"이라는 글씨가 쓰여 있어 효종 4년(1653)에 제작되었거나 보수된 것으로도 볼 수 있으나 확실하지는 않다. 주홍색 비단에 15종의 수실로 꽃과 새를 아름답고 화려하게 수놓았다. 2단 구도로 구성되어 바깥 테두리에는 연꽃과 모란꽃을 번갈아가며 표현했으며 중앙에는 연꽃을 중심으로 한 쌍의 흰 새가 날아들고 있는데 그 주위에 괴석과 모란, 매화가 자유롭게 둘러 있다. 이 꽃방석은 자수 자체가 아름다울 뿐만 아니라 제작 시기가 쓰여 있어 서울특별시 유형문화재 439호로 지정되었다.

〈복온공주 혼례용방석〉도28은 순조의 둘째 딸인 복온공주가 결혼할 때 사용한 것으로 활옷과 함께 전하는데 궁수의 아름다움을 여실히 보여주고 있다. 홍색 바탕에 한 쌍의 봉황과 연꽃과 백로를 주제로 하여 온갖 꽃을 가득 메우고, 녹색 테두리에는 연꽃과 모란꽃을 사방으로 장식했다. 이런 방석을 만화방석萬花方席이라고 한다.

민간에서는 돌이나 회갑잔치 등에 수繡주머니를 선물로 주고받았고, 신부가 시댁으로 들어갈 때에도 시댁 어른들에게 수주머니를 올리는 것이 예절이었다. 주머니 모양이 둥근 것은 두루주머니 혹은 협낭夾囊(염낭)이라 부른다. 보통 길상무늬를 수놓고 진주 등으로 장식하였으며 여기에 오색의 술을 달아 그 모양이 아주 예쁘고 화려하다. 영친왕 일가와 관련한 주머니들이 대표적인 명품으로 꼽히고 있다.

〈영친왕비 자수쌍학무늬두루주머니〉(국가민속문화재 265호)도29는 순종의 비인 순정효황후가 영친왕비에게 하사한 것이다. 무늬가 있는 홍색 비단에 금사를 징그며 한 쌍의 학이 서로 목을 감싸고 있는 모습을 나타내었다.

〈이구 금장식자수두루주머니〉(국가민속문화재 265호)도30는 영친왕의 둘째 아들 이구李玖(1931~2005)의 돌 때 만들어진 것으로 꽃무늬가 있는 홍색 비단에 오색실로 수壽 자와 함께 연꽃과 원앙을 수놓았는데 각 문양의 테두리는 금사로 징그었다.

귀주머니는 작은 물건을 넣어 한복 허리춤에 차고 다니거나 손에 들고 다녔는데 각이 져 있어 각낭角囊이라고 부른다. 〈영친왕비 자수수복자무늬귀주머니〉

29 영친왕비 자수쌍학무늬두루주머니, 1922년 무렵, 8.0×10.7cm, 국가민속문화재 265호, 국립고궁박물관 소장

30 이구 금장식자수두루주머니, 1932년 무렵, 12.5×14.0cm, 국가민속문화재 265호, 국립고궁박물관 소장

31 영친왕비 자수수복자무늬귀주머니, 1922년 무렵, 13.8×14.6cm, 국가민속문화재 265호, 국립고궁박물관 소장

32 이진 자수십장생무늬귀주머니, 1922년 무렵, 14.1×14.0cm, 국가민속문화재 265호, 국립고궁박물관 소장

(국가민속문화재 265호)도31는 정사각형 모양 비단의 폭을 3등분하여 양쪽 솔기를 중앙을 향해 접어 육모주름을 잡고 매듭을 지은 끈을 달았다. 앞면에는 파도무늬와 불로초 등을 수놓고 상단에 수壽 자를 수놓았다.

〈이진 자수십장생무늬귀주머니〉(국가민속문화재 265호)도32는 홍색 문단紋緞으로 만든 주머니에 오각형 덮개가 있어 다른 주머니와는 다른 독특한 형태를 지닌다. 1922년 영친왕 일가가 순종을 알현했을 때 순정효황후가 부귀장수를 기원하

33 자수혼례용부채, 19세기 말, 길이 47cm, 동아대학교박물관 소장

34 자수베갯모, 20세기 초, 19.0×18.4cm(아래), 국립고궁박물관 소장

는 뜻에서 영친왕의 장남 이진李晋(1921~1922)에게 하사한 왕자용 주머니이다.

〈자수혼례용부채〉도33는 궁중에서 비빈이나 공주의 혼례 때 얼굴을 가리기 위하여 사용했던, 손잡이가 긴 둥글부채로 탐스러운 모란꽃 한 쌍을 수놓았으며 부채의 테두리는 은으로 둘렀다. 부채 곳곳에 산호, 호박 등의 보석 장식이 달려 있고, 금사와 색실로 장식한 매듭과 술이 그대로 남아 있다. 이와 거의 똑같은 형태의 〈자수혼례용부채〉가 오륜대 한국순교자박물관에 소장되어 있는데 흥선대원군의 딸이 사용했던 것으로 전한다.

〈자수베갯모〉도34는 궁중에서 사용한 베갯모로 수壽 자를 가운데 두고 네 모서리에 박쥐를 수놓았다. 문자무늬는 이음수로 바탕을 채우고 징금수로 가장자리를

35 자수장침모, 20세기 초, 18.0×56.7cm(아래), 국립고궁박물관 소장

둘렀다. 박쥐는 박쥐 복蝠 자의 발음이 복福과 통하여 길상무늬로 많이 사용되었다.

〈자수장침모〉도35는 긴 베갯모로 반듯한 장방형 네모 안에 수壽 자를 가운데 두고 양옆에 꽃무늬를 대칭으로 배치한 단정한 구도이다. 역시 궁수의 높은 품격이 드러나 있다.

불교자수

불교자수는 사경보寫經褓, 복장주머니[腹藏囊], 가사袈裟, 수불繡佛, 번기幡旗, 불방석佛方席 등 불가의 대부분의 직물에 나타나고 있다. 깊은 신앙심을 가지고 정성과 기술을 다하여 제작에 임하였기 때문에 일반 자수품에 비하여 그 기법이 꼼꼼하며 만드는 데 시간도 많이 들여 격조 높은 작품이 많다.

〈자수연꽃넝쿨무늬사경보〉도36는 부안 내소사來蘇寺 전래품으로 1415년(태종 15)에 이씨 부인이 남편 유근柳謹의 명복을 빌기 위하여 제작한 《백지묵서묘법연화경白紙墨書妙法蓮華經》(보물 278호) 전7책을 쌌던 보 중 하나이다. 무늬가 없는 청

36 자수연꽃넝쿨무늬사경보, 15세기 초, 36.2×14.0cm, 불교중앙박물관 소장

37 자수금광명최승왕경(제2책과 제3책), 1622년, 각 34.6×12.0cm, 동국대학교박물관 소장

색 비단에 네 송이 연꽃과 넝쿨이 수놓여 있는데 공경스러운 분위기의 불교적 이미지가 아름답게 표현되어 있다. 선의 표현에는 사슬수가 주로 쓰였고 꽃무늬 부분에는 매듭수가 일부 사용되었다.

〈자수금광명최승왕경金光明最勝王經〉도37은 선조宣祖(재위 1567~1608)의 계비인 인목왕후仁穆王后(1584~1632)가 손수 필사한 사경으로 본래 10책이나 제1책은 유실되었는데 제6책을 제외하고는 모두 표지가 자수로 꾸며져 있다. 경전의 이름을 가운데 두고 주위를 연꽃넝쿨무늬로 장식했는데 대략 13종의 수실로 리드미컬하게 수놓았다.

사경이 꾸며진 것은 1622년(광해군 14)으로 당시 인목왕후는 광해군 즉위 후 아버지 김제남金悌男(1562~1613)과 아들 영창대군永昌大君(1606~1614)을 잃고 유폐되어 서궁西宮(지금의 덕수궁)에 유폐되었던 시기이다. 그리고 이 사경이 제작된 이

38 자수복장주머니(한 쌍 중 하나), 19세기 중엽, 26.2×11.5cm, 국가민속문화재 42호, 서울공예박물관 소장(허동화 기증품)
39 자수복장주머니(한 쌍 중 하나), 1919년, 48×22cm, 수덕사근역성보관 소장

듬해인 1623년에 인조반정仁祖反正이 일어났고, 인목왕후는 복권되어 대왕대비가 되었다.

〈자수복장주머니〉(국가민속문화재 42호)도38는 오곡五穀, 오약五藥 등 여러 복장물을 넣어 불화의 좌우 상단에 달았던 장식물로 둥근 주머니를 몸체로 삼아 위에는 활짝 핀 연꽃을 수놓고, 아래로는 세 가닥의 다리를 늘어뜨렸다. 어느 불화의 복장주머니인지는 밝혀져 있지 않으나 수놓여 있는 명문으로 보았을 때 19세기 중엽 불명佛名이 허공화虛空華인 상궁尙宮 김씨, 불명이 묘진화妙眞華인 상궁 류씨가 발원한 것으로 보인다.

〈자수복장주머니〉도39는 수덕사修德寺에 전래되어 온 유물이다. 원형 몸체를 중심으로 상단은 연꽃으로 장식하고, 하단에는 세 개의 다리를 부착하였다. 이중 상단의 연꽃과 몸체에 새겨진 연꽃무늬가 장식의 핵심인데 약 15종의 색실로 자수의 다양한 기법을 사용하여 입체감 있게 수놓았다. 뒷면의 글씨를 통해 일제강

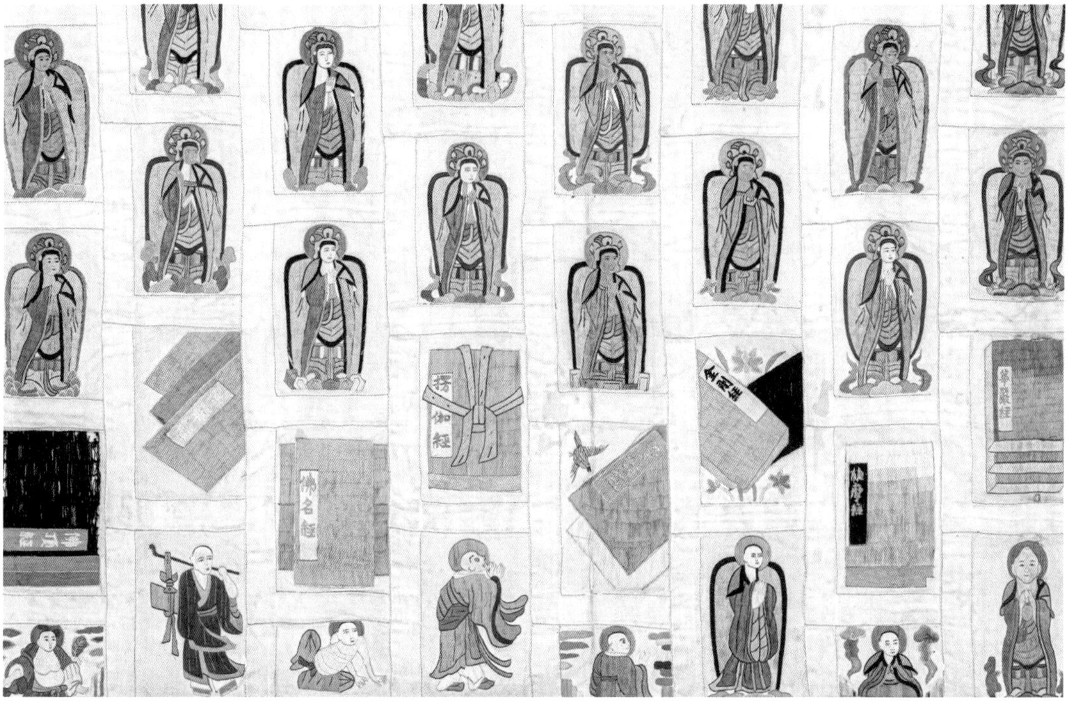

40 자수삼보명25조가사(부분), 19세기, 60×240cm, 보물 654호, 서울공예박물관 소장(허동화 기증품)

점기인 대정大正 8년(1919)에 제작되었음을 알 수 있다.

가사는 승려들이 입는 법의로 천을 이어 붙여 7조條가사부터 25조가사까지 여러 가지가 있다. 출가한 지 얼마 안 된 스님들은 7조가사를 입으며 25조가사는 큰스님이 입는다. 25조가사 중에도 〈자수삼보명三寶名25조가사〉(보물 654호)도40처럼 불·보살·나한상과 불경을 정성스럽게 자수로 수놓은 것은 아주 드물다. 이 가사는 조선 후기 고승인 해붕대사海鵬大師(?~1826)가 법식法式을 고증하고 '곤명 술자생 박씨坤命 戌子生 朴氏'가 발원했다고 전해오고 있다. 변형된 상태로 전하고 있던 가사를 문화재청의 문화재보존과학센터에서 2019년부터 3년간 철저한 조사를 거쳐 본래의 형태로 복원하였다.

〈자수용무늬탁의卓衣〉(국가민속문화재 244호)도41는 선암사仙巖寺에 전래되는 유물이다. 탁의는 법상法床을 두르거나 덮는 데 사용된 직물이다. 이런 탁의는 통도사通度寺, 선운사禪雲寺 등 다른 대찰에도 남아 있는데 이 탁의는 여의주를 희롱하

41 자수용무늬탁의(부분), 17세기 초, 115.0×365.5cm, 국가민속문화재 244호, 선암사성보박물관 소장

는 용 그림을 환상적으로 수놓고 가운데에 "성수만년聖壽萬年"이라는 글자를 십자꼴로 배치했다. 전체는 다섯 폭을 이어 만들었고, 그 외에 10여 조각의 작은 천을 이어 붙여 자수의 거의 모든 기법을 동원해 입체감을 표현하고 있다.

자수 회화 작품

자수를 회화와 마찬가지의 평면 예술로 삼아 수놓은 작품들은 회화미와 공예미를 동시에 보여준다. 대개 유명한 그림을 본으로 삼았기 때문에 구도는 회화와 거의 같다. 다만 회화는 필치에 개성이 나타나지만 자수는 한 땀 한 땀의 기법이 솜씨를 가름하는 것이 차이이다. 이런 자수 회화 작품은 대개 교양과 그림 솜씨를 두루 갖춘 왕가나 양반가의 여인들의 작품이다.

전傳 신사임당申師任堂(1504~1551) 〈자수 초충도〉(8곡 병풍, 보물 595호)도42는 강

42 자수 초충도(8곡 병풍, 부분), 전 신사임당, 16세기, 각 폭 61×40cm, 보물 595호, 동아대학교박물관 소장

릉의 오죽헌, 국립중앙박물관에 각각 소장된 8폭 초충도와 똑같은 화풍을 보여준다. 회화 작품과 마찬가지로 이 자수 병풍 또한 제1폭부터 오이, 맨드라미, 원추리, 패랭이, 수박, 가지, 들국화를 주 소재로 삼으면서 주위에 들풀, 곤충, 개구리, 쥐를 배치했는데 해맑은 서정을 환기시키는 분위기를 지니고 있다. 검은색 공단貢緞(무늬 없는 두꺼운 비단) 바탕에 약하게 꼬임을 준 반푼사半分絲를 사용하여 수놓았으며 부분적으로 서로 다른 두 가지 색을 합친 실(합연사)을 사용하기도 하였다. 기본적으로 평수 위주로 면을 메우면서 수직·수평·사선 방향으로 방향을 달리하여 질감에 변화를 주었다.

〈자수 춘유방초春遊芳草〉도43와 〈자수 산시청람山市晴嵐〉도44 두 폭은 인조仁祖(재위 1623~1649)의 어머니인 인헌왕후仁獻王后(1578~1626)가 수놓은 것으로 전한다. 두 폭 모두 먹선으로 윤곽선을 그리고 그 위에 수를 놓아 단아한 수묵담채화를 보는 듯한 회화미가 살아 있다. 화제로 쓰여 있는 '춘유방초'는 봄나들이 길의 꽃향기를 말하고, '산시청람'은 소상팔경 중 이른 봄 풍경을 가리키는데 당시 선비들 사이에서 유행하던 것과는 화풍이 많이 다르다.

그런데 이런 도상은 옛 노魯나라인 산동 지역에서 제작되었던 노수魯繡에 비슷한 예가 있어 명나라 자수의 영향을 받은 것으로 생각되고 있다. 산동의 노수는 북경의 경수京繡, 항주의 항수杭繡, 하남의 변수卞繡와 함께 명나라 자수의 4대 산지로 꼽혔다.(양수정, 〈조선 자수와 산동 노수와의 상관과 전개〉, 《미술사학연구》 315호, 한국미술사학회, 2022)

전傳 인헌왕후 〈자수 신선도〉도45도 인헌왕후의 작품으로 전하는데 도교의 신선들을 수놓은 것으로 상단에는 수성노인壽星老人, 중단에는 종리권鍾離權, 여동빈呂洞賓, 하선고何仙姑, 하단에는 당나귀를 탄 장과로張果老 등이 수놓여 있다. 이런 신선 그림은 대만 국립고궁박물원에 전하는 명나라 〈팔선경수괘병八仙慶壽掛屛〉과 도상이 비슷하여 이 영향을 받은 것으로 보인다. 기법은 자수에 수묵과 채색을 곁들여 자수이면서도 신선도를 주제로 한 청록산수도를 보는 듯한 분위기가 있다.

김충남金忠男(1530~1618)의 딸로 태어나 강첨姜籤(1557~1611)의 큰아들인 강학년姜鶴年(1585~1647)과 결혼한 안동 김씨安東金氏의 작품으로 전하는 〈자수 십장생

43 자수 춘유방초, 전 인헌왕후, 17세기, 159.7×44.2cm, 국립중앙박물관 소장

44 자수 산시청람, 전 인헌왕후, 17세기, 179.4×46.4cm, 국립중앙박물관 소장

45 자수 신선도, 전 인헌왕후, 17세기, 148.5×44.5cm, 국립중앙박물관 소장

도〉(2폭)도46는 무늬가 있는 붉은 비단에 수를 놓은 것으로 한 폭엔 달, 소나무, 사슴, 영지, 산 등이 있고, 한 폭엔 해, 학, 거북, 대나무 등이 수놓여 있다. 화첩으로 꾸며져 있는데 작품 앞에는 소장자 강세정姜世鼎(1644~1733)의 서문, 뒤에는 성호 이익의 발문이 들어 있어 제작자, 제작 시기, 4대에 걸친 전래 내력이 명확히 밝

46 자수 십장생도(2폭), 안동 김씨, 1606년, 각 폭 42×26cm, 개인 소장

혀져 있다.

이에 의하면 1605년(선조 38) 강첨이 명나라에 사신으로 갔을 때 명나라 황제가 강첨이 입고 온 조복에 수놓은 흉배의 아름다움에 감탄하여 누가 만든 것이냐고 물었을 때 며느리 김씨라고 대답하자 비단을 하사하면서 자수를 부탁하였다. 이에 강첨은 며느리에게 네 폭의 십장생 수를 놓게 하여 두 폭은 다음 해에 중국 황제에게 보내드리고 나머지 두 폭은 집안에 대대로 전하는 보물로 삼았다는 것이다.

강학년은 이 자수에 노란 비단을 붙여 첩을 만들고 표지에 집안에 영원히 전하는 보배로 여기라는 뜻으로 "전가진완傳家珍玩"이라 쓴 뒤 넷째 아들 강옥姜鈺(1631~1688)에게 주었으며 강옥의 아들 강세정은 이 자수첩을 받은 뒤에 첩을 만든 과정을 자세히 적은 서문을 쓰고, 1729년(영조 5) 성호 이익에게 발문을 받았다. 그리고 강세정의 손자인 강원복姜元復은 당대의 서화가로 강씨 집안의 어른인 표암 강세황을 찾아가 부탁하여 십장생도 두 폭 위에 꾸며놓았던 노란 비단에 표암의 발문을 받아 장황하였다.(양수정, 〈조선 17세기 수첩繡帖의 문예사적 가치〉, 《한국민화》 13호, 한국민화학회, 2020)

자수 장식병풍

자수 장식병풍은 회화의 전 장르를 망라하고 있다. 그중 특히 화조도 병풍은 자수로 표현하는 데 적합하여 많이 만들어졌고 다양한 모습을 보이고 있다. 그다음으로는 십장생도 병풍이 많다. 산수화는 번지기의 농담과 필치의 강약을 표현하기 힘든 탓에 자수로 제작된 것이 드물다.

자수 병풍의 꾸밈새는 그림 병풍과 마찬가지로 12폭부터 2폭에 이르기까지 다양하고, 키 작은 머릿병풍도 많이 제작되었다.

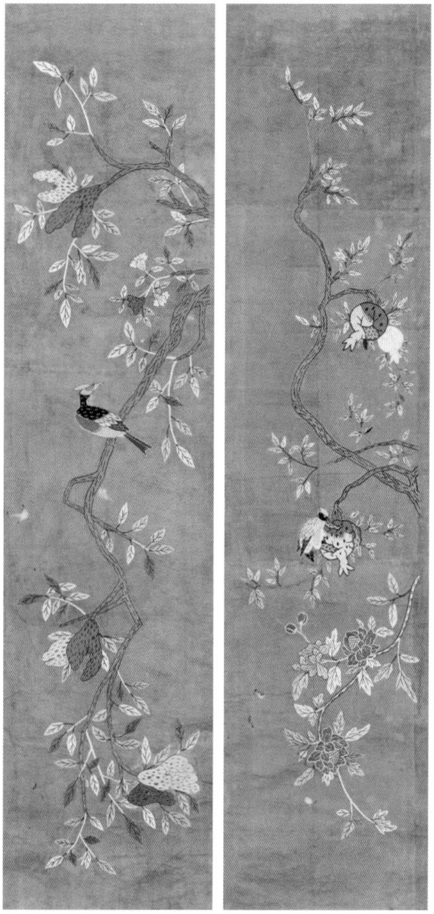

47 자수 화조도(7폭, 부분), 19세기, 각 폭 166.0×39.6cm, 국립고궁박물관 소장

도상으로는 백자도, 곽분양행락도, 경직도, 구운몽도 등도 더러 있지만 자수는 인물을 묘사하는 데 적합하지 않아서 많이 제작되지 않았고 자수다운 아름다움도 잘 표현되지 않은 편이다. 회화의 명작을 수놓은 예는 조선 말기에 석연石然 양기훈楊基薰(1843~?)의 작품을 수놓은 예가 있을 뿐 그리 많이 보이지 않는다. 대신 수복문자도壽福文字圖, 종정도鐘鼎圖, 책가도 등 도안화된 도상들이 자수로 많이 만들어졌고 유명한 서예 작품을 수놓은 병풍도 있다.

〈자수 화조도〉(7폭)도47는 현재 낱폭으로 일곱 폭이 전하고 있지만 원래는 8곡 병풍이었을 것으로 생각되고 있다. 푸른색 비단에 석류, 국화, 매화 등 여러

48 자수 십장생도(8곡 병풍, 부분), 20세기 초, 각 폭 60×33cm, 서울공예박물관 소장(허동화 기증품)

49 자수 화조도(8곡 병풍), 20세기 초, 각 폭 123×32cm, 개인 소장

종류의 꽃과 열매, 그리고 새와 곤충들을 수놓은 것으로 왕실자수의 우아한 분위기를 보여주고 있다. 특히 새, 나비, 꽃의 표현에서 채색화를 방불케 하는 색감과 농담의 변화를 보여주어 회화미를 역력히 살려내었고 나무줄기와 가지의 힘찬 동세까지 나타낸 명작이다.

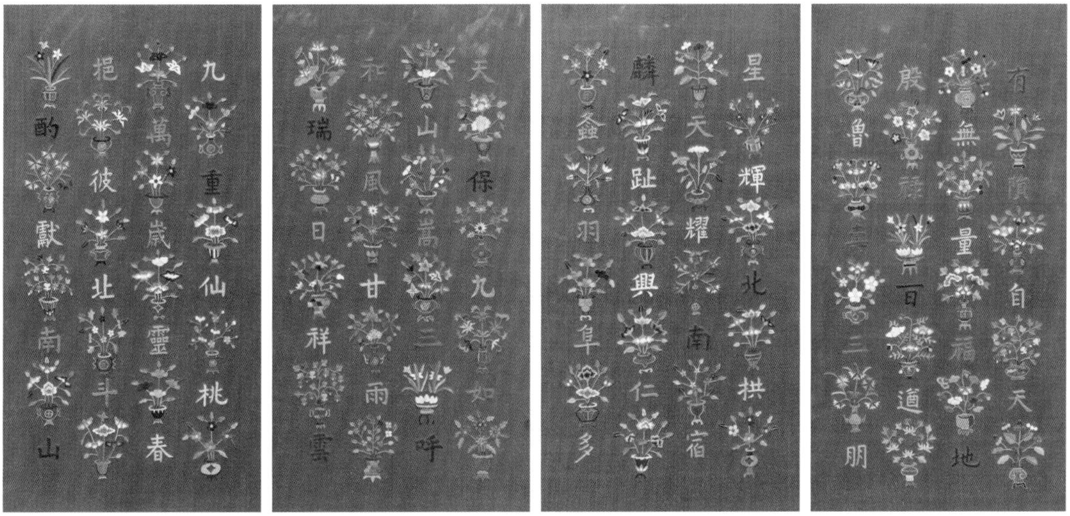

50 자수 화초길상도(10곡 병풍, 부분), 19세기 말, 각 폭 90×37cm, 국립중앙박물관 소장

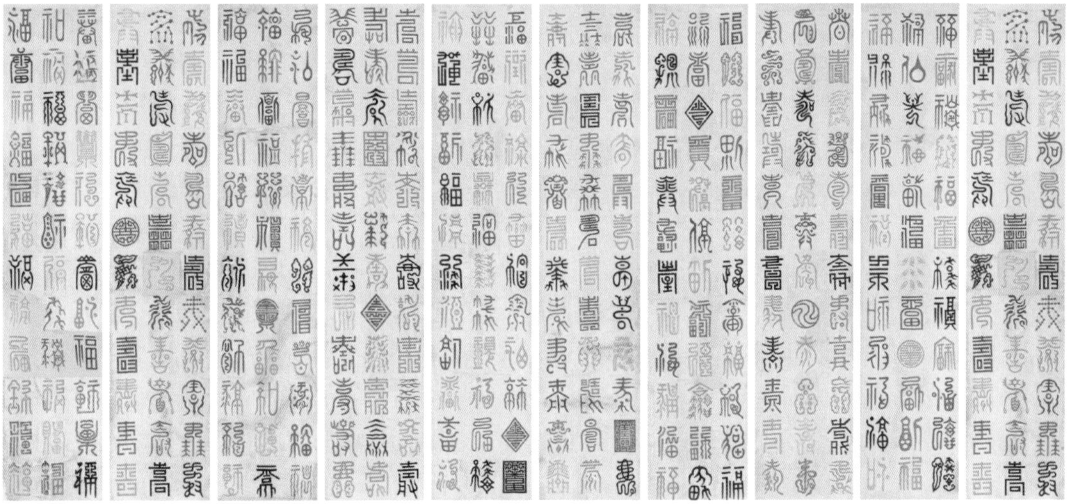

51 자수 백수백복자도(10곡 병풍), 19세기 말, 각 폭 146.3×30.5cm, 국립고궁박물관 소장

〈자수 십장생도〉(8곡 병풍)도48는 십장생도를 화조영모도 형식으로 재구성한 것으로 이러한 예는 안동 김씨의 〈자수 십장생도〉도46에서도 볼 수 있다. 바탕 소재로 붉은색 직물을 사용하고 있는 것도 비슷하다. 동물로는 학, 사슴, 거북, 식물로는 소나무, 대나무, 영지, 그리고 괴석, 파도, 해, 구름이 여러 방식으로 어울리

고 있다. 수실은 13종이 사용되었고 선수, 이음수, 자련수 등을 주로 하면서 매듭수와 징금수까지 구사하였다.

〈자수 화조도〉(8곡 병풍)도49는 아주 간명한 구도로 민화풍 화조도를 수놓은 듯 도상이 간명하고 밝은 인상을 준다. 특히 색실을 적당히 배합하여 색감이 뛰어나고 괴석, 오동, 소나무 등을 도안화하여 민화의 천진성 같은 것이 느껴진다.

〈자수 화초길상도〉(10곡 병풍)도50는 붉은색 공단에 다양한 모양의 꽃과 길상 문자를 수놓은 머릿병풍이다. 궁중 연회 때 공연되는 정재무呈才舞의 가사를 쓰면서 사이마다 각종 꽃으로 꾸며진 분재盆栽로 장식한 아주 정성스럽고 복스러운 자수 병풍이다. "무량복지無量福地", "천보구여天保九如", "서일상운瑞日祥雲" 등 상서로운 내용을 담은 단정한 해서체의 글자들을 오색으로 수놓았다. 그 사이의 분재들 또한 꽃, 잎, 화분들이 오색으로 장식되어 더없이 화려하다. 이 자수 머릿병풍은 미국에서 온 의료 선교사인 존 헤론John W. Heron(1856~1890)이 고종에게 받은 하사품으로 그가 제중원濟衆院 원장으로 있을 때 선물로 받은 것이다.

〈자수 백수백복자도百壽百福字圖〉(10곡 병풍)도51는 목숨 수壽 자와 복 복福 자로만 수놓은 10폭 자수 병풍이다. 각 폭마다 36자가 들어 있고 홀수 폭은 수 자, 짝수 폭은 복 자가 각종 서체로 수놓여 있는데 여러 가지 색실로 글자의 조형미를 살려내어 마치 문자추상화를 보는 듯한 아름다움이 있다.

〈자수 명성황후한시〉(8곡 병풍)도52는 명성황후明成皇后(1851~1895)의 친필을 수놓은 것으로 명성황후 본인이 직접 수놓은 것인지 아닌지는 밝혀지지 않았다. 한시의 내용은 칠언절구 두 수로 제1폭부터 제4폭은 당나라 이백의 〈산중여유인대작山中與幽人對酌〉, 제5폭부터 제8폭까지는 당나라 왕건王建(767~830)의 〈궁사일백수宮詞一百首〉 중 한 수이다. 분홍색 실을 가늘게 꼬아 만든 수실을 사용하여 평수로 한 획 한 획 정성스레 수놓아 단아한 필체가 더욱 우아하게 느껴진다.

〈자수 유란부幽蘭賦〉(6곡 병풍)도53는 송나라의 명필 황정견黃庭堅(1045~1105)이 당나라 한백용韓伯庸의 시 〈유란부〉를 써 형주荊州 석벽에 새긴 것을 그대로 수놓은 병풍이다. 마지막 폭에 들어 있는 작은 글씨의 관기에 의하면 해강 김규진이 일찍이 중국을 유람할 때 얻은 탁본으로 수놓은 것이고 제작 연대는 광무光武 8년(1904)이다.

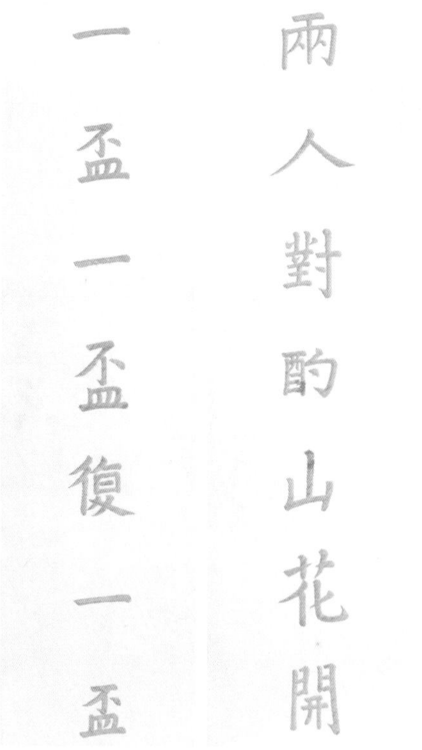

52 자수 명성황후한시(8곡 병풍, 부분), 전 명성황후, 19세기 후반, 각 폭 112.2×31.3cm, 국립고궁박물관 소장

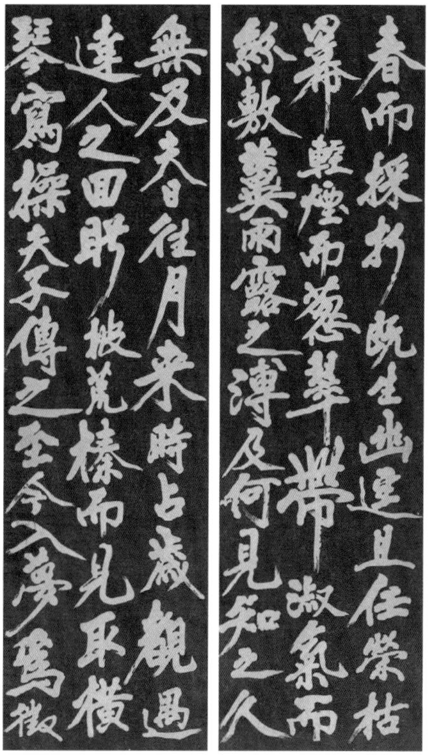

53 자수 유란부(6곡 병풍, 부분), 1904년, 각 폭 194.8×56.0cm, 국립고궁박물관 소장

황정견의 이 글씨는 필체가 웅혼하여 마치 봉황이 날아가는 듯하다는 평을 받은 유명한 작품으로 널리 알려져 왔는데, 이를 수놓으면서 필획이 뻗치고 갈라지는 멋까지 살려내었다. 굵게 꼰 수실을 쓰고 속수를 두툼하게 두어 양감이 풍부한데 이는 안주수의 특징이기도 하다. 이처럼 안주수는 제작에 힘이 필요하기 때문에 남자들이 많이 했다고 한다.(김수진, 〈19~20세기 평안도 안주 자수의 성쇠와 그 의미〉, 《대동문화연구》 119호, 성균관대학교 대동문화연구원, 2022)

〈자수 책가도〉(10곡 병풍)도54는 하나로 연결된 일지병풍이 아니라 각 폭으로 나뉜 책가도를 수놓은 것이다. 층층이 쌓인 책과 각종 진귀한 기물들이 놓여 있는데 특히 책가도의 특징인 입체감이 잘 살아 있다. 기물이 다양한 만큼 자수의 색실과 기법이 총동원되었지만 문기文氣 있는 분위기를 살리기 위하여 바탕은 색

54 자수 책가도(10곡 병풍, 부분), 20세기 초, 각 폭 81.0×33.5cm,
서울공예박물관 소장(허동화 기증품)

과 무늬가 없는 직물로 하고 중간 톤의 색실을 많이 사용하였다.

〈자수 송학도〉(10곡 연결병풍)도55는 석연 양기훈의 그림을 수놓은 10폭 일지병풍이다. 세 마리 학이 소나무 아래 한 다리를 들고 서 있고, 한 마리가 더 날아들고 있는 모습을 수놓았다. 양기훈의 낙관이 있는데 "신臣"이라는 글자가 있어 궁중에서 쓰였음을 알 수 있다. 소나무 줄기는 다양한 색실로 질감을 강조하였고 이음수 등의 기법으로 도톰하게 수놓아 입체감을 느낄 수 있게 하였다. 여백이 시원하게 남겨져 있어 더욱 기품이 살아 있는데 솔잎 표현의 디테일이 아주 정교하다.

〈자수 송학도〉(12곡 연결병풍)도56는 늠름하면서도 멋지게 굽어 자란 노송을 중

55 자수 송학도(10곡 연결병풍), 밑그림 양기훈, 20세기 초, 147.5×344.4cm, 국립고궁박물관 소장

56 자수 송학도(12곡 연결병풍), 밑그림 전 양기훈, 20세기 초, 177.5×403.0cm, 국립고궁박물관 소장

심으로 한 쌍의 학이 묘사된 대폭의 일지병풍이다. 순정효황후의 침실에 놓였던 것으로, 낙관은 없으나 이 역시 양기훈의 그림을 바탕으로 삼아 수를 놓은 것으로 전한다.

〈자수 매화도〉(10곡 연결병풍)도57는 기굴하게 자란 굳센 노매 줄기에 사방으로 뻗은 가지마다 홍매와 백매가 만개한 화사한 작품이다. 줄기는 갈색의 꼰사를 사

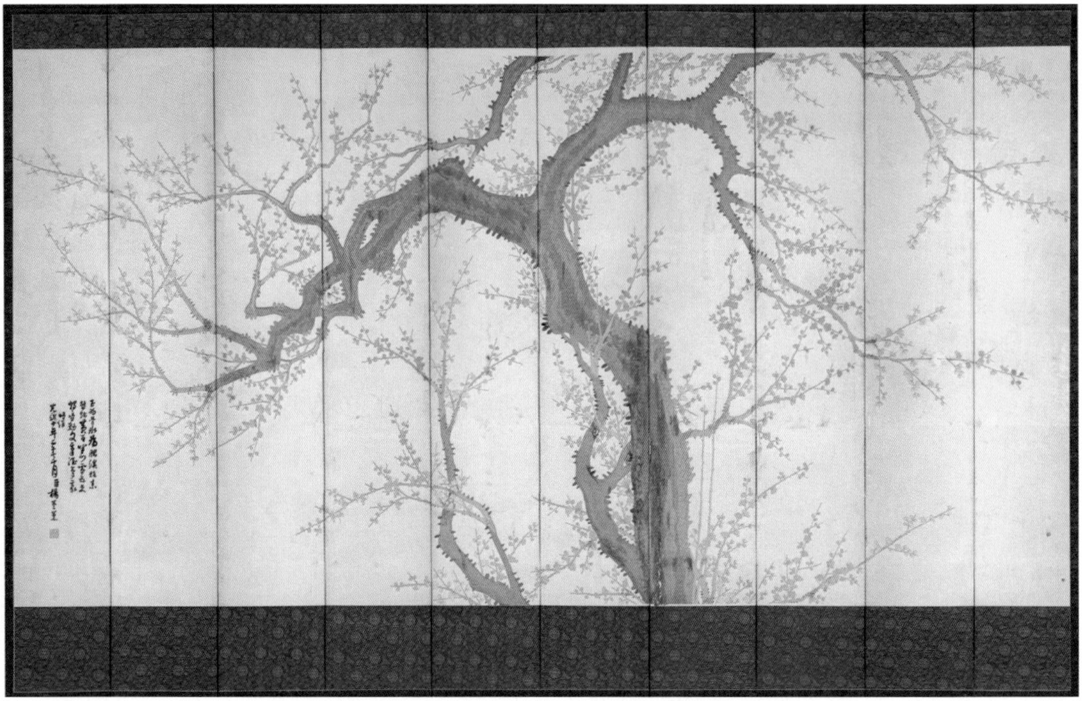

57 자수 매화도(10곡 연결병풍), 밑그림 양기훈, 1906년, 전체 247.3×400.0cm, 국립고궁박물관 소장

용하여 평수로 놓으면서 가장자리는 검정 수실을 둘렀으며, 꽃송이는 도톰하게 놓아 입체감을 보여준다.

양기훈은 평양 출신 화가로 노안도蘆雁圖로 유명하였으나 필치가 섬세하지 않아 그 화격이 그리 높이 평가되지는 않았다. 그러나 이 자수 병풍은 필치가 아니라 구도에 힘이 있고 자수가 치밀하여 그의 회화보다 예술적으로 더 성공했다는 인상을 준다. 제10폭 아래 여백에 제시題詩가 검은색 수실로 수놓여 있으며 "광무 10년 병자동 10월光武十年丙子冬十月 신 양기훈臣楊基薰"이라 낙관되어 있어 1906년(광무 10) 황실에 헌상된 작품임을 알 수 있다.

자수 농

〈자수십장생무늬이층농〉(국가민속문화재 59호)도58은 오동나무 2층농에 수놓은 붉은

58 자수십장생무늬이층농, 19세기, 높이 138.7cm, 국가민속문화재 59호, 숙명여자대학교박물관 소장

천을 덧발라 장식한 것으로 유례를 찾아보기 힘든 아름다운 가구여서 1979년에 국가민속문화재 59호로 지정되었다. 바탕이 붉은색이어서 전체적으로 주칠가구의 분위기를 띠고 있는데 각 부재마다 테두리를 주석 장석으로 정성스럽게 감싸 더없이 화려한 인상을 준다. 자수의 바탕천은 붉은색 모사毛絲를 사용하여 평직平織으로 짠 후 표면에 두툼하게 융絨을 일으킨 기모융起毛絨이다. 때문에 바탕이

마치 양탄자 같은 느낌을 준다.

농의 전면은 상하층이 똑같은 구조이며, 가운데 있는 문짝에 십장생을 쌍폭 그림처럼 배치하여 중심을 잡고 그 좌우에는 남색 실로 수놓은 "부귀다남富貴多男", "수복강녕壽福康寧"의 길상문자를 배열하였다. 그리고 폭이 좁은 상단엔 칠보무늬를 변형한 넝쿨무늬를 장식하고 폭이 넓은 아랫단에는 연꽃이 만개한 연못에서 한 쌍의 원앙이 노니는 연당蓮塘 그림을 배치하였다.

자수의 기법은 문양에 따라 다양하게 사용했는데 황색·녹색·청색 등의 꼰사로 평수, 자련수, 이음수, 징금수 등 갖은 기법을 동원하였다. 이처럼 고급 재료로 수놓은 정교한 자수를 덧바른 농은 분명 궁중에서 쓰였을 것인데 전하기로는 순조와 순원왕후의 가례 시 만들어진 것이라고 한다.

부록

전통 목가구의 부분 명칭도

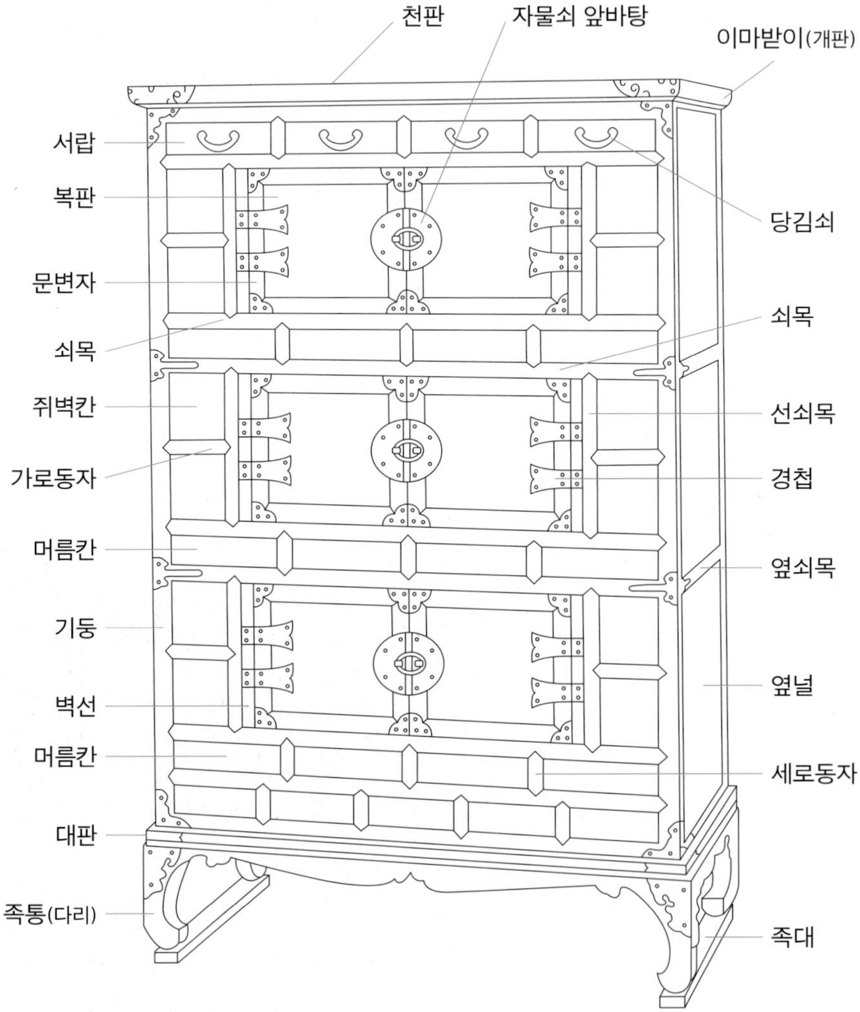

〈삼층장〉

*이 명칭도들은《목칠공예》한국 미의 재발견10(박영규·김동우, 솔출판사, 2005)에 실린 것을 원 저자의 허락을 받고 수록하였다.

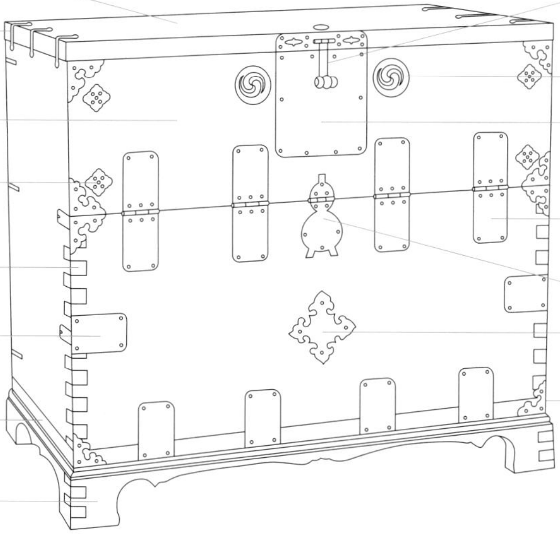
천판
거멀잡이
문판
광두정
사개물림
거멀잡이
아랫널(밑널)
족통(다리)
뻗침대
자물쇠 받침대
자물쇠 앞바탕
경첩
호리병형 경첩
배꼽장석
귀장석

〈반닫이〉

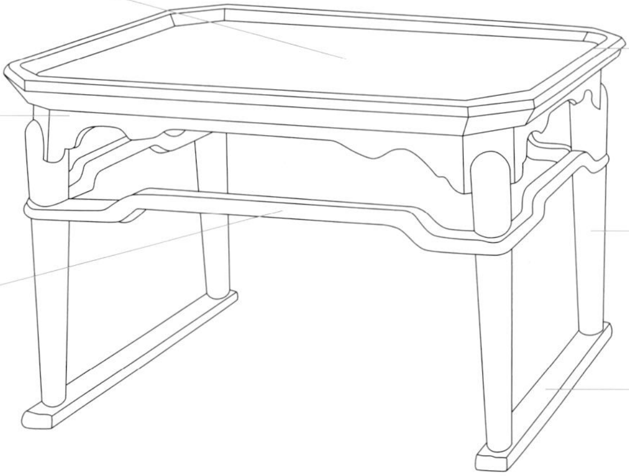
천판(반)
운각(초엽)
가락지(중대)
변죽(전)
기둥(다리)
족대

〈소반〉

참고서목

저술에 참고한 저서와 도록 및 보고서만을 챕터별로 간추려 제시하고 논문은 싣지 않았다.

공예

저서

곽대웅, 《화각장》, 화산문화, 2000.
권도홍, 《文房淸玩》, 대원사, 2006.
권상오, 《나전공예》, 대원사, 2007.
김리나 외, 《한국불교미술사》, 미진사, 2011.
김미라, 《우리 목가구의 멋》, 보림출판사, 2007.
김삼대자, 《전통 목가구》, 대원사, 1994.
_____, 《한눈에 보는 소목》, 한국공예·디자인문화진흥원, 2013.
김시재, 《한눈에 보는 매듭》, 한국공예·디자인문화진흥원, 2016.
김용진, 《韓國民俗工藝史》, 학문사, 1993.
김윤경, 《한눈에 보는 나전칠기》, 한국공예·디자인문화진흥원, 2011.
김현영, 《문안 편지 한 장으로 족합니다》, 역사비평사, 2022.
나선화, 《소반》, 대원사, 1989.
노용숙 외, 《한눈에 보는 칠보》, 한국공예·디자인문화진흥원, 2021.
맹인재, 《한국의 민속 공예》, 세종대왕기념사업회, 2000.
박영규, 《한국의 목가구》, 삼성출판사, 1982.
_____, 《韓國의 木工藝》, 범우사, 1997.
_____, 《한국의 전통목가구》, 한문화사, 2011.
_____, 《조선 목가구 정석》 전2권, 한문화사, 2023.
박영규·김동우, 《목칠공예》한국 미의 재발견10, 솔출판사, 2005.
박찬수, 《불교 목공예》, 대원사, 2002.
성인근, 《한국인장사》, 다운샘, 2013.
_____, 《국새와 어보》, 현암사, 2018.
손환일, 《한국의 벼루》, 서화미디어, 2010.
송재선, 《우리나라 옹기》, 동문선, 2004.
아사카와 다쿠미, 심우성 역, 《조선의 소반·조선도자명고》, 학고재, 1996.
안귀숙, 《유기장》, 화산문화기획, 2002.
야나기 무네요시, 이길진 역, 《조선과 그 예술》, 신구문화사, 1994.
_____, 심우성 역, 《조선공예개관》, 동문선, 1997.
윤용이, 《우리 옛 질그릇》, 대원사, 1999.
윤용이·이한승, 《한눈에 보는 옹기》, 한국공예·디자인문화진흥원, 2015.
이겸노, 《문방사우》, 대원사, 1997.
이경자, 《전통 한복의 멋 노리개》, 이화여자대학교 출판부, 2005.
이난영, 《한국 고대의 금속공예》, 서울대학교 출판문화원, 2012.
이성미, 《가례도감의궤와 미술사》, 소와당, 2008.
_____, 《어진의궤와 미술사》, 소와당, 2012.
이인범, 《조선예술과 야나기 무네요시》, 시공사, 1999.
이종석, 《한국의 목공예》상·하, 열화당, 2010.
이호관, 《한국의 금속공예》, 문예출판사, 1997.
장경희, 《朝鮮時代 冠帽工藝史 硏究》, 경인문화사, 2004.
_____, 《북한의 공예》, 예맥출판사, 2006.
_____, 《고궁의 보물》, 예맥출판사, 2009.
_____, 《조선 왕실의 궁릉 의물》, 민속원, 2013.
장숙환, 《전통 장신구》, 대원사, 2002.
정대영, 《조선의 나전》, 동인방, 2012.
정해조, 《나전장》, 민속원, 2006.
조훈상 외, 《한눈에 보는 옻칠》, 한국공예·디자인문화진흥원, 2017.
최공호 외, 《조선가구》, 문사철, 2018.
최공호·김미라, 《한눈에 보는 소반》, 한국공예·디자인문화진흥원, 2018.
최병규, 《벼루》, 한국학술정보, 2022.
최순우·박영규, 《한국의 목칠가구》, 경미출판사, 1981.
최순우·정양모, 《목칠공예》 한국미술전집13, 동화출판공사, 1974.
최영숙, 《나전장》, 서울특별시, 2021.
최영숙 외, 《한눈에 보는 한지》, 한국공예·디자인문화진흥원, 2018.
최옥자, 《조선 여인들의 장신구》, 민속원, 2016.
최응천, 《한국의 범종》, 미진사, 2022.
최응천 외, 《금속공예: 찬란하고 섬세한 아름다움》, 국립중앙박물관, 2007.
최응천·김연수, 《금속공예》한국 미의 재발견8, 솔출판사, 2004.
홍윤식, 《불교 의식구》, 대원사, 2002.
황수영, 《황수영 전집3: 한국의 불교공예·탑파》, 혜안, 1998.
황호근, 《한국장신구미술연구》, 일지사, 1976.
AMI아시아뮤지엄연구소, 《고려 나전향상과 동아시아 칠기》, 한국미술연구소CAS, 2014.

도록 및 보고서

가나문화재단, 《조선공예의 아름다움》, 가나문화재단, 2016.
_____, 《해와 달이 부르는 벼루의 용비어천가》, 가나문화재단, 2021.
가회민화박물관, 《民畵本色》 전2권, (주)지디비주얼, 2015.
갤러리현대, 《소박함과 단순미의 전통 선비 목가구》, 갤러리현대, 2013.
국립고궁박물관, 《조선왕실의 인장》, 그라픽네트, 2006.

______, 《국립고궁박물관 전시안내도록》, 국립고궁박물관, 2007.
______, 《꾸밈과 갖춤의 예술, 장황》, 그라픽네트, 2008.
______, 《조선왕조의 관인》, 국립고궁박물관, 2009.
______, 《명성황후의 한글편지와 조선왕실의 시전지》, 국립고궁박물관, 2010.
______, 《궁중문양판》, 국립고궁박물관, 2013.
______, 《조선 왕조 어책: 옥책》, 국립고궁박물관, 2017.
______, 《조선 왕조 어책: 교명·죽책·금책》, 국립고궁박물관, 2017.
______, 《조선왕실의 포장 예술》, 국립고궁박물관, 2017.
국립문화재연구소, 《우리나라 전통 무늬3: 나전·화각》, 눌와, 2009.
국립민속박물관, 《나무와 종이》, 국립민속박물관, 2004.
국립전주박물관, 《조선의 소반》, 국립전주박물관, 2013.
국립중앙박물관, 《한국의 미》, 통천문화사, 1988.
______, 《朝鮮時代文房諸具》, 통천문화사, 1992.
______, 《천년을 이어 온 빛, 나전칠기》, 고호 출판사, 2006.
______, 《어느 수집가의 초대》, 국립중앙박물관, 2022.
국외소재문화재재단, 《일본민예관 한국문화재 명품선: 조선시대의 공예》, 국외소재문화재재단, 2015.
대구보건대학 대구아트센터, 《한국의 궤》, 대구보건대학 대구아트센터, 2006.
문화재청, 《문화재대관 보물: 불교공예》, 문화재청, 2022.
문화재청·국립고궁박물관, 《조선왕실의 어보》 전3권, 문화재청, 2010.
미리벌민속박물관·국립민속박물관, 《목가구, 삶을 담다》, 국립민속박물관, 2015.
보나장신구박물관, 《조선 여인의 노리개》, 보나장신구박물관, 2006.
보령석탄박물관·국립민속박물관, 《보령 남포벼루와 문방가구》, 보령석탄박물관·국립민속박물관, 2012.
본태박물관, 《본태박물관 개관기념전》, 본태박물관, 2012.
북촌민예관, 《해주가마, 또 다른 백자의 발견》, 북촌민예관, 2012.
부여문화원, 《생활의 흔적, 삶의 향기》, 부여문화원, 2022.
서울역사박물관, 《나무의 방》, 서울역사박물관, 2007.
______, 《한국의 목가구》, 서울역사박물관, 2002.
신세계백화점, 《선비문화와 목가구》, 신세계백화점, 2010.
______, 《규방문화와 목가구》, 신세계백화점, 2013.
양의숙, 《조선의 목공예: 부엌 세간과 사랑방의 기물》, 예나르, 1994.
영남대학교박물관, 《면과 선의 세계》, 영남대학교박물관, 2002.
이종석 감수, 《목칠공예》한국의 미 24, 중앙일보사, 1981.
이화여자대학교박물관, 《옛 가구의 아름다움》, 이화여자대학교출판부, 1996.
조선공예연구회, 《조선공예전람회도록(영인본)》, 한국학자료원, 2022.
한국등잔박물관·국립민속박물관, 《우리의 불그릇 등잔》, 한국등잔박물관·국립민속박물관, 2014.
허준박물관·국립민속박물관, 《약장, 건강을 염원하다》, 허준박물관·국립민속박물관, 2014.
호림박물관, 《호림박물관 소장 문방구특별전》, 성보문화재단, 2005.
______, 《호림박물관 소장 함과 합》, 성보문화재단, 2007.
______, 《오색찬란: 조선의 나전》, 성보문화재단, 2015.
호암미술관, 《조선후기국보전》, 삼성문화재단, 1998.
______, 《조선목가구대전》, 호암미술관, 2002.

장식화, 민화

저서

김용권, 《민화의 원류, 조선시대 세화》, 학연사, 2008.
박옥련, 《한국의 십장생문: 장생의 염원》, 경성대학교출판부, 2003.
박정혜, 《조선시대 궁중기록화 연구》, 일지사, 2000.
______, 《조선시대 사가 기록화》, 혜화1117, 2022.
박정혜 외, 《왕과 국가의 회화》, 돌베개, 2011.
______, 《왕의 화가들》, 돌베개, 2012.
______, 《조선 궁궐의 그림》, 돌베개, 2012.
유재빈, 《정조와 궁중 회화》, 사회평론아카데미, 2022.
유홍준, 《화인열전》 전2권, 역사비평사, 2001.
윤열수, 《민화 이야기》, 디자인하우스, 2003.
______, 《민화》 전2권, 예경, 2000.
______, 《민화의 즐거움》, 종이나라, 2023.
윤진영, 《민화의 시대》, 디자인밈, 2021.
이동주, 《우리 옛 그림의 아름다움》, 시공사, 1996.
이성미, 《어진의궤와 미술사》, 소와당, 2012.
이세영, 《조선민화 1》, 조선민화, 2020.
______, 《조선민화 2》, 조선민화, 2023.
정병모, 《민화, 가장 대중적인 그리고 한국적인》, 돌베개, 2012.
______, 《책거리: 세계를 담은 조선의 정물화》, 다할미디어, 2020.
정병모 외, 《한국의 채색화》 전3권, 다할미디어, 2015.
정병모·고연희, 《조선시대 꽃그림》, 갤러리현대, 2018.
조자용, 《민화》, 온양민속박물관 출판부, 1981.
허균, 《전통미술의 소재와 상징》, 교보문고, 1999.

도록 및 보고서

갤러리현대, 《민화, 현대를 만나다》, 갤러리현대, 2018.
경기대학교박물관, 《한국민화도록》 전3권, 경기대학교박물관, 2000.
국립고궁박물관, 《궁궐의 장식그림》, 국립고궁박물관, 2009.
______, 《창덕궁 대조전 벽화》, 국립고궁박물관, 2015.
______, 《창덕궁 희정당 벽화》, 국립고궁박물관, 2016.
______, 《안녕, 모란》, 국립고궁박물관, 2021.
국립민속박물관, 《한국 호랑이 민예》, 대원사, 1988.
______, 《민화: 변화와 자유로움》, 국립민속박물관, 2006.
______, 《삼국지연의도》, 국립민속박물관, 2016.

국립중앙박물관, 《미술 속 도시, 도시 속 미술》, 국립중앙박물관, 2016.
_____, 《조선시대 채색장식화1: 문방도·책가도》, 국립중앙박물관, 2021.
_____, 《조선시대 채색장식화2》, 국립중앙박물관, 2022.
김철순 감수, 《민화》한국의 미 8, 중앙일보사, 1978.
김호연, 《한국민화》, 경미문화사, 1980.
부산박물관, 《행복이 가득한 그림, 민화》, 부산박물관, 2007.
서울역사박물관, 《반갑다! 우리 민화》, 서울역사박물관, 2005.
_____, 《광통교서화사》, 서울역사박물관, 2016.
선문대학교박물관, 《선문대학교박물관 명품도록III: 민화·회화》, 선문대학교박물관, 2003.
아모레퍼시픽미술관, 《조선, 병풍의 나라》, 아모레퍼시픽미술관, 2018.
예술의전당, 《조선궁중화·민화걸작》, 예술의전당, 2016.
현대화랑, 《조선시대 그림과 도자기 -그림편-》, 현대화랑, 2015.
_____, 《문자도, 현대를 만나다》, 현대화랑, 2021.
호림박물관, 《민화》, 성보문화재단, 2013.
호암미술관, 《꿈과 사랑: 매혹의 우리 민화》, 삼성문화재단, 1998.

자수

저서

김현희, 《보자기》, 한국문화재보호재단, 2000.
심연옥, 《한국직물문양 이천년》, 고대직물연구소 출판부, 2006.
심연옥 외, 《한국 자수 이천년》, 크리빗, 2020.
이학, 《韓繡研究》, 한국자수문화협의회, 1990.
정영양, 《동양자수의 근원과 역사》, 숙명여자대학교출판국, 2004.
한영화, 《전통 자수》, 대원사, 1999.
허동화, 《한국의 자수》, 삼성출판사, 1978.
_____, 《옛 보자기》, 한국자수박물관 출판부, 1988.
_____, 《이렇게 좋은 자수》, 한국자수박물관 출판부, 2001.
_____, 《우리가 정말 알아야 할 우리 규방 문화》, 현암사, 2006.
_____, 《이렇게 예쁜 보자기》, 한국자수박물관 출판부, 2004.

도록 및 보고서

가나아트, 《길상: 우리 채색화 걸작선》, 가나아트, 2013.
국립고궁박물관, 《아름다운 궁중자수》, 국립고궁박물관, 2013.
_____, 《궁중복식 본》, 국립고궁박물관, 2014.
_____, 《궁중보자기》, 국립고궁박물관, 2015.
국립문화재연구소, 《우리나라 전통 무늬1: 직물》, 눌와, 2006.
繡林苑, 《李朝의 刺繡》, 昌震社, 1974.
_____, 《胸背, 朝鮮王朝의 繡》, 지혜사, 1979.
숙명여자대학교 박물관, 《수실과 마음이 함께한 한국의 자수 어제와 오늘》, 숙명여자대학교 박물관, 2000.
현대화랑, 《여성의 꿈과 예술: 자수편》, 현대화랑, 2014.

도판목록

58장 왕실공예

장조비헌경왕후 옥책함, 1795년, 높이 34.5cm, 국립고궁박물관 소장
1 《보인소의궤》에 실린 조선국왕지인과 인면
2 대군주보, 1882년, 높이 7.9cm, 보물 1618-5호, 국립고궁박물관 소장
3 유서지보, 1876년, 높이 6.8cm, 보물 1618-3호, 국립고궁박물관 소장
4 준명지보, 1889년, 높이 7cm, 보물 1618-4호, 국립고궁박물관 소장
5 황제지보, 1897년, 높이 10.2cm, 보물 1618-2호, 국립고궁박물관 소장
6 제고지보, 1897년, 높이 9.4cm, 보물 1618-6호, 국립중앙박물관 소장
7 칙명지보, 1897년, 높이 8.4cm, 보물 1618-7호, 국립중앙박물관 소장
8 대원수보, 1897년, 인면 8.2×8.2cm, 보물 1618-8호, 국립중앙박물관 소장
9 황제어새 일괄, 1903년 이전, 어새 높이 4.9cm, 보물 1618-1호(어새), 국립고궁박물관 소장
10 숙종 금보 일괄, 1753년, 금보 높이 8.5cm, 보물(금보), 국립고궁박물관 소장
11 효종비인선왕후 봉왕비옥책(부분), 1651년, 24.7×128.6cm, 보물, 국립고궁박물관 소장
12 정조 봉왕세손죽책(부분), 1759년, 25.3×107.3cm, 보물, 국립고궁박물관 소장
13 정조 봉왕세손교명, 1759년, 비단에 묵서, 35×304cm, 보물, 국립고궁박물관 소장
14 숙종비인현왕후 옥보 보록, 1722년, 높이 31cm, 국립고궁박물관 소장
15 영조 봉왕세제죽책함, 1721년, 높이 27cm, 국립고궁박물관 소장
16 정조 효손 은인과 함, 1776년, 은인 높이 9.5cm, 보물(은인), 국립고궁박물관 소장
16-1 정조 효손 은인 인문
17 유세손서(부분)와 통, 1776년, 유세손서: 종이에 묵서, 69.5×178.0cm, 통: 높이 82.7cm, 국립고궁박물관 소장
18 작(爵, 술잔), 조선 말기, 높이 20.6cm, 국립고궁박물관 소장
19 형(鉶, 간을 한 고깃국을 담는 그릇), 조선 말기, 높이 21cm, 국립고궁박물관 소장
20 보(簠, 쌀과 수수를 담는 제기), 조선 말기, 높이 20.8cm, 국립고궁박물관 소장
21 궤(簋, 메조와 차조를 담는 제기), 조선 말기, 높이 20.5cm, 국립고궁박물관 소장
22 등(甑, 간을 하지 않은 국을 담는 그릇), 조선 말기, 높이 15cm, 국립고궁박물관 소장
23 황이(黃彝, 울창주를 담는 동이), 조선 말기, 높이 20.8cm, 국립고궁박물관 소장
24 상준(象罇, 술 그릇), 조선 말기, 높이 35cm, 국립고궁박물관 소장
25 희준(犧罇, 술 그릇), 조선 말기, 높이 35cm, 국립고궁박물관 소장
26 투구, 19세기 말, 높이 69.6cm, 국립중앙박물관 소장 (이건희 기증품)
27 화살통, 19세기 말, 길이 101.5cm, 국립중앙박물관 소장 (이건희 기증품)
28 금은입사사인검, 19세기, 길이 134cm, 국립고궁박물관 소장
29 은입사귀면무늬철추, 19세기, 길이 73.3cm, 보물 1444호, 국립고궁박물관 소장
30 용상, 19세기 후반, 높이 100cm, 국립고궁박물관 소장
31 주칠교의, 19세기 후반, 높이 90cm, 국립고궁박물관 소장
32 황칠교의, 19세기 말, 높이 117.5cm, 국립고궁박물관 소장
33 주칠흑칠삼층장, 19세기, 높이 159.5cm, 국립고궁박물관 소장
34 주칠흑칠삼층장, 19세기, 높이 175cm, 국립고궁박물관 소장
35 흑칠사층책장, 19세기, 높이 210cm, 서울역사박물관 소장 (운현궁 기증품)
36 주칠흑칠삼층장, 19세기, 높이 166.5cm, 서울역사박물관 소장(운현궁 기증품)
37 의거리장, 19세기, 높이 192.5cm, 서울역사박물관 소장 (운현궁 기증품)
38 주칠의거리장, 19세기, 높이 170cm, 서울역사박물관 소장 (운현궁 기증품)
39 주칠흑칠투각용무늬삼층장, 19세기, 높이 135cm, 개인 소장
40 나전흑칠삼층농, 20세기 초, 높이 182cm, 개인 소장
41 나전주칠삼층농, 20세기 초, 높이 216.5cm, 국립고궁박물관 소장
42 나전주칠십장생무늬이층농, 20세기 초, 높이 150.4cm, 국립고궁박물관 소장
43 나전주칠십장생무늬이층농, 20세기 초, 높이 113cm, 본태박물관 소장
44 나전주칠문갑, 19세기 말, 너비 각 87.3cm, 국립고궁박물관 소장(사진 제공: 국립제주박물관)
45 주칠흑칠'운현궁'명호족반, 1892년, 높이 35cm, 이화여자대학교박물관 소장
46 주칠흑칠'신사'명소반, 1881년, 높이 7.5cm, 국립고궁박물관 소장
47 주칠'큰뎐용'명호족반, 19세기 말, 높이 35.5cm, 개인 소장
48 채색용무늬상, 19세기 말, 높이 30.7cm, 국립고궁박물관 소장
49 나전대모'함녕전'명운룡무늬상, 19세기 말, 높이 35cm, 일암관 소장
50 주칠흑칠초충무늬함, 19세기 말, 너비 28.9cm, 개인 소장
51 주칠흑칠'수복강녕'명운학무늬함, 19세기 말, 너비 59.2cm, 개인 소장
52 인문보발기, 19세기, 종이에 묵서, 26.8×74.7cm, 한국학중앙연구원장서각 소장
53 홑보, 19세기, 75.3×71.5cm, 국립고궁박물관 소장
54 홑보, 19세기, 74.0×70.5cm, 국립고궁박물관 소장
55 겹보, 20세기 초, 45.7×46.5cm, 국가민속문화재 265호,

국립고궁박물관 소장
56 겹보, 20세기 초, 44.5×45.2cm, 국가민속문화재 265호, 국립고궁박물관 소장
57 맛보, 19세기, 109.2×89.5cm, 국립고궁박물관 소장
58 누비보, 19세기, 71.5×67.3cm, 국립고궁박물관 소장
59 봉황문보, 19세기, 52.7×58.5cm, 국립고궁박물관 소장
60 봉황문보, 19세기, 57.8×53.0cm, 국립고궁박물관 소장

59장 규방공예

삼층장, 19세기, 높이 172cm, 국립중앙박물관 소장 (이건희 기증품)
1 단층장, 19세기, 높이 90.2cm, 개인 소장 (사진 출처: 박영규,《조선 목가구 정석》Ⅰ, 한문화사, 2023)
2 원앙삼층장, 19세기, 높이 155.8cm, 다보성 소장
3 원앙삼층장, 19세기, 높이 151.3cm, 개인 소장
4 삼층장, 19세기, 높이 169cm, 국립중앙박물관 소장 (이건희 기증품)
5 이층의거리농, 19세기, 높이 113.9cm, 서울역사박물관 소장
6 주름질 예시(나전흑칠연꽃넝쿨무늬상자, 국립중앙박물관 소장)
7 끊음질 예시(나전흑칠해포무늬연상, 국립중앙박물관 소장)
8 타찰법 예시(나전흑칠국화모란넝쿨무늬상자, 국립중앙박물관 소장)
9 모조법 예시(나전흑칠십장생무늬함, 국립중앙박물관 소장)
10 나전흑칠모란넝쿨무늬꽃모양접시, 16세기, 너비 44cm, 개인 소장
11 나전흑칠모란넝쿨무늬벼루상자, 17세기, 너비 27cm, 개인 소장
12 나전흑칠국화모란넝쿨무늬상자, 17세기, 너비 34cm, 개인 소장
13 나전흑칠쌍학모란넝쿨무늬상자, 17세기, 너비 81.8cm, 국립중앙박물관 소장
14 나전흑칠포도무늬상자, 18세기, 너비 72cm, 일본 야마토[大和]문화관 소장
15 나전흑칠십장생무늬함, 19세기, 너비 82cm, 국립전주박물관 소장
16 나전흑칠구갑무늬이층농, 19세기 말, 높이 114.7cm, 이화여자대학교박물관 소장
17 나전흑칠화조무늬이층농, 19세기 말, 높이 108cm, 본태박물관 소장
18 나전흑칠구갑무늬문갑, 19세기 말, 너비 83.6cm, 국립중앙박물관 소장
19 나전흑칠수자무늬문갑, 19세기 말, 너비 105.5cm, 국립중앙박물관 소장
20 나전흑칠십장생무늬가께수리, 20세기 초, 높이 66.2cm, 이화여자대학교박물관 소장
21 나전흑칠경상, 19세기, 너비 73.5cm, 개인 소장
22 나전흑칠연상, 19세기, 너비 40.6cm, 국립중앙박물관 소장
23 나전넝쿨무늬사각접시, 19세기, 너비 31cm, 일암관 소장
24 나전흑칠운룡무늬반짇고리, 19세기, 지름 34cm, 일암관 소장
25 대모삼층장, 19세기 말, 높이 92cm, 프랑스 국립기메동양박물관 소장
26 대모나전용봉무늬상자, 20세기 초, 너비 63.2cm, 호림박물관 소장
27 화각함, 20세기 초, 너비 34.1cm, 국립중앙박물관 소장
28 화각함, 19세기 말, 너비 71cm, 국립고궁박물관 소장
29 화각함, 19세기 말, 너비 47.2cm, 국립중앙박물관 소장 (이건희 기증품)
30 화각사층장, 19세기 말, 높이 95.8cm, 국립중앙박물관 소장
31 화각십장생무늬필통, 19세기 말, 높이 12.5cm, 국립중앙박물관 소장
32 화각반짇고리, 19세기 말, 너비 28.2cm, 국립중앙박물관 소장
33 화각 자, 실패, 밀대, 19세기 말, 자(위) 길이 54cm, 일암관 소장
34 화각베개, 19세기 말, 너비 29cm, 본태박물관 소장
35 나비모양고비, 20세기 초, 높이 34cm, 개인 소장
36 주칠흑칠고비, 20세기 초, 높이 50.7cm, 국립중앙박물관 소장
37 주칠빗접, 20세기 초, 높이 24cm, 개인 소장
38 주칠빗접, 20세기 초, 높이 29cm, 본태박물관 소장
39 나전흑칠빗접, 20세기 초, 높이 24.2cm, 서울역사박물관 소장
40 나전흑칠경대, 20세기 초, 높이 27cm, 서울역사박물관 소장
41 나전흑칠경대, 20세기 초, 높이 25.8cm, 부산박물관 소장
42 영친왕비 머리장식 일괄, 20세기 초, 국가민속문화재 265호, 국립고궁박물관 소장
43 첩지 일괄, 20세기 초, 용첩지(맨 아래) 길이 6.6cm, 이화여자대학교박물관 소장(장숙환 기증품)
44 영친왕비 대삼작노리개, 20세기 초, 길이 50cm 내외, 국가민속문화재 265호, 국립고궁박물관 소장
45 노리개 일괄, 20세기 초, 길이 26~33cm, 본태박물관 소장
46 은장도 일괄, 20세기 초, 길이 14.5cm(맨 위), 국립민속박물관 소장
47 향갑 일괄, 20세기 초, 길이 40cm 내외, 본태박물관 소장
48 향낭 일괄, 20세기 초, 길이 29cm(왼쪽), 본태박물관 소장
49 목제반짇고리, 20세기 초, 높이 20cm, 국립민속박물관 소장
50 지제반짇고리, 20세기 초, 높이 15cm, 개인 소장
51 지제반짇고리, 20세기 초, 높이 14cm, 본태박물관 소장
52 지제실상자, 19세기 말, 높이 13.5cm, 개인 소장
53 바늘방석 일괄, 20세기 초, 지름 13~15cm, 본태박물관 소장
54 바늘방석, 20세기 초, 지름 10cm, 부여문화원 소장
55 실패 일괄, 19세기 말, 길이 29.7cm(오른쪽), 개인 소장
56 꽃실패 일괄, 20세기 초, 길이 6~10cm, 본태박물관 소장
57 사주단자보, 20세기 초, 37×37cm, 본태박물관 소장
58 버선본보, 20세기 초, 13×13cm, 서울공예박물관 소장 (허동화 기증품)
59 혼례용보, 20세기 초, 44.5×46.0cm, 서울공예박물관 소장 (허동화 기증품)
60 자수보, 20세기 초, 29.5×29.5cm, 서울공예박물관 소장 (허동화 기증품)
61 자수보, 20세기 초, 39.5×50.5cm, 개인 소장
62 비단조각보, 20세기 초, 74×75cm, 서울공예박물관 소장 (허동화 기증품)
63 모시조각보, 20세기 초, 43×44cm, 서울공예박물관 소장 (허동화 기증품)
64 명주조각맛보, 20세기 초, 세로 59~64cm, 본태박물관 소장
65 명주조각맛보, 20세기 초, 세로 59~64cm, 본태박물관 소장
66 항라조각보, 20세기 초, 51×51cm, 서울공예박물관 소장 (허동화 기증품)
67 모시조각보, 20세기 초, 57×61cm, 서울공예박물관 소장

(허동화 기증품)
68 모시조각보, 20세기 초, 73×75cm, 본태박물관 소장
69 모시조각보, 20세기 초, 87×87cm, 본태박물관 소장

60장 선비공예

의거리장, 19세기, 높이 174cm, 이화여자대학교박물관 소장
1 의거리장, 19세기, 높이 166.2cm, 개인 소장
(사진 출처: 박영규,《조선 목가구 정석》Ⅰ, 한문화사, 2023)
2 이층의거리장, 19세기, 높이 162cm, 본태박물관 소장
3 이층책장, 19세기, 높이 114.5cm, 개인 소장
4 삼층책장, 19세기, 높이 134cm, 국립중앙박물관 소장
(이건희 기증품)
5 삼층책장, 19세기, 높이 138.3cm, 국립중앙박물관 소장
(이건희 기증품)
6 이층책장, 19세기, 높이 111.8cm, 개인 소장
7 사방탁자, 19세기, 높이 149.5cm, 국립중앙박물관 소장
8 삼층탁자, 19세기, 높이 132.8cm, 국립중앙박물관 소장
9 삼층탁자, 19세기, 높이 139cm, 국립중앙박물관 소장
10 서탁, 20세기 초, 너비 85.5cm, 개인 소장(사진: 최중화)
11 서탁, 19세기, 너비 140cm, 국립중앙박물관 소장
12 서탁, 19세기, 너비 218cm, 개인 소장
참고1 청공도(부분), 강세황, 18세기 후반, 비단에 담채,
23.3×39.5cm, 선문대학교박물관 소장
참고2 김홍도 자화상(부분), 김홍도, 18세기 후반,
종이에 담채, 27.5×43.0cm, 평양 조선미술박물관 소장
13 서탁, 19세기, 너비 85.5cm, 개인 소장
14 서탁, 19세기, 너비 91.5cm, 개인 소장(사진 출처: 박영규,
《조선 목가구 정석》Ⅰ, 한문화사, 2023)
15 쌍문갑, 20세기 초, 너비 각 81.8cm, 서울공예박물관 소장
(유홍준 기증품)
16 장문갑, 19세기, 너비 99.6cm, 개인 소장
(사진 출처: 박영규,《조선 목가구 정석》Ⅰ, 한문화사, 2023)
17 단문갑, 20세기 초, 너비 93cm, 국립민속박물관 소장
18 단문갑, 19세기, 너비 58.6cm, 개인 소장
19 서안, 19세기, 너비 60cm, 개인 소장
20 서안, 19세기, 너비 77cm, 개인 소장
21 경상, 19세기, 너비 65cm, 개인 소장(사진 출처: 박영규,
《조선 목가구 정석》Ⅰ, 한문화사, 2023)
22 경상, 19세기, 너비 67cm, 개인 소장
23 연상, 20세기 초, 너비 37cm, 개인 소장(사진: 최중화)
24 연상, 20세기 초, 너비 37cm, 개인 소장
25 연상, 20세기 초, 너비 40cm, 개인 소장(사진: 최중화)
26 연상, 20세기 초, 너비 40.4cm, 국립중앙박물관 소장
27 책갑 일괄, 19세기, 높이 71.5cm(가운데), 개인 소장
28 죽제필통, 19세기, 높이 16.9cm, 호림박물관 소장
29 목제지통, 19세기, 높이 28cm, 개인 소장
30 목제투각지통, 19세기, 높이 17.5cm, 일암관 소장
31 죽제지통, 19세기, 높이 15cm, 일암관 소장
32 서류함, 19세기, 너비 35.2cm, 개인 소장
33 서류함, 19세기, 너비 36cm, 개인 소장
(사진 출처: 박영규,《조선 목가구 정석》Ⅰ, 한문화사, 2023)
34 서류함, 19세기, 너비 32.5cm, 개인 소장
35 필갑, 19세기, 너비 27.4cm, 개인 소장
36 서견대, 19세기, 높이 40cm, 일암관 소장
37 서견대, 19세기, 높이 28.5cm, 개인 소장
38 고비, 19세기, 높이 95cm, 국립중앙박물관 소장
39 고비, 19세기, 높이 60cm, 개인 소장
40 고비, 19세기, 높이 82.6cm, 국립중앙박물관 소장
41 능화판, 19세기, 33.5×57.5cm, 개인 소장
42 능화판, 19세기, 37.0×72.5cm, 영남대학교박물관 소장
43 능화판, 19세기, 32.2×61.5cm, 영남대학교박물관 소장
44 시고, 최명길, 17세기 전반, 종이에 묵서, 22.9×50.0cm,
개인 소장
45 간찰(부분), 김집, 17세기 전반, 종이에 묵서,
28.5×40.0cm, 개인 소장
46 간찰, 윤선거, 17세기 후반, 종이에 묵서, 29.5×38.5cm,
개인 소장
47《경교명승첩》중 〈목멱조돈〉의 이병연 시전지 부분
48 간찰(부분), 이광사, 18세기, 종이에 묵서, 22.0×80.5cm,
개인 소장
49 시고, 군필, 18세기, 종이에 묵서, 24.8×36.4cm, 개인 소장
50 시고, 심염조, 18세기, 종이에 묵서, 49.4×61.5cm,
서울공예박물관 소장(유홍준 기증품)
51 혼서지, 정우민, 19세기, 종이에 묵서, 27.8×60.2cm,
개인 소장
52 시전지판 탁본, 목판 18세기, 17.0×76.5cm, 개인 소장
53 시전지판, 18세기, 21.0×10.5cm, 개인 소장
54 시전지판, 18세기, 13.5×27.2cm, 개인 소장
55 시전지판, 19세기, 25.0×13.2cm, 개인 소장
56 시전지판, 19세기, 24.5×56.5cm, 개인 소장
57 간찰, 흥선대원군, 19세기 후반, 종이에 묵서,
23.8×16.0cm, 국립중앙박물관 소장
58 간찰, 오세창, 20세기, 종이에 묵서, 24×14cm, 개인 소장
59 어제벼루(앞뒷면), 16세기, 16.1×9.1cm,
오죽헌·시립박물관 소장
60 전 자암 김구 벼루, 16세기, 22×17cm, 개인 소장
61 권응수 벼루, 16세기, 24.2×16.0cm, 보물 668호,
국립진주박물관 보관
62 위원석 고사독작탄금무늬일월벼루, 16세기,
40.5×26.0cm, 개인 소장
63 위원석 포도원숭이무늬일월벼루, 18세기, 27.3×18.2cm,
개인 소장
64 윤증 벼루(소나무사슴무늬벼루 부분과 일월벼루 부분),
17세기, 20.7×16.0cm, 국가민속문화재 22호, 개인 소장
(사진: 국립민속박물관)
65 남포석 소나무사슴무늬일지벼루, 18세기, 26.7×16.5cm,
개인 소장
66 종성석 연꽃무늬벼루, 19세기 후반, 15.5×12.0cm,
개인 소장
67 연잎무늬벼루, 18세기, 57.3×87.9cm, 국립고궁박물관 소장

61장 민속공예

강화반닫이, 19세기, 높이 59.5cm, 국립중앙박물관 소장
1 밀양반닫이, 19세기, 높이 77.4cm, 개인 소장
(사진 출처: 박영규,《조선 목가구 정석》Ⅰ, 한문화사, 2023)
2 예천반닫이, 19세기, 높이 69cm, 호림박물관 소장
3 남한산성반닫이, 19세기, 높이 82cm, 개인 소장
4 개성반닫이, 20세기 초, 높이 85.7cm, 개인 소장
5 나주반닫이, 20세기 초, 높이 82cm, 서울공예박물관 소장
6 충청도반닫이, 20세기 초, 높이 60.5cm, 개인 소장

7 평양반닫이, 20세기 초, 높이 87.5cm, 한국가구박물관 소장
8 박천반닫이, 20세기 초, 높이 98cm, 국립민속박물관 소장
9 강원도반닫이, 20세기 초, 높이 62.9cm, 개인 소장 (사진: 최중화)
10 제주도반닫이, 20세기 초, 높이 72.2cm, 호림박물관 소장
11 궤, 19세기, 너비 116cm, 국립중앙박물관 소장 (이건희 기증품)
12 약장, 19세기, 높이 129cm, 개인 소장(사진 출처: 박영규, 《조선 목가구 정석》I, 한문화사, 2023)
13 약장, 19세기, 높이 124.8cm, 국립민속박물관 소장
14 약장, 19세기, 높이 90.5cm, 국립중앙박물관 소장
15 이층찬탁, 20세기 초, 높이 53cm, 국립민속박물관 소장
16 오층찬탁, 19세기 말, 높이 83.3cm, 개인 소장 (사진: 최중화)
17 이층찬탁, 19세기 말, 높이 92cm, 한국가구박물관 소장
18 삼층찬탁, 20세기 초, 높이 149.2cm, 개인 소장
19 삼층찬장, 19세기, 높이 149.2cm, 서울역사박물관 소장
20 삼층찬장, 19세기 말, 높이 170cm, 서울역사박물관 소장
21 쌀뒤주, 19세기 말, 높이 108.5cm, 서울역사박물관 소장 (운현궁 기증품)
22 쌍둥이뒤주, 19세기, 높이 109.5cm, 국립중앙박물관 소장 (이건희 기증품)
23 잡곡뒤주, 19세기 말, 높이 31.4cm, 서울역사박물관 소장
24 잡곡뒤주, 19세기 말, 높이 31cm, 개인 소장
25 나주반, 20세기 초, 높이 28cm, 개인 소장
26 통영반, 20세기 초, 높이 22.5cm, 개인 소장
27 해주반, 20세기 초, 높이 29cm, 국립중앙박물관 소장 (이건희 기증품)
28 강원도반, 20세기 초, 높이 26.5cm, 개인 소장
29 구족반, 20세기 초, 높이 34.1cm, 국립중앙박물관 소장 (이건희 기증품)
30 호족반, 20세기 초, 높이 29.8cm, 호림박물관 소장
31 만자무늬호족반, 20세기 초, 높이 29cm, 국립중앙박물관 소장
32 죽절호족반, 20세기 초, 높이 28cm, 호림박물관 소장
33 공고상, 20세기 초, 높이 28.3cm, 호림박물관 소장
34 일주반, 20세기 초, 높이 25.2cm, 호림박물관 소장
35 나전통영반, 19세기 말, 높이 27.7cm, 개인 소장
36 나전연잎모양일주반, 19세기 말, 높이 22.5cm, 개인 소장
37 목제촛대, 19세기 말, 높이 47cm, 고려대학교박물관 소장
38 목제촛대, 19세기 말, 높이 47cm, 일암관 소장
39 장등잔, 20세기 초, 높이 174cm, 한국가구박물관 소장
40 유제촛대, 19세기 말, 높이 88.2cm, 개인 소장
41 유제등잔걸이, 19세기 말, 높이 72cm, 개인 소장
42 좌등, 19세기 말, 높이 99.1cm, 개인 소장
43 좌등, 19세기 말, 높이 78cm, 국립중앙박물관 소장
44 제등, 19세기 말, 높이 24.5cm, 개인 소장
45 조족등, 19세기 말, 높이 75cm, 일암관 소장
46 유제부엌등잔걸이 일괄, 20세기 초, 높이 22.4cm(왼쪽), 일암관 소장
47 감실, 19세기 말, 높이 61.1cm, 안동시립민속박물관 소장
48 감실, 19세기 말, 높이 62cm, 국립중앙박물관 소장
49 감실, 19세기 말, 높이 69cm, 국립민속박물관 소장
50 교의, 19세기, 높이 122.7cm, 개인 소장
51 교의, 20세기 초, 높이 33.8cm, 부여문화원 소장 (사진: 최중화)
52 교의, 20세기 초, 높이 52cm, 부여문화원 소장 (사진: 최중화)
53 향상, 20세기 초, 높이 36cm, 개인 소장
54 향상, 20세기 초, 높이 39.7cm, 개인 소장
55 목어, 20세기 초, 길이 20.6cm(오른쪽), 개인 소장 (사진: 최중화)
56 나무북어, 20세기 초, 길이 51cm, 개인 소장(사진: 최중화)
57 목안, 19세기, 높이 25.5cm, 개인 소장
58 목안, 19세기, 높이 19.6cm, 일암관 소장
59 목안, 19세기, 높이 26cm, 일암관 소장
60 목안, 20세기 초, 높이 25cm, 본태박물관 소장
61 목침, 19세기, 너비 14.5cm, 개인 소장
62 목침, 19세기, 높이 16.7cm, 국립중앙박물관 소장
63 접이식목침, 19세기, 너비 32cm, 부여문화원 소장
64 목침, 19세기, 너비 32cm, 부여문화원 소장
65 안침, 19세기, 높이 27cm, 국립민속박물관 소장
66 안침, 19세기, 높이 13.2cm, 국립중앙박물관 소장
67 철제은입사십장생무늬담배합, 19세기 말, 너비 13.3cm, 개인 소장
68 목제담배합, 19세기 말, 너비 13cm, 개인 소장
69 애석제담배합, 19세기 말, 너비 18.1cm, 개인 소장
70 백석제담배합, 20세기 초, 지름 12.5cm, 개인 소장
71 목제복숭아모양표주박, 19세기 말, 길이 7.5cm, 개인 소장
72 목제버들잎모양표주박, 19세기 말, 길이 13.5cm, 국립민속박물관 소장
73 목제복숭아모양표주박, 19세기 말, 길이 9.5cm, 국립민속박물관 소장
74 목제꽃모양표주박, 19세기 말, 길이 7.8cm, 국립민속박물관 소장
75 목제용목표주박, 19세기 말, 길이 13.8cm, 개인 소장
76 지제표주박, 19세기 말, 길이 7.9cm, 일암관 소장
77 은제표주박, 19세기 말, 길이 10.7cm, 개인 소장
78 백옥제표주박, 19세기 말, 길이 14.2cm, 개인 소장
79 떡살 일괄, 20세기 초, 길이 62.3cm(맨 위), 개인 소장
80 백자국화무늬떡살, 19세기, 지름 7.5cm, 국립중앙박물관 소장
81 떡살, 19세기 말, 길이 7.2cm, 개인 소장
82 떡살, 20세기 초, 길이 32.8cm, 개인 소장
83 다식판 일괄, 19세기 말, 길이 60.5cm(위), 개인 소장
84 단선 일괄, 19세기, 백색단선(오른쪽) 너비 36.1cm, 남화진 소장
85 합죽선, 19세기, 너비 36.5cm, 개인 소장
86 화각홍선, 19세기, 너비 66cm, 개인 소장
87 화각홍선, 19세기, 너비 37cm, 개인 소장
88 선추, 18세기 후반, 길이(끈 포함) 21.2cm, 수원화성박물관 소장
89 일산(편 모습과 접은 모습), 19세기, 손잡이 길이 79.5cm, 국립민속박물관 소장
90 일산, 19세기, 손잡이 길이 32.2cm, 일암관 소장
91 철제은입사화로, 19세기, 높이 13.3cm, 개인 소장
92 철제은입사육각화로, 19세기, 높이 18.2cm, 국립중앙박물관 소장(이건희 기증품)
93 곱돌팔각화로, 20세기 초, 높이 16cm, 개인 소장 (사진: 최중화)
94 곱돌삼족화로, 20세기 초, 높이 18.7cm, 개인 소장 (사진: 최중화)
95 곱돌주전자, 19세기, 높이 10cm, 개인 소장
96 곱돌향로, 19세기, 높이 15cm, 국립민속박물관 소장

62장 장식화

해학반도도(12곡 연결병풍, 부분), 19세기 말, 비단에 채색, 210.4×720.5cm, 미국 데이턴미술관 소장
1 무신진찬도(8곡 병풍, 부분), 백은배 등, 1848년, 비단에 채색, 각 폭 136.1×47.6cm, 국립중앙박물관 소장
2 창덕궁 인정전 일월오봉도(4곡 연결병풍), 19세기, 비단에 채색, 230.0×422.9cm, 창덕궁
3 십장생도(10곡 연결병풍), 18세기 후반, 비단에 채색, 210.0×552.3cm, 개인 소장
4 정묘조왕세자책례계병(8곡 연결병풍, 부분), 1800년, 비단에 채색, 각 폭 145×54cm, 국립중앙박물관 소장
5 요지연도(8곡 연결병풍), 19세기, 비단에 채색, 156×504cm, 국립고궁박물관 소장
6 해학반도도(10곡 연결병풍), 19세기 말, 비단에 채색, 166×416cm, 이화여자대학교박물관 소장
7 해학반도도(12곡 연결병풍), 1902년, 비단에 채색, 각 폭 228.6×59.1cm, 미국 호놀룰루미술관 소장
8 해학반도도(12곡 연결병풍, 부분), 19세기 말, 비단에 채색, 210.4×720.5cm, 미국 데이턴미술관 소장
9 곽자의팔자칠서(부분), 전 김홍도, 19세기 초, 종이에 담채, 68.1×309.7cm 국립중앙박물관 소장(이홍근 기증품)
10 곽분양행락도(8곡 연결병풍), 19세기 후반, 비단에 채색, 156.5×427.6cm, 미국 시카고미술관 소장
11 곽분양행락도(10곡 연결병풍), 19세기 중엽, 비단에 채색, 각 폭 109.9×32.5cm, 독일 로텐바움세계문화예술박물관 소장
12 한궁도(6곡 연결병풍), 19세기, 비단에 채색, 78.0×267.6cm, 국립고궁박물관 소장
13 한궁도(6곡 연결병풍), 19세기, 비단에 채색, 71×288cm, 국립고궁박물관 소장
14 백자도(6곡 연결병풍), 19세기, 비단에 채색, 74.3×291.2cm, 국립고궁박물관 소장
15 백자도(10곡 병풍), 서원희, 1910년대, 비단에 채색, 각 폭 94.0×32.1cm, 개인 소장
참고1 다보각경도, 전 낭세녕, 18세기, 종이에 채색, 123.4×237.6cm, 개인 소장
16 책가도(10곡 병풍), 19세기, 비단에 채색, 각 폭 161.7×39.5cm, 국립고궁박물관 소장
17 책가도(10곡 연결병풍), 이형록, 19세기, 비단에 채색, 153×352cm, 국립중앙박물관 소장
18 책가도(8곡 연결병풍), 장한종, 19세기 초, 종이에 채색, 195×361cm, 경기도박물관 소장
19 호피장막책가도(8곡 연결병풍), 19세기, 종이에 채색, 128.0×358.5cm, 개인 소장
참고2 도17 중 이응록(이형록)의 이름이 새겨진 도장 부분
참고3 도18 중 장한종의 이름이 새겨진 도장 부분
20 책가도(10곡 병풍, 부분), 이형록, 1871년 이후~1883년 이전, 비단에 채색, 각 폭 150×37cm, 통도사성보박물관 소장
21 호피도(7곡 연결병풍, 부분), 19세기, 종이에 담채, 각 폭 176×51cm, 개인 소장
22 호렵도(8곡 병풍), 19세기 전반, 비단에 채색, 각 폭 96.7×44.3(제1폭 49.0)cm, 국립고궁박물관 소장
23 백선도 초본(7폭, 부분), 19세기 말, 종이에 수묵, 각 폭 65×43cm, 국립중앙박물관 소장
24 백선도(6곡 병풍, 부분), 19세기 말, 종이에 채색, 각 폭 138.2×54.4cm, 독일 로텐바움세계문화예술박물관 소장
25 백선도(8곡 병풍, 부분), 19세기, 종이에 채색, 각 폭 93.2×35.1cm, 개인 소장
26 백선군접도(8곡 병풍, 부분), 남계우·박기준, 19세기, 비단에 채색, 각 폭 143.9×34.5cm, 국립중앙박물관 소장
27 모란대병(4곡 병풍), 19세기 말, 비단에 채색, 각 폭 212.5×75.0cm, 국립고궁박물관 소장
28 모란대병(8곡 병풍), 19세기 말, 비단에 채색, 233.4×456.8cm, 서울역사박물관 소장(운현궁 기증품)
29 화훼도(4곡 병풍), 20세기 초, 비단에 채색, 각 폭 166.5×52.8cm, 국립고궁박물관 소장
30 모란도(4곡 연결병풍), 19세기 말, 비단에 채색, 160.0×255.3cm, 국립고궁박물관 소장
31 창덕궁 경훈각의 〈삼선관파도〉
32 파상반도도, 19세기 후반, 비단에 채색, 244×247cm, 국립중앙박물관 소장
33 쌍조유희도, 19세기 후반, 종이에 채색, 134×263cm, 국립중앙박물관 소장
34 공작도·봉황도, 19세기, 종이에 채색, 각 폭 156.8×55.2cm, 미국 필라델피아미술관 소장
35 화훼괴석도, 19세기, 종이에 채색, 123×46cm, 서울역사박물관 소장(운현궁 기증품)
36 십장생도(4곡 연결병풍), 19세기 말, 비단에 채색, 118.0×230.5cm, 국립고궁박물관 소장
37 삼국지연의도(9폭, 부분), 19세기 말, 종이에 채색, 각 폭 230.0×139~170.5cm, 서울역사박물관 소장
38 금갑장군 문배도(2폭), 20세기 초, 종이에 채색, 각 폭 168×77cm, 풍산 류씨 종택 소장

63장 민화

호작도, 19세기, 종이에 담채, 91.7×54.8cm, 개인 소장
1 장식용 그림이 문과 벽에 붙어 있는 한옥 풍경 (엘리자베스 키스, 《Old Korea》, 1946)
2 산수도 병풍 앞에서 장기를 두는 노인들(조지프 롱포드, 《The Story of Korea》, 1911)
3 화조도 병풍을 바라보는 아이들과 엄마 (제임스 게일, 《Korean Sketches》, 1898)
4 병풍 앞에서 식사하는 외국인 신부들 (노르베르트 베버, 《Im Lande der Morgenstille》, 1915)
5 태평성시도(8곡 병풍) 중 종이 가게(왼쪽)와 그림 가게 (오른쪽) 부분, 19세기 초, 비단에 채색, 각 폭 113.6×49.1cm, 국립중앙박물관 소장
6 조선 말기 광통교 일대 지도(《수선총도》(부분), 19세기 중엽, 목판본, 89.0×81.2cm,서울역사박물관 소장)
7 계견사호도(4폭), 19세기 말, 종이에 채색, 각 폭 32×30cm, 프랑스 국립기메동양박물관 소장
8 계견사호도 목판, 19세기, 각 84.0×32.8cm, 삼성출판박물관 소장
9 백자청화호작무늬항아리(사자 부분과 호랑이 부분), 18세기 후반, 높이 42.8cm, 국립경주박물관 소장
10 송호도, 강세황·김홍도, 18세기 후반, 비단에 담채, 90.4×43.8cm, 리움미술관 소장
11 송호도(부분), 김양기, 19세기, 비단에 담채, 122.0×40.1cm, 국립중앙박물관 소장
12 호작도, 19세기, 종이에 담채, 85.5×53.2cm, 개인 소장
13 호작도, 19세기, 종이에 담채, 116×80cm,

일본 구라시키[倉敷]민예관 소장
14 호작도, 19세기 말, 종이에 담채, 107.5×74.5cm, 경기대학교박물관 소장
15 호작도, 신재현, 1934년, 종이에 채색, 96.8×56.9cm, 개인 소장
16 호작도 목판, 19세기 말, 57.7×46.2cm,개인 소장
17 삼재부적도, 목판 19세기 말, 목판 크기 45×21cm, 국립중앙박물관 소장
18 금란부, 목판 19세기 말, 35×62cm, 국립민속박물관 소장
19 민화 화조도(8곡 병풍, 부분), 20세기 초, 비단에 채색, 전체 145.0×382.4cm, 통도사성보박물관 소장
20 민화 화조도(2폭), 19세기 말, 종이에 채색, 왼쪽 152.0×58.5cm, 오른쪽 143×55cm, 전주역사박물관 소장
21 민화 화조도(8곡 병풍, 부분), 20세기 초, 종이에 채색, 각 폭 91×38cm, 개인 소장
22 민화 화조도(8곡 병풍, 부분), 20세기 초, 종이에 채색, 각 폭 68.0×36.7cm, 가나문화재단 소장
23 민화 화조도(8폭, 부분), 20세기 초, 종이에 채색, 각 폭 90.4×37.2cm, 개인 소장
24 민화 고사화조도(8곡 병풍, 부분), 20세기 초, 종이에 채색, 각 폭 85.3×31.2cm, 개인 소장
25 민화 화조도(4폭), 20세기 초, 종이에 채색, 각 폭 116×46cm, 개인 소장
26 모란병풍(6곡 병풍), 20세기 초, 종이에 채색, 각 폭 124.5×35.0cm, 온양민속박물관 소장
27 모란병풍(8곡 병풍, 부분), 20세기 초, 종이에 채색, 각 폭 100.0×35.5cm, 개인 소장
28 모란병풍(10곡 병풍, 부분), 20세기 초, 종이에 채색, 각 폭 157.5×45.5cm, 경기대학교박물관 소장
29 민화 금강산도(8곡 병풍, 부분), 20세기 초, 종이에 담채, 각 폭 92×35cm, 개인 소장
30 민화 금강산도(10곡 병풍, 부분), 20세기 초, 종이에 담채, 각 폭 76.0×36.5cm, 서울역사박물관 소장
31 민화 총석정도, 19세기, 종이에 담채, 98×64cm, 개인 소장
32 민화 관동팔경도(2폭), 20세기 초, 종이에 담채, 각 폭 50.0×35.5cm, 진주 대아고등학교 소장
33 민화 소상팔경도(동정추월, 원포귀범), 20세기 초, 종이에 수묵, 각 폭 94×27cm, 개인 소장
34 민화 평사낙안, 20세기 초, 종이에 수묵, 68.5×30.0cm, 일본 구라시키민예관 소장
35 민화 소상팔경도(5폭 중 소상야우, 연사모종), 20세기 초, 종이에 담채, 각 폭 101.0×45.5cm, 선문대학교박물관 소장
36 민화 산수도(6곡 병풍), 20세기 초, 종이에 담채, 각 폭 72×33cm, 개인 소장
37 민화 산수화조도(6곡 병풍), 20세기 초, 종이에 담채, 각 폭 113.0×35.6cm, 호림박물관 소장
38 민화 산수화조도(8곡 병풍), 20세기 초, 종이에 채색, 각 폭 123×31cm, 서울역사박물관 소장
39 민화 고사인물도(6곡 병풍, 부분), 20세기 초, 종이에 담채, 각 폭 121×37cm, 개인 소장
40 민화 효행고사도(8곡 병풍, 부분), 20세기 초, 비단에 채색, 각 폭 104.0×30.3cm, 경기대학교박물관 소장
41 민화 산수인물도(8곡 병풍, 부분), 20세기 초, 종이에 담채, 각 폭 134.0×27.5cm, 영남대학교박물관 소장
42 민화 시의도(12곡 병풍, 부분), 20세기 초, 종이에 담채, 각 폭 93×30cm, 가회민화박물관 소장
43 민화 삼국지연의도(8곡 병풍, 부분), 20세기 초, 종이에 채색, 각 폭 91.5×36.0cm, 경기대학교박물관 소장
44 민화 춘향전도(8곡 병풍, 부분), 20세기 초, 종이에 채색, 각 폭 92.5×36.0cm. 국립민속박물관 소장
45 민화 춘향전도(10곡 병풍, 부분), 20세기 초, 종이에 채색, 각 폭 105×34cm, 계명대학교박물관 소장
46 민화 구운몽도(8곡 병풍, 부분), 20세기 초, 종이에 채색, 각 폭 65.5×36.0cm, 국립민속박물관 소장
47 민화 구운몽도(8곡 병풍, 부분), 20세기 초, 종이에 채색, 각 폭 90.5×33.5cm, 국립민속박물관 소장
48 민화 책가도 초본(4폭, 부분), 19세기 말, 종이에 수묵, 각 폭 70×37cm, 가회민화박물관 소장
49 민화 책가도(8곡 병풍, 부분), 19세기 말, 종이에 채색, 각 폭 61×38cm, 국립중앙박물관 소장
50 민화 책가도(8곡 병풍, 부분), 19세기 말, 종이에 채색, 각 폭 50×32cm, 개인 소장
51 민화 책가도(8곡 병풍, 부분), 19세기 말, 종이에 채색, 각 폭 92.9×36.3cm, 개인 소장
52 민화 책가도(8곡 병풍, 부분), 19세기 말, 종이에 채색, 각 폭 95×32cm, 개인 소장
53 민화 책가도(4곡 병풍, 부분), 20세기 초, 종이에 채색, 각 폭 55×35cm, 개인 소장
54 문자도(8곡 병풍, 도58 중 信자 부분), 개인 소장
55 문자도(8곡 병풍, 도60 중 信자 부분), 개인 소장
56 문자도(8곡 병풍, 信자 부분), 경기대학교박물관 소장
57 민화 강원도 문자도(8곡 병풍, 信자 부분), 개인 소장
58 문자도(8곡 병풍, 부분), 19세기 말, 종이에 채색, 각 폭 74.2×42.2cm, 개인 소장
59 문자도(8곡 병풍, 부분), 20세기 초, 종이에 채색, 각 폭 68.0×32.5cm, 경기대학교박물관 소장
60 문자도(8곡 병풍, 부분), 20세기 초, 종이에 채색, 각 폭 62.0×32.5cm, 개인 소장
61 문자도(8곡 병풍, 부분), 19세기 후반, 종이에 채색, 각 폭 61×36cm, 개인 소장
62 제주도 문자도(8곡 병풍, 부분), 20세기 초, 종이에 채색, 각 폭 88.5×48.0cm, 개인 소장
63 화조문자도(8곡 병풍, 부분), 20세기 초, 종이에 채색, 각 폭 121×37cm, 개인 소장

64장 자수

복온공주 활옷(부분), 1830년, 세로 128.5cm, 국립고궁박물관 소장
참고1 천수국만다라수장, 622년 무렵, 88.8×82.7cm, 일본 중궁사 소장
1 자수 아미타여래도, 14세기 후반, 105.8×42.9cm, 국립중앙박물관 소장(이건희 기증품)
2 아미타여래도, 14세기, 비단에 채색, 116.4×54.5cm, 일본 동해암 소장
3 자수 사계분경도(4곡 병풍, 부분), 14세기 후반, 각 폭 66.0×40.5cm, 보물 653호, 서울공예박물관 소장 (허동화 기증품)
4 수라향낭(평창 월정사 팔각구층석탑 출토), 10세기, 6.0×5.7cm, 보물 1375호, 월정사성보박물관 소장
5 자수비단주머니(청양 장곡사 금동약사여래좌상 복장유물), 1346년 무렵, 9.8×10.0cm, 국보, 청양 장곡사 소장

6 오조룡보 목판과 지본, 1897년,
목판: 19.3×20.3cm, 지본: 지름 21cm,
국립고궁박물관 소장
7 대표적인 자수 기법들
(출처: 심연옥 외, 《한국 자수 이천년》, 크리빗, 2020)
8 복온공주 활옷, 1830년, 세로 128.5cm,
국립고궁박물관 소장
9 활옷, 19세기 말, 세로 109cm, 일암관 소장
10 순정효황후 대홍원삼, 1906년, 세로 145cm,
국가민속문화재 48호, 세종대학교박물관 소장
11 영친왕비 적의, 1922년, 세로 143.8cm,
국가민속문화재 265호, 국립고궁박물관 소장
12 후수, 19세기 말, 세로 87cm, 국립고궁박물관 소장
13 후수, 19세기 말, 세로 71.8cm, 국립고궁박물관 소장
14 영조 어진, 조석진·채용신 등, 1900년, 비단에 채색,
110.5×61.0cm, 보물 932호, 국립고궁박물관 소장
15 영친왕 곤룡포 오조룡보, 1922년 무렵, 지름 20cm,
국가민속문화재 265호, 국립고궁박물관 소장
16 영친왕비 적의 오조룡보, 1922년 무렵, 지름 17.5cm, 국가민속문화재 265호, 국립고궁박물관 소장
17 신숙주 초상(부분), 15세기, 비단에 채색, 167.0×109.5cm,
보물 613호, 고령신씨문중 소장
18 장말손 초상(부분), 15세기, 비단에 채색, 165×93cm,
보물 502호, 개인 소장
19 정탁 초상(부분), 17세기, 비단에 채색, 167×89cm,
보물 487호, 개인 소장
20 박유명 초상(부분), 17세기 전반, 비단에 채색,
170.0×88.3cm, 보물 1489호, 수원박물관 소장
21 사자흉배, 16세기, 34.5×34.5cm,
숙명여자대학교박물관 소장
22 쌍학흉배, 17세기, 37.5×37.5cm, 단국대학교박물관 소장
23 쌍학흉배, 19세기, 24.2×21.5cm,
미국 LA카운티미술관 소장
24 쌍호흉배, 19세기, 20.2×22.3cm,
미국 LA카운티미술관 소장
25 단호흉배, 19세기 말, 22.3×20.2cm, 국립중앙박물관 소장
26 단학흉배, 19세기 말, 20×18cm, 국립고궁박물관 소장
27 자수연지화조무늬방석, 17세기, 82×93cm,
서울공예박물관 소장
28 복온공주 혼례용방석, 1830년, 85.8×99.0cm,
국립고궁박물관 소장
29 영친왕비 자수쌍학무늬두루주머니, 1922년 무렵,
8.0×10.7cm, 국가민속문화재 265호, 국립고궁박물관 소장
30 이구 금장식자수두루주머니, 1932년 무렵, 12.5×14.0cm,
국가민속문화재 265호, 국립고궁박물관 소장
31 영친왕비 자수수복자무늬귀주머니, 1922년 무렵,
13.8×14.6cm, 국가민속문화재 265호,
국립고궁박물관 소장
32 이진 자수십장생무늬귀주머니, 1922년 무렵, 14.1×14.0cm,
국가민속문화재 265호, 국립고궁박물관 소장
33 자수혼례용부채, 19세기 말, 길이 47cm,
동아대학교박물관 소장
34 자수베갯모, 20세기 초, 19.0×18.4cm(아래),
국립고궁박물관 소장
35 자수장침모, 20세기 초, 18.0×56.7cm(아래),
국립고궁박물관 소장
36 자수연꽃넝쿨무늬사경보, 15세기 초, 36.2×14.0cm,
불교중앙박물관 소장
37 자수금광명최승왕경(제2책과 제3책), 1622년,
각 34.6×12.0cm, 동국대학교박물관 소장
38 자수복장주머니(한 쌍 중 하나), 19세기 중엽,
26.2×11.5cm, 국가민속문화재 42호,
서울공예박물관 소장(허동화 기증품)
39 자수복장주머니(한 쌍 중 하나), 1919년, 48×22cm,
수덕사근역성보관 소장
40 자수삼보명25조가사(부분), 19세기, 60×240cm,
보물 654호, 서울공예박물관 소장(허동화 기증품)
41 자수용무늬탁의(부분), 17세기 초, 115.0×365.5cm,
국가민속문화재 244호, 선암사성보박물관 소장
42 자수 초충도(8곡 병풍, 부분), 전 신사임당, 16세기,
각 폭 61×40cm, 보물 595호, 동아대학교박물관 소장
43 자수 춘유방초, 전 인헌왕후, 17세기, 159.7×44.2cm,
국립중앙박물관 소장
44 자수 산시청람, 전 인헌왕후, 17세기, 179.4×46.4cm,
국립중앙박물관 소장
45 자수 신선도, 전 인헌왕후, 17세기, 148.5×44.5cm,
국립중앙박물관 소장
46 자수 십장생도(2폭), 안동 김씨, 1606년, 각 폭 42×26cm,
개인 소장
47 자수 화조도(7폭, 부분), 19세기, 각 폭 166.0×39.6cm,
국립고궁박물관 소장
48 자수 십장생도(8곡 병풍, 부분), 20세기 초,
각 폭 60×33cm, 서울공예박물관 소장(허동화 기증품)
49 자수 화조도(8곡 병풍), 20세기 초, 각 폭 123×32cm,
개인 소장
50 자수 화초길상도(10곡 병풍, 부분), 19세기 말,
각 폭 90×37cm, 국립중앙박물관 소장
51 자수 백수백복자도(10곡 병풍), 19세기 말,
각 폭 146.3×30.5cm, 국립고궁박물관 소장
52 자수 명성황후한시(8곡 병풍, 부분), 전 명성황후,
19세기 후반, 각 폭 112.2×31.3cm, 국립고궁박물관 소장
53 자수 유란부(6곡 병풍, 부분), 1904년,
각 폭 194.8×56.0cm, 국립고궁박물관 소장
54 자수 책가도(10곡 병풍, 부분), 20세기 초,
각 폭 81.0×33.5cm, 서울공예박물관 소장(허동화 기증품)
55 자수 송학도(10곡 연결병풍), 밑그림 양기훈, 20세기 초,
147.5×344.4cm, 국립고궁박물관 소장
56 자수 송학도(12곡 연결병풍), 밑그림 전 양기훈, 20세기 초,
177.5×403.0cm, 국립고궁박물관 소장
57 자수 매화도(10곡 연결병풍), 밑그림 양기훈, 1906년,
전체 247.3×400.0cm, 국립고궁박물관 소장
58 자수십장생무늬이층농, 19세기, 높이 138.7cm,
국가민속문화재 59호, 숙명여자대학교박물관 소장

유홍준

1949년 서울에서 태어났다. 서울대학교 미학과를 졸업하고, 홍익대학교 대학원 미술사학과 석사학위, 성균관대학교 대학원 동양철학과(예술철학 전공) 박사학위를 받았다. 1981년 동아일보 신춘문예 미술평론으로 등단한 뒤 미술평론가로 활동하며 민족미술인협의회 공동대표, 제1회 광주비엔날레 커미셔너 등을 지냈다.
영남대학교 교수 및 박물관장, 명지대학교 교수 및 문화예술 대학원장, 문화재청장을 역임했다. 현재 명지대학교 미술사학과 교수를 정년퇴임한 후 석좌교수로 있으며, 명지대학교 한국미술사연구소장을 맡고 있다.
평론집으로《다시, 현실과 전통의 지평에서》, 답사기로《나의 문화유산 답사기》(전20권), 미술사 저술로《조선시대 화론 연구》,《화인열전》(전2권),《완당평전》(전3권),《유홍준의 미를 보는 눈》(《국보순례》,《명작순례》,《안목》 전3권),《유홍준의 한국미술사 강의》(전6권),《김광국의 석농화원》(공역),《추사 김정희》 등이 있다. 간행물윤리위 출판저작상(1998), 제18회 만해문학상(2003) 등을 수상했다.

유홍준의 한국미술사 강의 6
조선: 공예, 생활·장식미술

초판 1쇄 발행 2023년 10월 20일
초판 2쇄 발행 2023년 11월 13일

지은이 유홍준

펴낸이 김효형
펴낸곳 (주)눌와
등록번호 1999. 7. 26. 제10-1795호
주소 서울시 마포구 월드컵북로16길 51, 2층
전화 02 3143 4633
팩스 02 3143 4631
페이스북 www.facebook.com/nulwabook
인스타그램 www.instagram.com/nulwa1999
블로그 blog.naver.com/nulwa
전자우편 nulwa@naver.com
편집 김선미, 김지수, 임준호
디자인 엄희란

책임편집 김지수
표지·본문 디자인 엄희란

제작진행 공간
인쇄 더블비
제본 대흥제책

ISBN 978-89-90620-43-9 세트
979-11-89074-62-3 04600

책값은 뒤표지에 표시되어 있습니다.